Nゲージレイアウトプラン集 50

池田邦彦 著

技術評論社

はじめに

この本をご覧になる前に

「Nゲージレイアウトプラン集50」をお届けします。

メーカー発売のプラン集などはこれまでもありましたが、一般の書店でも販売される本格的なレイアウトプラン集としては、おそらく日本初ではないかと思います。

かつて鉄道模型の専門誌では多くのレイアウトプランが紹介され、コンテストも行われたものですが、いつしか見られなくなってしまいました。おそらく、実際に作られるレイアウトが増えて、その紹介に誌面が割かれるようになったのが理由でしょうか。

しかしレイアウトプランとは、映画作りにおけるシナリオであり、家作りにおける間取り図にあたるもの。いいプランがなくてはいいレイアウトはできません。多くのプランを見て、検討を重ね、練りあげ改良してこそ満足のいくレイアウトができると思うのですが、近年はレイアウトの数こそ多いものの、その骨格となるレイアウトプランについては、残念ながら永年の停滞を余儀なくされているのが実情のようです。

これについては鉄道模型を扱うメディアの責任が大きいことは、レイアウトの作り方の本が市場にあふれているのに比べ、レイアウトプランの本は皆無という状況が物語っています。各種のレイアウトプラン集がくりかえし発行され、インターネット上にデータベースまである欧米の状況と比べると、なんとも淋しいかぎりです。

こうした状況に一石を投じるべく、重い腰をあげた結果が本書ですが、もちろんここに収録されたプランが素晴らしいものばかりなどとはとても言えません。それでも、いくつかお気に召すものもあるでしょうし、「私ならここはこうする」とか「自分が作るのならこうアレンジして……」などと考えをめぐらせていただきたいと思います。それがやがてレイアウトを作る際に非常に役立つイメージトレーニングになりますし、筆者個人の考えでは、実際に作らなくても、レイアウトプランを見たり考えたりすることはとても楽しいものです。絵本でも眺める感覚で楽しんでいただければ幸いです。

読み方と注意点など

本書にはNゲージ鉄道模型のレイアウトプラン50種類が収録されています。

ここでいうレイアウトとは、列車の走るジオラマの一種で、ベースボードに線路や建物（ストラクチャー）を配置し、風景を作ったものです。床の上などに一時的に線路を組み立てるフロア・レイアウトに比べ、設置スペースやシーナリー（風景）との兼ね合いなど制約が多く、また製作途中で線路配置を簡単に変更できないため、レイアウトプランは重要です。

プランの多くはほぼタタミ1畳分に相当する定尺サイズ（約180×90センチメートル）以下のもので、一般家庭で設置しやすいことを考慮しました。

本格的なレイアウトでは、手で自由に曲げられるフレキシブルレールも使われますが、本書に収録したプランではすべて組み立て式レール（KATOユニトラックまたはTOMIXファイントラック）を使っています。工作が容易で、安定した走行性能が得られることが理由です。これらのプランを、フレキシブルレール向けにアレンジすることは比較的容易だと思います。

なおKATO、TOMIX両社からは現在、例えば複線レールなど用途を限定した製品も豊富に発売されていますが、本書ではできるだけ基本的なレールを使ってプランを構成しています。また、新規購入の際にできるだけ無駄が出ないような構成を心がけました。そのため、例えば1本のレールでまかなえる長さの直線をわざと分割しているところがあったりします。すでに持っているレールを活用する場合など、適宜変更してください。

電気配線については、もっとも基本的な運転をするためのフィーダー（レールに電気を供給する場所）と、必要最小限のギャップ（レール同士を電気的に絶縁する場所）のみ記しています。どのような運転をしたいのかによって変わってきますので、工夫してください。

イラストは完成予想イメージを絵にしたもので、寸法などは完全に正確なものではありません。ストラクチャー類は原則として市販品を利用することを想定していますが、製品名などは明示していません。時期によって入手のしやすさが変わったり、そもそも線路配置と違い自由度の高いものなので、自作や改造も含めて工夫していただきたいと思います。

各種製品を活用することを想定してはいますが、本書の制作にあたって、メーカー各社との関係はありません。各社製品を混用することをはじめ、必ずしもメーカーが推奨しているやり方に従っていない部分があることをご承知おきください。この本の内容について、メーカーに問い合わせることはお控えください。

本書はできるだけ多くのレイアウトプランを収録することに特化した本です。鉄道模型の仕組みや製品の種類などについてはメーカーのカタログや入門書、専門雑誌などをご覧ください。

なお、収録したレイアウトプランのほとんどは新たに描き下したものですが、一部に筆者が各種の媒体に発表したプランも含まれていることをお断りしておきます。

それでは「Nゲージレイアウトプラン集50」をお楽しみください。

池田邦彦

この本の使い方

この本に収録されているレイアウトプランは、Nゲージモデル用であり、1プラン4ページで構成されています。プランの奇数番号はKATO、偶数番号はTOMIX製のレールをベースにプランニングされています。

●完成イメージイラスト

レイアウト完成後の姿を想像していただくためのイメージ図です。地形や建物の配置、色彩などの参考にしてください。

●箇条書き

レイアウトの基本的なデータを箇条書きにしています。全体の大きさ、使用レールは特に重要なので一目でわかるよう大きめにしています。停車場有効長は、駅に停められる列車の長さを示したもので、このレイアウトで走らせることができるもっとも長い列車がわかります。

●製作難易度

大きさだけでなく、線路配置や電気配線の複雑さ、さらにシーナリー（風景）の起伏の度合いなどを総合的に判断した「作りやすさ」を示します。

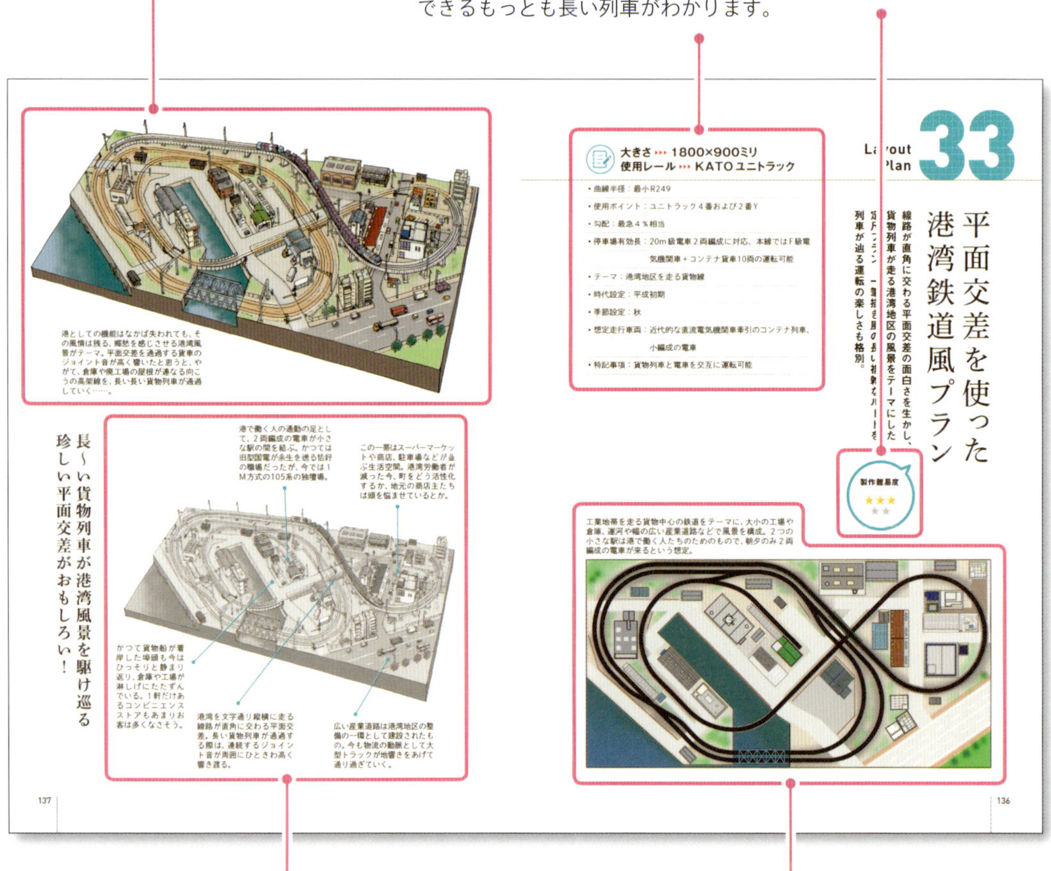

●見どころや注意点

完成イメージイラストを使い、このレイアウトの見どころや、製作時に注意すべき点などを説明しています。

●完成予想イラスト

レイアウトを真上から見た完成予想イラストです。本書収録のプランではストラクチャー（建物）は原則として市販品を使い、メーカーが公表している寸法に沿って作画しています。

プラン図

シーナリー（風景）を除いた純粋な線路配置図で、使用する部品の略号を明記しています。略号は下の部品リストに対応しています。

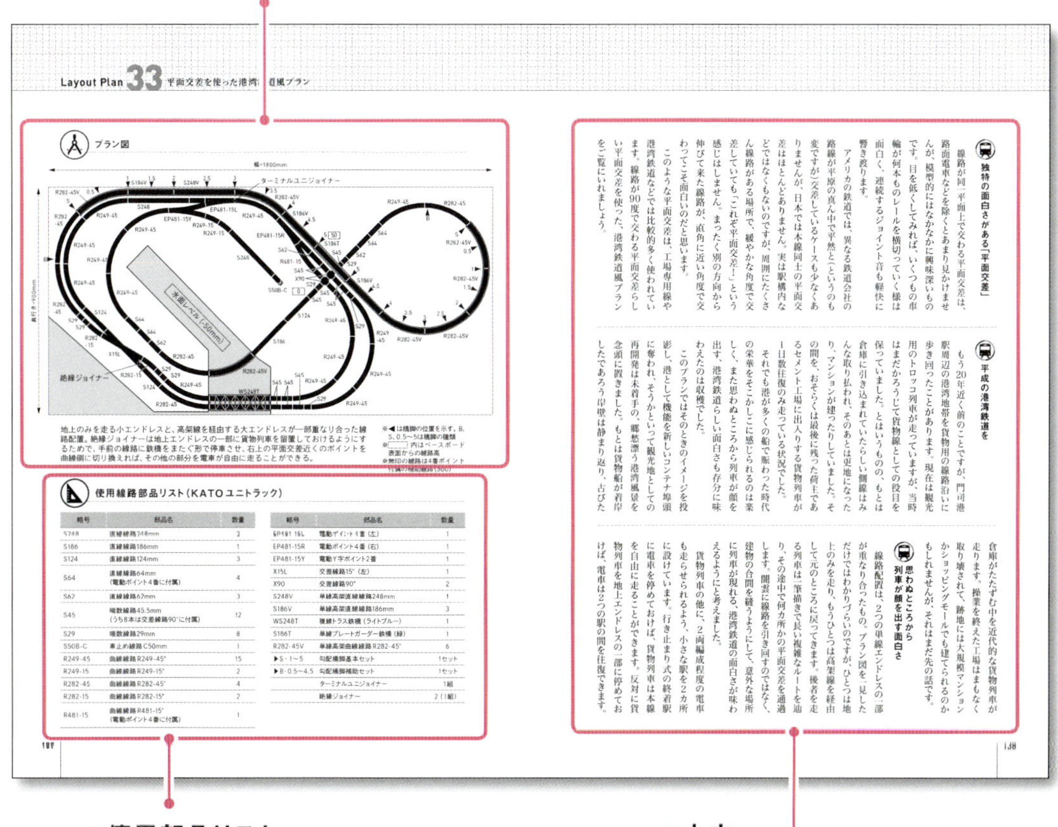

Layout Plan 33 平面交差を使った港湾[illegible]道風プラン

プラン図

地上のみを走る小エンドレスと、高架線を経由する大エンドレスが一部重なり合った線路配置。絶縁ジョイナーは地上エンドレスの一部に貨物列車を留置しておけるようにするためで、手前の線路に鉄橋をまたぐ形で停車させ、右上の平面交差近くのポイントを曲線側に切り換えれば、その他の部分を電車が自由に走ることができる。

※◀は橋脚の位置を示す。B、S、0.5～5は橋脚の種類
※□内はベースボード表面からの線路高
※無印の線路は4番ポイント

使用線路部品リスト（KATOユニトラック）

略号	部品名	数量
S248	直線線路248mm	2
S186	直線線路186mm	1
S124	直線線路124mm	3
S64	直線線路64mm（電動ポイント4番に付属）	4
S62	直線線路62mm	3
S45	端数線路45.5mm（うち8本は交差線路90°に付属）	12
S29	端数線路29mm	8
S50B-C	車止め線路C50mm	1
R249-45	曲線線路R249-45°	15
R249-15	曲線線路R249-15°	2
R282-45	曲線線路R282-45°	4
R282-15	曲線線路R282-15°	2
R481-15	曲線線路R481-15°（電動ポイント4番に付属）	1

略号	部品名	数量
EP481-15L	電動ポイント4番（左）	1
EP481-15R	電動ポイント4番（右）	1
EP481-15Y	電動Y字ポイント2番	1
X15L	交差線路15°（左）	1
X90	交差線路90°	2
S248V	単線高架直線線路248mm	1
S186V	単線高架直線線路186mm	3
WS248T	複線トラス鉄橋（ライトブルー）	1
S186T	単線プレートガーダー鉄橋（緑）	1
R282-45V	単線高架曲線線路R282-45°	6
▶S・1～5	勾配橋脚基本セット	1セット
▶B・0.5～4.5	勾配橋脚補助セット	1セット
	ターミナルユニジョイナー	1組
	絶縁ジョイナー	2（1組）

137

独特の面白さがある「平面交差」

線路が同一平面上で交わる平面交差は、路面電車などを除くとあまり見かけませんが、模型的にはなかなかに興味深いものです。目を低くしてみれば、いくつもの車輪が何本ものレールを横切っていく様は面白く、連続するジョイント音も軽快に響き渡ります。

アメリカの鉄道では、異なる鉄道会社の路線が平原の真ん中で平然と（というのも変ですが）交差しているケースも少なくありませんが、日本では本線同士の平面交差はほとんどありません。実は駅構内などではなくもないのですが、周囲にたくさん線路がある場所で、緩やかな角度で交差していても「これぞ平面交差！」という感じはしません。まったく別の方向から伸びて来た線路が、直角に近い角度で交わってこそ面白いのだと思います。

このような平面交差は、工場専用線や港湾鉄道などでは比較的多く使われています。線路が90度で交わる平面交差らしい平面交差を使った、港湾鉄道風プランをご覧にいれましょう。

平成の港湾鉄道を

もう20年近く前のことですが、門司港駅周辺の港湾地帯を貨物用の線路沿いに歩き回ったことがあります。現在は観光用のトロッコ列車が走っていますが、当時はまだかろうじて貨物線としての役目を保っていました。とはいうものの、もとは倉庫に引き込まれていたらしい側線はみんな取り払われ、そのあとは更地になったり、マンションが建ったりしていました。その間を、おそらくは最後に残った荷主であるセメント工場に出入りする貨物列車が1日数往復のみ走っている状況でした。

それでも港が多くの船で賑わった時代の栄華をそこかしこに感じられるのは楽しく、また思わぬところから列車が顔を出す、港湾鉄道らしい面白さも存分に味わえたのは収穫でした。

このプランではそのときのイメージを投影し、港として機能を新しいコンテナ埠頭に奪われ、そうかといって観光地としての再開発は未着手の、郷愁漂う港湾風景を念頭に置きました。もとは貨物船が着岸したであろう岸壁は静まり返り、古びた倉庫がたたずむ中を近代的な貨物列車が走ります。操業を終えた工場はまもなく取り壊されて、跡地には大規模マンションかショッピングモールでも建てられるのかもしれませんが、それはまだ先の話です。

思わぬところから列車が顔を出す面白さ

線路配置は、2つの単線エンドレスの一部が重なり合ったもの。プラン図を一見しただけではわかりづらいのですが、ひとつは地上のみを走り、もうひとつは高架線を経由して元のところに戻ってきます。後者を走る列車は一筆描きで長い複雑なルートを辿り、その途中で何カ所かの平面交差を通過します。闇雲に線路を引き回すのではなく、建物の合間を縫うようにして、意外な場所に列車が現れる、港湾鉄道の面白さが味わえるようにと考ええました。

貨物列車の他に、2両編成程度の電車も走らせられるよう、小さな駅を2カ所に設けています。行き止まり式の終着駅に電車を停めておけば、貨物列車は本線を自由に走ることができます。反対に貨物列車を地上エンドレスの一部に停めておけば、電車は2つの駅の間を往復できます。

138

使用部品リスト

使用するレールその他の部品のリストです。それぞれの使用数を示しています。製品は複数本のセットや、違う種類のレールが組み合わされて販売されているものもあるので、必要購入数とは必ずしも一致しませんが、できるだけ無駄の出ないように構成しています。

本文

レイアウトプランの意図、運転の仕方、楽しむポイント、制作時の注意点などを中心とした説明文です。

※ご注意

この本はレイアウト「プラン集」です。あくまでもレイアウトの元となるプランを提供し、レイアウト作りの参考にしていただくものであり、作り方を解説するものではありません。作り方や配線、鉄道模型の選択、走らせ方等については、メーカーの製品情報、別途書籍や雑誌等をご覧ください。

Nゲージレイアウトプラン集50

Contents

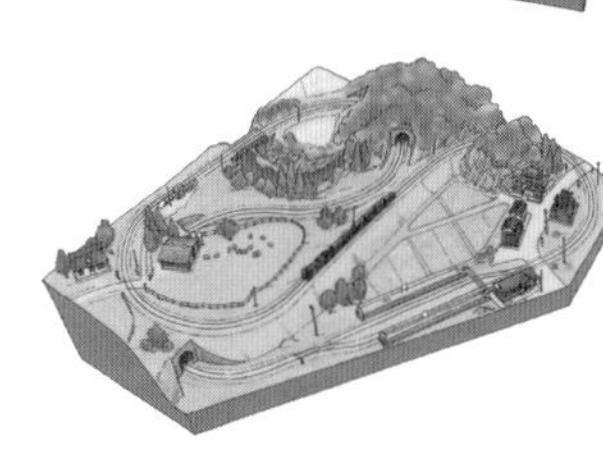
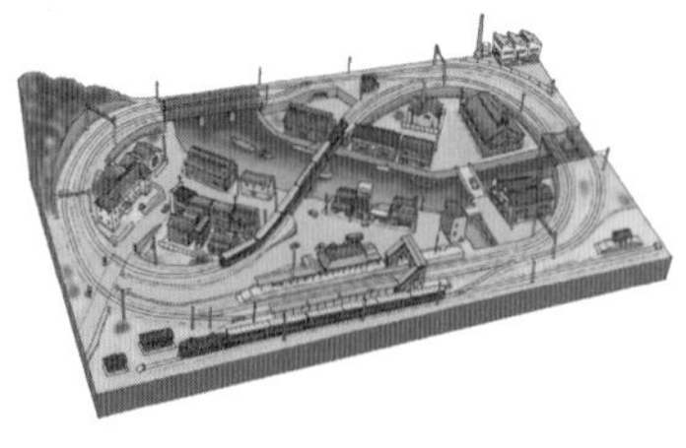

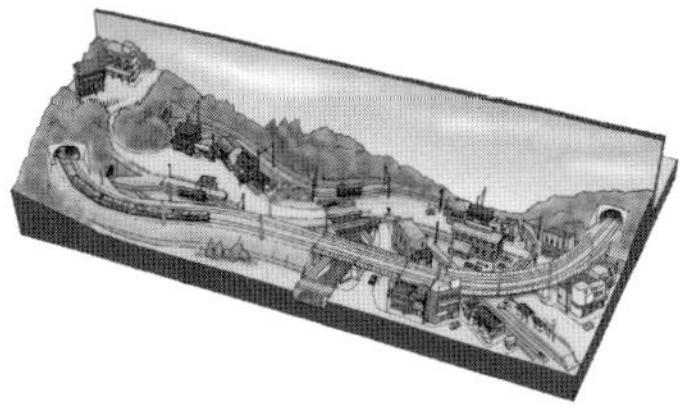

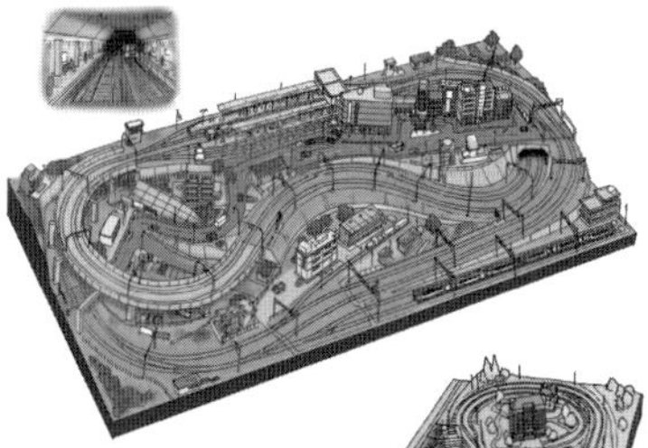

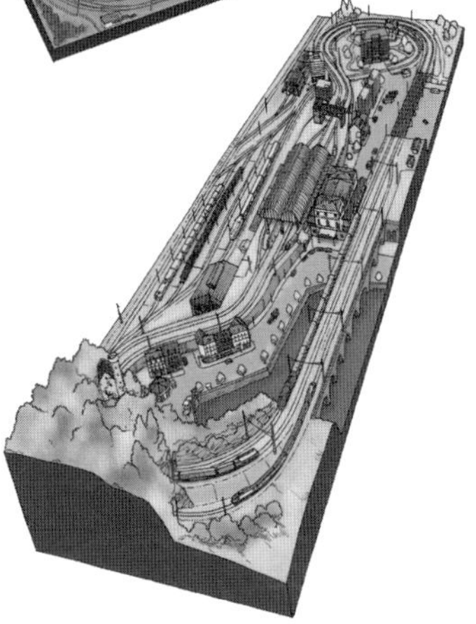

大きさ ▸▸▸ 900×600ミリ
使用レール ▸▸▸ KATOユニトラック

Layout Plan 01

- 曲線半径：最小R249
- 使用ポイント：ユニトラック4番
- 勾配：ナシ
- 停車場有効長：20m級車両2両編成に対応
- テーマ：国鉄の非電化ローカル線
- 時代設定：昭和40年代
- 季節設定：初夏
- 想定走行車両：ディーゼルカー
- 特記事項：ビギナーにも無理なく完成させられるシンプルなデザイン

はじめてのNゲージレイアウト

はじめて手がけるのにも好適なミニマムサイズ。シンプルながら奥深い、大人の趣味として長く楽しめるプラン。

製作難易度
★★★★★

一般的なNゲージレイアウトの最小サイズに相当。オーバル(楕円形エンドレス)に側線を1本追加したシンプルなプラン。側線上を駅でなく車両駐泊所として「営業運転」と「回送運転」を区別することで単なるグルグル回りから脱皮。生きた鉄道らしさを感じさせる、小さくても奥深いプラン。

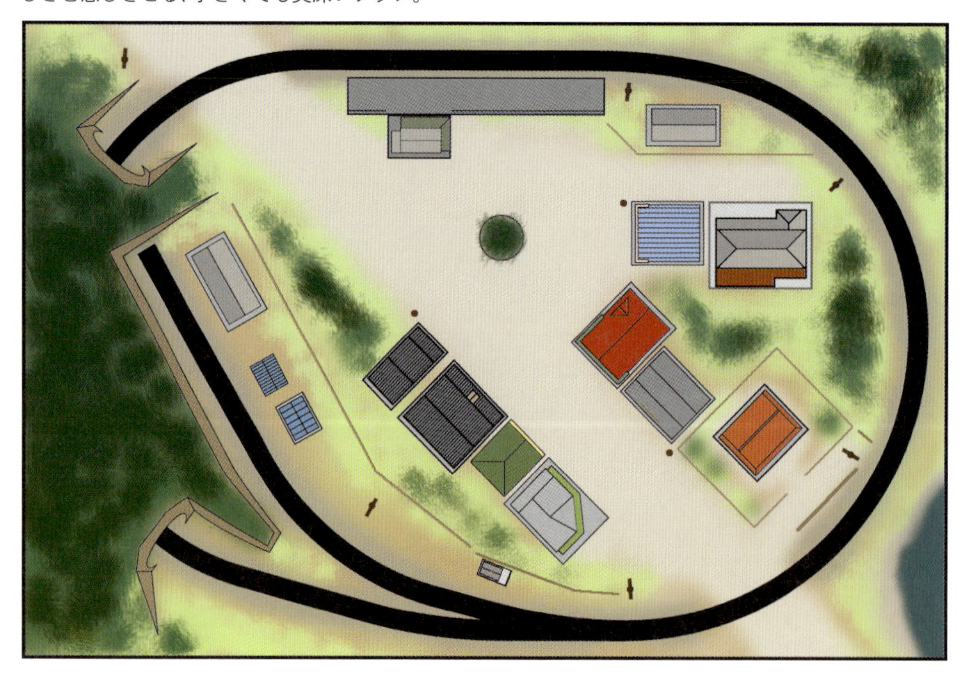

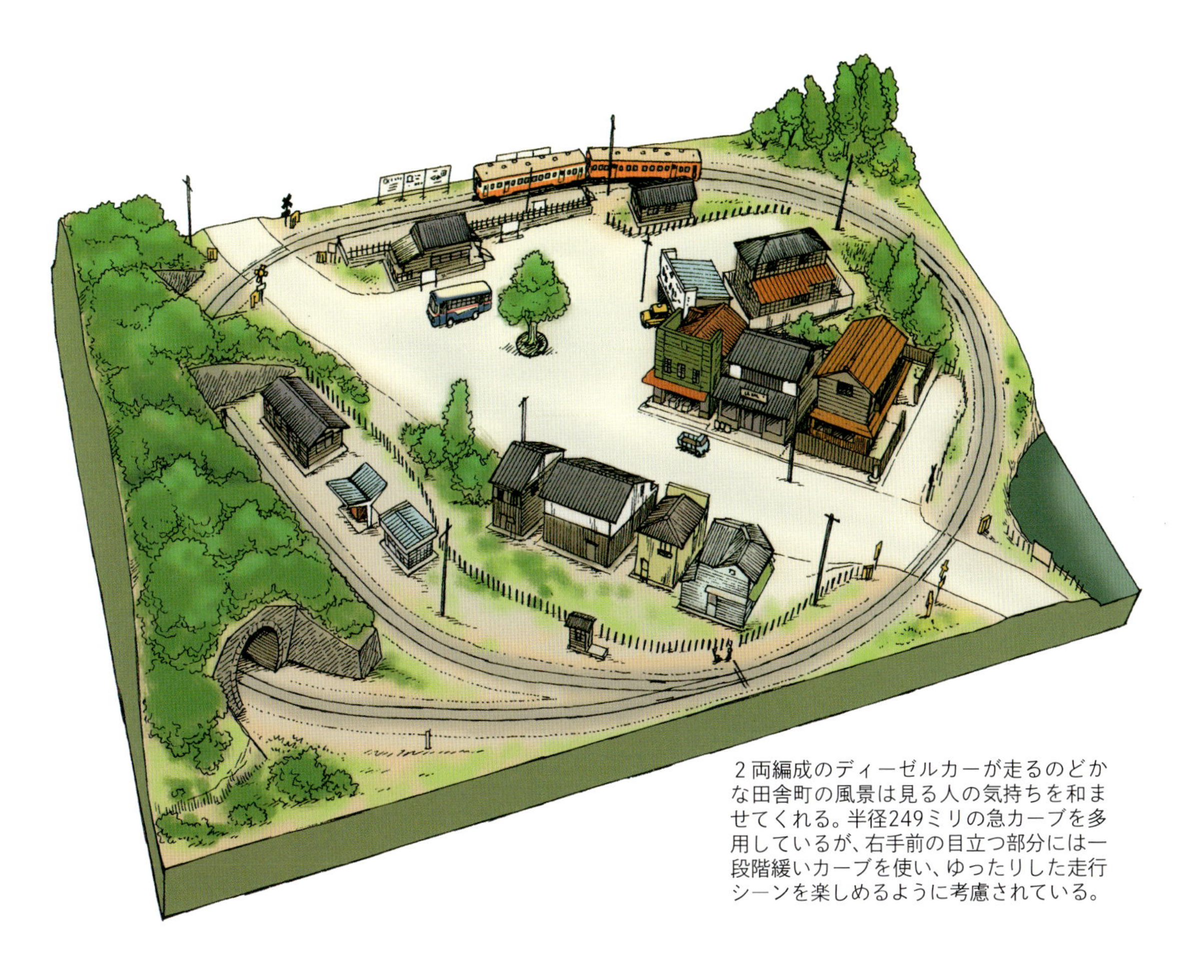

2両編成のディーゼルカーが走るのどかな田舎町の風景は見る人の気持ちを和ませてくれる。半径249ミリの急カーブを多用しているが、右手前の目立つ部分には一段階緩いカーブを使い、ゆったりした走行シーンを楽しめるように考慮されている。

のどかな田舎を2両編成のディーゼルカーが走るミニマムな世界

本線上にはホーム一面のみの簡素な駅が。線路の向こう側に立てた看板は、視線を受け止める役目を果たす。ささやかな駅前広場には、列車と接続するバスが停まっている。

駅に通じる道は歴史ある街道という設定。幅の広い道路の両側にどっしりした商店や旅籠が並ぶ。

コーナー部のひとつには貯水池の一部という想定の水面を。川や鉄橋を作るのは荷が重くても、これなら工作も容易で、風景に変化をつける効果は大。

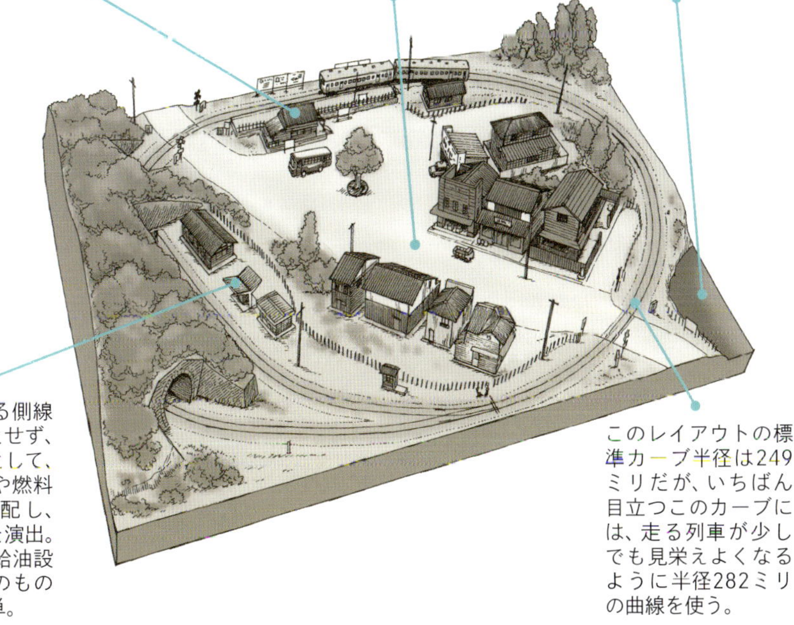

1本だけある側線はあえて駅とせず、車両駐泊所として、乗務員詰所や燃料補給設備を配し、鉄道らしさを演出。気動車への給油設備はバス用のものを使えば簡単。

このレイアウトの標準カーブ半径は249ミリだが、いちばん目立つこのカーブには、走る列車が少しでも見栄えよくなるように半径282ミリの曲線を使う。

ミニマムサイズを考える

はじめてNゲージレイアウトを作ろうと思い立ったとき、どれくらいの大きさにすべきでしょうか。鉄道車両として一般的な20メートル級の電車や気動車の編成を走らせることができるように極端な急カーブを避け、手放し運転のできるエンドレスと、車両を留置する側線を備え、シーナリー面でも一通りのものが欲しい……となると、900×600ミリというのがミニマムサイズといえそうです。実際、KATOやTOMIXなどの有名Nゲージメーカーはこのサイズのパネルを発売していますね。

この大きさでも複線エンドレスや、立体交差を盛り込むことは不可能ではありませんが、実物に換算すると135×90メートルという、学校のグラウンド程度のスペースにあれもこれもと詰め込んだら、悪い意味でオモチャっぽいレイアウトになりかねませんね。鉄道模型は大人の趣味です。抑制の効いたデザインで、小さくても長く楽しめる「いいレイアウト」を目指しましょう。

カーブ半径の選択が重要

Nゲージでは半径280ミリくらいのカーブが一応の標準とされています。新幹線など特に大型の車両を別にすれば、たいていの車両を不自然なく走らせることができます。KATOユニトラックの場合、R282(半径282ミリ)がこれにあたります。このカーブを使ったオーバル(楕円形エンドレス)は900×600ミリのスペースにぴったりおさまります。しかしこの場合、線路はレイアウトの縁ギリギリのところを通ることになり、情景の「中」を列車が走っている感じはあまりしません。走る列車の姿が魅力的に見えるように、敢えてR249のカーブを採用します。とはいえこのカーブを20メートル級車両が通過する光景はリアルとはいえませんね。ではどうする？ ここが知恵の絞りどころです。

急カーブ上の車両は、カーブの外側から見たときに連結面が大きく開いた形になるのが興ざめです。そこで、レイアウトの正面からは、これが見えないように工夫しましょう。向かって左手前に位置するR249のカーブはトンネルで隠します。残る右手前のカーブには、90度分だけR282のカーブを使って不自然な急曲線を避けます。一部に半径の異なるカーブを使うことは、全体の形に変化をつける効果もあります。

生きた鉄道のエッセンスを

1本だけある側線は車両駐泊所として、乗務員の詰所や気動車の燃料補給設備を設けます。駅は本線上にホーム1本だけの簡便なものを設けました。

側線を終着駅ではなく駐泊所とすると、単なる情景模型や車両運転場とは違う、鉄道らしさが感じられる効果があります。すなわち列車が駐泊所から駅へ回送され、お客を乗せて営業運転をして、また駐泊所へと戻る……という、生きた鉄道のエッセンスを凝縮することができるわけです。なんとなく列車を動かしたり停めたりするよりもずっと楽しいスペースの利用法ではないでしょうか。

45

プラン図

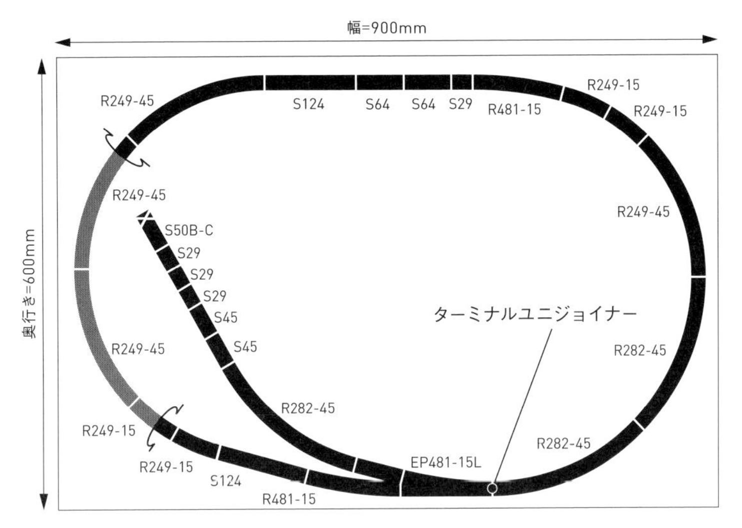

※無印の線路は電動ポイント4番に付属の線路(S60)

直線線路64mm(２本)と曲線線路R481-15°(１本)は電動ポイント４番に付属。端数線路は45.5mm(２本)と29mm(８本)がセットで発売されているので、側線の直線部分にできるだけ活用した。

使用線路部品リスト(KATOユニトラック)

略号	部品名	数量
S124	直線線路124mm	2
S64	直線線路64mm (電動ポイント4番に付属)	2
S50B-C	車止め線路C 50mm	1
S29	端数線路29mm	4
S45	端数線路45.5mm	2
R249-45	曲線線路R249-45°	4

略号	部品名	数量
R249-15	曲線線路R249-15°	4
R282-45	曲線線路R282-45°	3
R481-15	曲線線路R481-15° (電動ポイント4番に付属)	2
EP481-15L	電動ポイント4番(左)	1
	ターミナルユニジョイナー	1(1組)

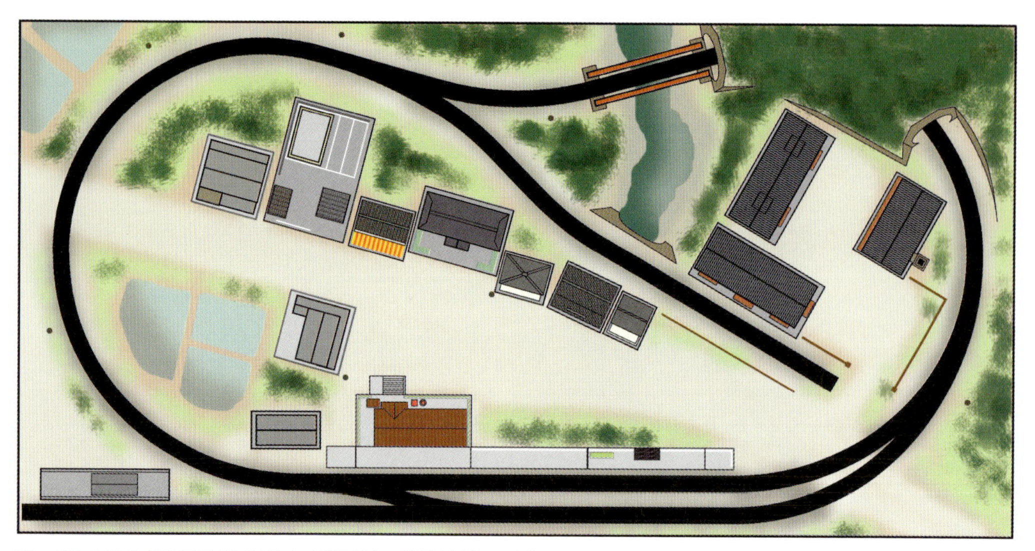

Plan01よりも長手方向を30センチ延長し、列車交換のできる駅を設置した万人向けのプラン。エンドレスの向こう側は緩やかなS字形カーブとして、小川を渡る鉄橋も設けて視覚的な変化をつけている。工場への引き込み線は運転の面白みを増すとともに、風景に活気を与えてくれる。

列車交換駅のあるローカルプラン

列車同士のすれ違いができる駅を設けたオーソドックスなプラン。気動車と貨物列車を置いて交互に運転可能。

大きさ ▸▸▸ 1200×600ミリ
使用レール ▸▸▸ TOMIXファイントラック

- 曲線半径：最小R243
- 使用ポイント：電動ポイントN-PR541-15、電動カーブポイントN-CPL317/280-45
- 勾配：ナシ
- 停車場有効長：20m級車両２両編成に対応
- テーマ：国鉄の非電化ローカル線
- 時代設定：昭和40年代
- 季節設定：夏
- 想定走行車両：ディーゼルカー、小型蒸気機関車牽引の貨物列車
- 特記事項：２本の列車を常置して交互に運転が可能

Layout Plan

酒蔵のある米どころの風景に すれ違いを楽しむ駅の工夫

わずかなスペースに作られた田んぼは、この地域が稲作地帯であることを物語っている。

駅前にはささやかな広場があり、日用品を商う店のほか旅館や写真館、電器店、近代的なバス営業所などが並び、古いものと新しいものが混在する時代を感じさせる。

トンネルを抜けた列車はすぐに小さな川を渡る。周囲の緑に橋桁の赤が映える、当レイアウト随一の景勝。川は暗渠となって町の下を流れていく。

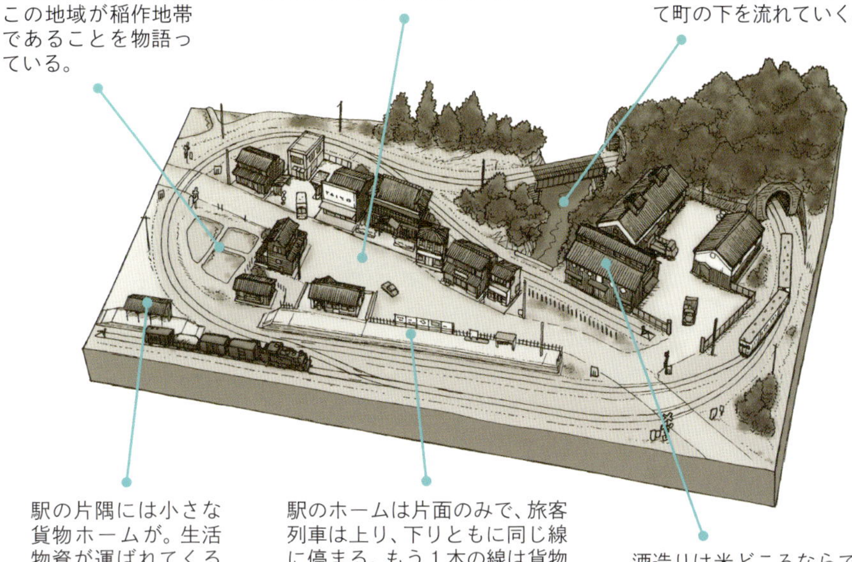

駅の片隅には小さな貨物ホームが。生活物資が運ばれてくる他、秋には近隣で生産される米が出荷される。

駅のホームは片面のみで、旅客列車は上り、下りともに同じ線に停まる。もう１本の線は貨物列車専用。貨物輸送が盛んだった頃の駅に多かった構造。

酒造りは米どころならではの地場産業で、引き込み線の先には歴史ある酒蔵が建っている。ローカル色豊かなストラクチャー群がレイアウトに特徴を与え、情景の面白さを増してくれる。

小さいながらも列車交換のできる駅、その前の広場と商店街、トンネルと鉄橋などひととおりのものを揃え、レイアウトの楽しさがいっぱいに詰まったプラン。見る人に「こんな町へ旅してみたい」と言わせるつもりで作りたい。

駅の設置スペースを考える

駅というものは大変スペースを食うもので、特に長さが必要になります。

20メートル級車両の2両編成同士が交換(すれ違い)できる駅はどれくらいの長さになるか考えてみましょう。編成の長さはNゲージで約27センチ、1本の線路を2本に分岐させるのにも約27センチの長さが必要で、これを両端に配すわけですから、合わせて長さ81センチのスペースを要することになります。列車そのものの長さに比べてずいぶんスペースを食うことに驚かれるのではないでしょうか。

この駅をオーバル上に設置すると、両端のカーブも含めてレイアウトの長手方向の寸法は最低140センチぐらいは欲しい計算になります。

しかし、レイアウトのために欲しいだけのスペースを割けるのは恵まれたケースですね。ここでは一般的なNゲージレイアウトの最小サイズと目される900×600ミリから、長手方向を30センチだけ延長した1200×600ミリのスペースのプランをご覧にいれます。

カーブポイントを活用

このサイズで、駅の両端に普通のポイントを使ったのでは長手方向の寸法が決定的に足りません。そこで強い味方になるのがカーブポイント。その名の通りカーブ上で分岐するポイントで、実物の鉄道でももちろん使用されています。TOMIXファイントラックではカーブポイントが発売されているので、これを利用して20メートル級車両2連が停車できる直線分を確保します。

ホームはスペースの関係から片面のみとしましたが、貨物輸送が盛んだった時代の駅にはこのような例はよく見られました。旅客列車は上下列車ともホームのある本線に停車し、貨物列車はホームのない副本線に入線します。駅に付属する引き込み線は貨物の積み降ろし線という設定で、貨物ホームを設けます。

曲線半径は手前側をR280、あまり目立たない奥側をR243とします。向こう正面は直線ではなく、緩やかなS字形カーブとしました。同じ向きのカーブばかりになりやすいレイアウトでは、わずかでも逆向きのカーブを挿入すると視覚的な変化がつき効果的です。また、引き込み線への分岐がスムーズになる利点もあります。

その引き込み線は工場に通じていて、原料を運んだり製品を出荷したりするために貨物列車が出入りします。イラストは酒蔵として描きましたが、いろいろな地元産業を誘致して、レイアウトに個性的な魅力を与えましょう。

2本の列車を交互に運転

レイアウト上には2本の列車を置き、交代で走らせるのが基本的な運転法です。イラストのように非電化路線とするなら、旅客輸送用の2両編成のディーゼルカーと、有蓋車を数両つなげた貨物列車の小編成が似合います。ディーゼルカーを駅のホームに停めて、貨物ホームから貨物列車が出発、エンドレスを数周した後にバックで工場の引き込み線に入れ、再びディーゼルカーが出発……というのが基本的な運転パターンです。

プラン図

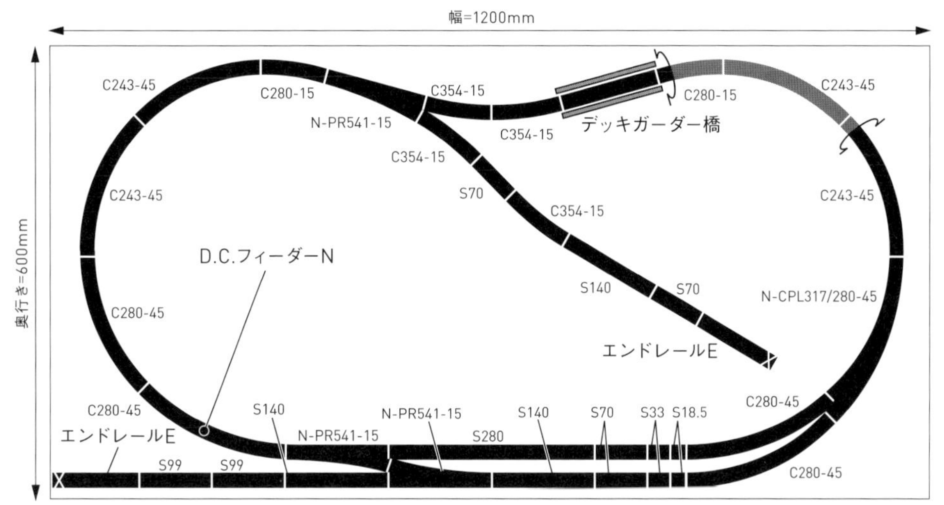

TOMIXファイントラックではD.C.フィーダーNという部品を使い、線路に電気を供給するフィーダーの位置をかなり自由に決められる。レイアウトのフィーダーはすべてのポイントの分岐側になる位置に設けるのが基本。

使用線路部品リスト（TOMIXファイントラック）

略号	部品名	数量
S280	ストレートレールS280（F）	1
S140	ストレートレールS140（F）	3
S99	ストレートレールS99（F）	2
S70	ストレートレールS70（F）	4
S33	端数レールS33（F）	2
S18.5	端数レールS18.5（F）	2
C243-45	カーブレールC243-45（F）	4
C280-45	カーブレールC280-45（F）	4

略号	部品名	数量
C280-15	カーブレールC280-15（F）	2
C354-15	カーブレールC354-15（F）	4
N-PR541-15	電動ポイントN-PR541-15（F）	3
N-CPL317/280-45	電動カーブポイント N-CPL317/280-45（F）	1
	エンドレールE（F）	2
	デッキガーダー橋（F）（赤）	1
	D.C.フィーダーN	1

大きさ ▸▸▸ 1200×600ミリ
使用レール ▸▸▸ KATOユニトラック

Layout Plan

- 曲線半径：標準R282　最小R249
- 使用ポイント：ユニトラック4番
- 勾配：４％相当
- 停車場有効長：ホームは20m級車両２両編成に対応、側線はF級電気機関車＋ボギー貨車７両に対応
- テーマ：大都市の工業地帯を走る支線
- 時代設定：1990年代
- 季節設定：初夏
- 想定走行車両：近代的な貨物列車（石油、コンテナなど）、旧型国電
- 特記事項：高架エンドレス周回運転に加え高架駅と地平駅との往復運転が可能

工業地帯をめぐる高架エンドレス

実物同様に高架線を使ってスペースを有効利用。視覚的な面白さとともに運転の醍醐味も存分に味わえる都市型プラン。

限られたスペースいっぱいに高架エンドレスを設置。真上から見るとレイアウトの縁ギリギリを線路が通っているが、高架線では線路下の空間があるので見た目の不自然さは解消される。高架下の地上駅は工場に通勤客を運ぶ短編成の電車用。

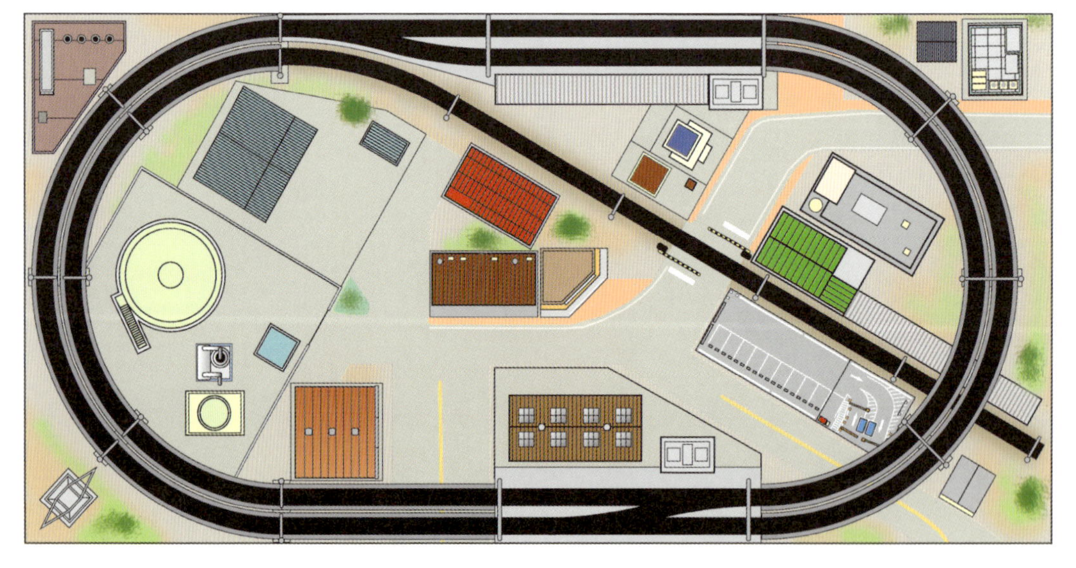

大きなガスタンクや鉄塔と、古びたアパートや小さな商店などが共存する工業地帯の風景がテーマ。その中を貫く高架鉄道を走る列車の姿には、都市型レイアウトならではの面白みが。時代は1990年代、近代的な貨物列車と、かろうじて残る旧型国電がともに働いている。

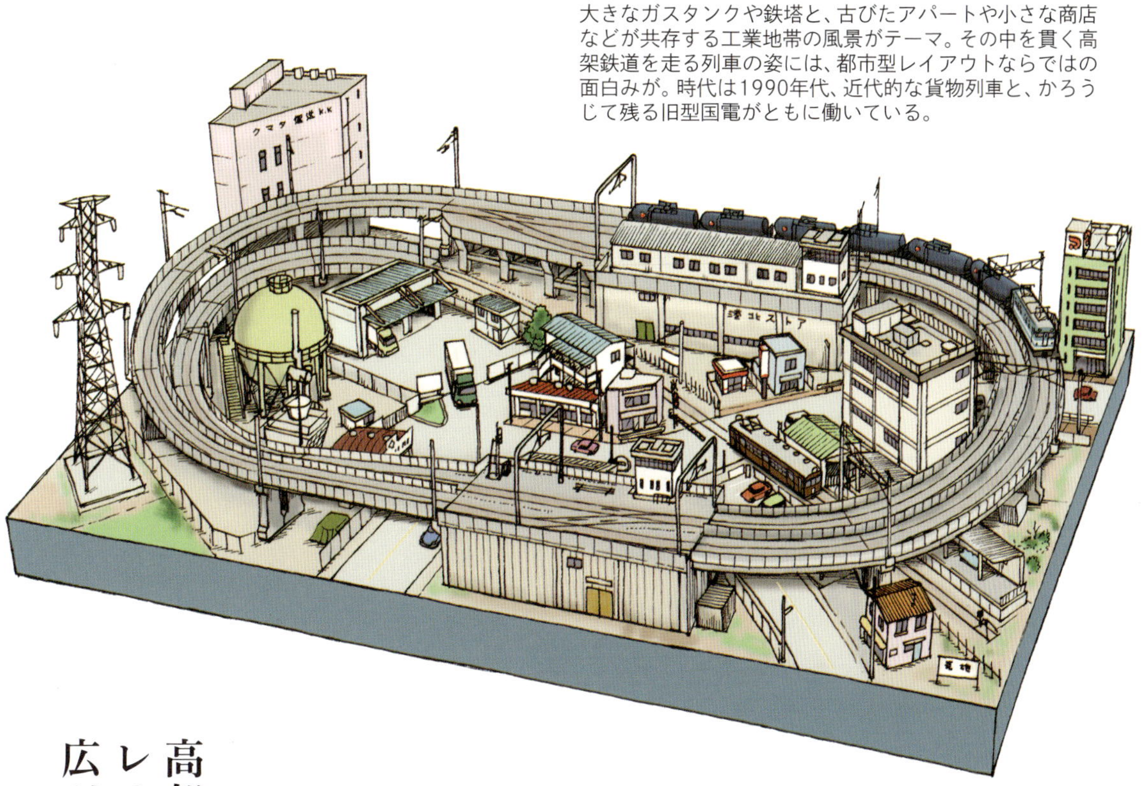

高架構造で
レイアウトめいっぱいに
広がる線路を配置

大きなガスタンクや高圧線の鉄塔、倉庫やトラック基地などが工業地帯らしいムードを盛り上げる。

高架駅の改札や事務室は高架下に設けられていて、地元のスーパーマーケットも併設されている設定。駅前には交番や銀行ATMなど小振りなストラクチャーが並び生活感あふれる光景。

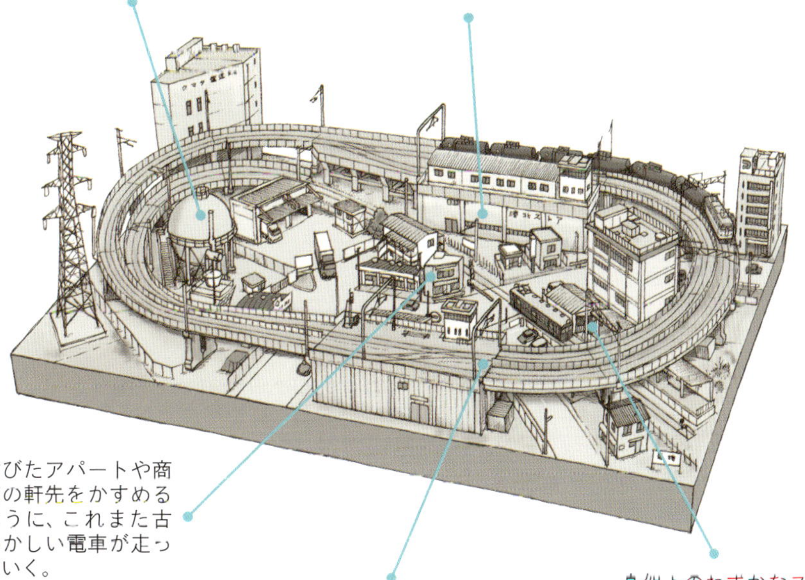

古びたアパートや商店の軒先をかすめるように、これまた古めかしい電車が走っていく。

高架エンドレスの一部は複線で、列車交換のできる信号場という設定。貨車はボギー車でも全長が短いので、カーブ上に長編成を停めても不自然さはない。高架下スペースには変電設備が収められている。

高架下のわずかなスペースに駅本屋とホームを設けた小さな終着駅。周辺の工場の従業員で朝夕はにぎわうが、日中は閑散としている。

高架線の意外な効用

レイアウトの縁ギリギリに線路が通っているのは好ましくない旨を先に書きましたが、高架線はその限りではありません。図面で見るとギリギリでも、高架下のスペースが視覚的なクッションの役割を果たしてくれて、ちゃんと列車が情景の中を走っている感じになります。というわけで、コンパクトな高架線レイアウトのプランを考えてみました。

１２００×６００ミリのスペースいっぱいに全線高架のオーバルを敷きます。ＫＡＴＯユニトラックの高架線路を多用しますが、ポイントのある部分などは製品の改造や自作で各種の高架建造物をあつらえることになります。自作と聞いて尻込みすることはありません。機能優先のボール紙工作で十分です。

工業地帯を走る小さな電車

全線高架の鉄道が似合う舞台として、大都市の工業地域を選びました。ガスタンクやトラックターミナル、雑多な商店などが立ち並ぶ活気ある風景を作りましょう。ストラクチャーの自作を厭わない方は、ところ狭しと町工場が並ぶ光景にも食指が動くのではないでしょうか。また高架下が商店や倉庫、事務所などさまざまな用途に利用されているのを再現するのも楽しいと思います。

高架エンドレスの一部は複線として、列車のすれ違いができる信号所という設定にしました。ここから地平へと下りていく線路には、付近の工場に通う通勤客を運ぶ、単行の電車が行き来します。終点は高架線の下のわずかなスペースに設けられた小さな終着駅です。

近代的な貨物列車と戦前の列車の共存

時代は１９９０年代、タンク貨車やコンテナ貨車を連ねた近代的な貨物列車が轟音をあげて走る一方で、太平洋戦争前に作られた古めかしい電車がコトコトと町を行きます。大量輸送を念頭に作られた戦後生まれの電車は、1～2両の短編成が組めないため、輸送量の少ない線区では、両運転台付き車両も多い戦前製の電車がこの時代まで細々と使われていました。クモハ11やクモハ42などがこれに相当します。なおこのレイアウトのホームは20メートル級2両編成に対応しますので、お好みで増結も可能です。

小さくても運転の醍醐味を

実際の運転を見てみましょう。貨物列車はエンドレスを周回、単行電車は地平の終着駅に停まっています。

貨物列車をエンドレスの複線部分の外側に停め、電車を発車させます。勾配を上り高架駅に到着。短い停車の後にエンドレスの周回運転に移ります。以後、貨物列車と電車が交互にエンドレス上を走りますが、適当なタイミングで電車は高架駅で折り返し、進行方向が変わります。そのまま電車は地平の終着駅へと向かうことができます。

このように、限られたスペースながら貨物列車と電車とのさまざまな絡みが楽しめるのがこのプランのミソです。一方、手放しで2本の列車が走りまわる賑やかな光景がお好みの向きは、地平線をやめて全線複線の高架エンドレスにアレンジすることもできます。

プラン図

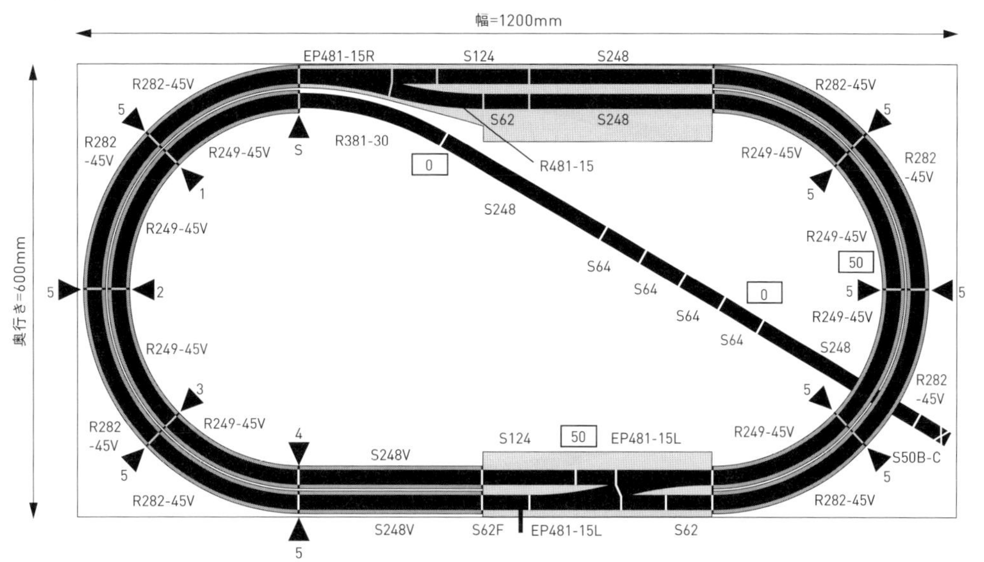

製品の高架線路を多用するが、高架駅のポイント部などは自作の高架建造物の上に線路を設置。橋脚の配置は一例。電動ポイント４番に付属するS64が多く余るので中央の地平線路に使用している。

※□内はベースボード表面からの線路高
※無印の線路は4番ポイント付属の補助線路(S60)
※◀は高架橋脚の位置を示し、数字記号はその高さを示す

使用線路部品リスト(KATOユニトラック)

略号	部品名	数量
S248	直線線路248mm	4
S124	直線線路124mm	2
S64	直線線路64mm (電動ポイント4番に付属)	4
S62	直線線路62mm	2
S62F	フィーダー線路62mm	1
S50B-C	車止め線路C 50mm	1
R381-30	曲線線路R381-30°	1
R481-15	曲線線路R481-15°(電動ポイント4番に付属)	1

略号	部品名	数量
S248V	単線高架直線線路248mm	2
R249-45V	単線高架曲線線路R249-45°	8
R282-45V	単線高架曲線線路R282-45°	8
EP481-15L	電動ポイント4番(左)	2
EP481-15R	電動ポイント4番(右)	1
	橋脚No.5	10
	勾配橋脚基本セット	1セット

B1パネル上に展開する水郷の風景

画材店で売られている木製パネルの中からB1判のものをベースボードに使った地方私鉄風プラン。3つの駅を使いリアルな運転が満喫できる。

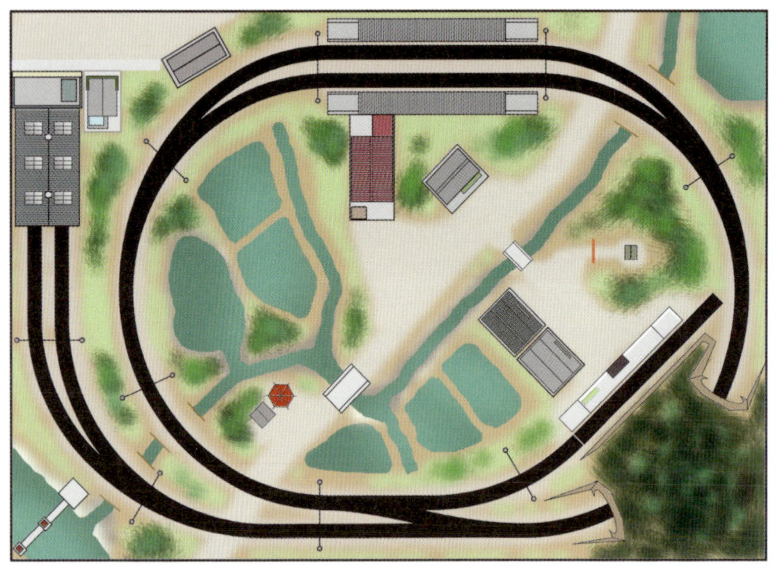

カーブポイントを多用することで、3つの駅のあるプランをコンパクトにまとめている。手前にある渡り線ポイントを切り換えることで、リラックスムードのエンドレス運転と、実物風のポイント・トゥ・ポイント運転のいずれかを選択できる。

大きさ ▸▸▸ 1030×728ミリ
使用レール ▸▸▸ TOMIXファイントラック

- 曲線半径：標準R282
- 使用ポイント：電動ポイントN-PR541-15、電動カーブポイントN-CPL317/280-45、電動カーブポイントN-CPR317/280-45
- 勾配：ナシ
- 停車場有効長：ホームは17m級車両２両編成に対応
- テーマ：水郷地帯を走る地方電鉄
- 時代設定：昭和30年代
- 季節設定：夏
- 想定走行車両：17m級電車
- 特記事項：エンドレス周回運転に加え実物風のダイヤ運転も可能

青々とした水田を走り抜ける地方鉄道、3つの駅で実物風運行も楽しめる

山を背にした終着駅は小さな無人駅。切符は駅前の雑貨店で売ってくれる。

縦横にはりめぐらされた用水路は水郷地帯らしい風物。

広々とした水田に囲まれ、ポツンと立つ深紅の火の見が郷愁を誘う。

水量豊かな川は水郷地帯につきもの。立派な取水堰があり、ここから水田へと水を引き入れる。

水田の中を突っ切る街道。付近に新道ができてからは交通量も減ったが、バスや地元の人の車が行き来している。

列車交換のできる中間駅。この付近から町へ通勤する勤め人も多く、朝夕はそれなりに賑わう。

クラシックなターミナル駅は町のシンボル的存在。正面には「水郷電車のりば」の文字が大きく掲げられている。

水田に送る水の量を加減する調整池。近所の農家の人の話では、この池は地元の釣りの穴場で、鯉や鮒がけっこう釣れるとか…。

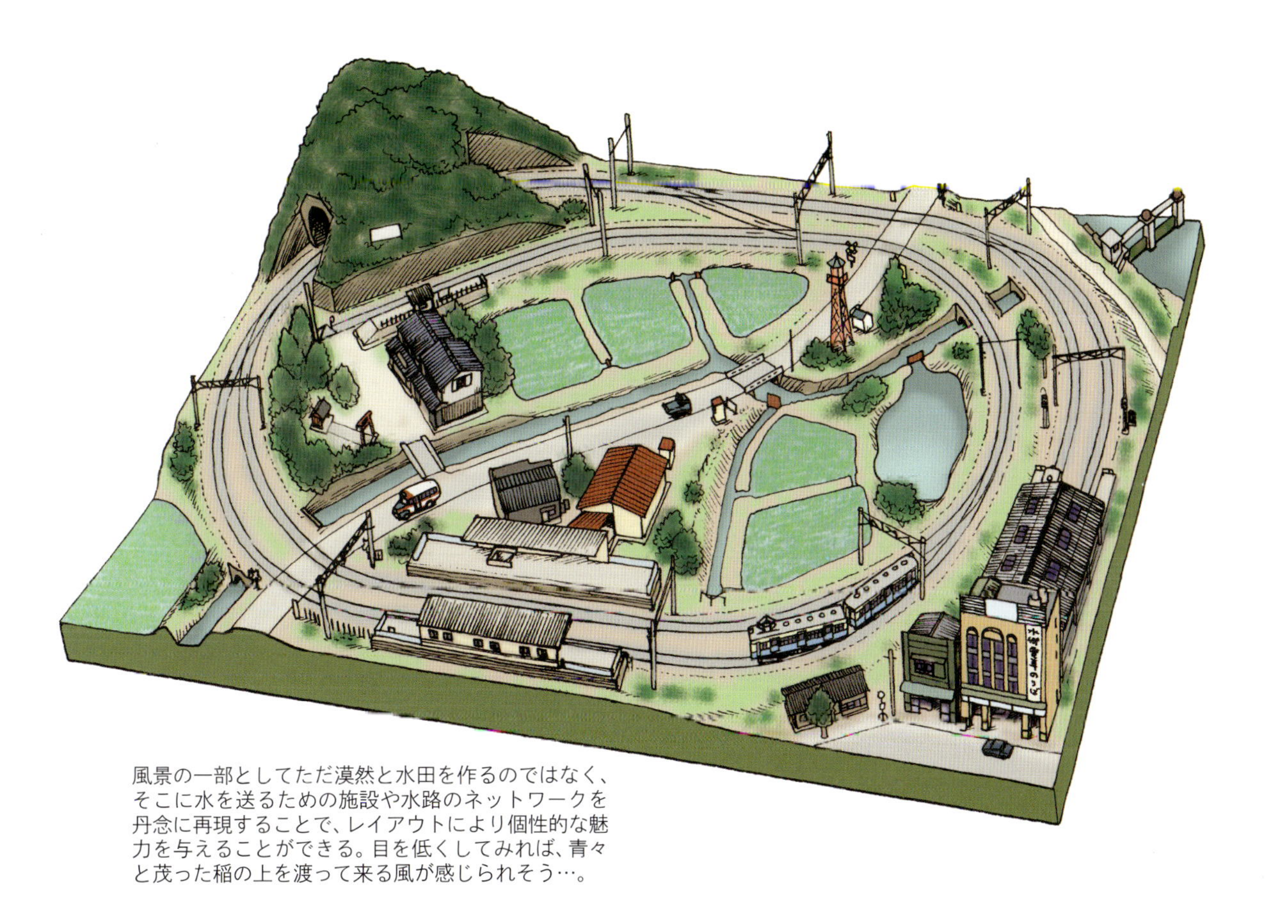

風景の一部としてただ漠然と水田を作るのではなく、そこに水を送るための施設や水路のネットワークを丹念に再現することで、レイアウトにより個性的な魅力を与えることができる。目を低くしてみれば、青々と茂った稲の上を渡って来る風が感じられそう…。

画材店で売っている木製パネルに注目

レイアウトのサイズや寸法は本来、設置スペースや線路配置に合わせてミリ単位で自由に決めていいものです。とはいえ「ご自由に」といわれるとなかなか決めづらいもの。結局は市販のパネルの寸法にレイアウトプランを合わせることが多いのが実情です。その方が工作も容易ですし、なにより、あれこれ思い悩まずにスタートできるという、大きな利点があります。

模型用として売られているパネル以外にも、画材店や写真用品店には各種の木製パネルが並んでいます。前者は印刷物の標準サイズであるA判、B判の各種サイズ、後者は写真特有の四つ切りやキャビネなどのサイズがあり、組み合わせることもできます。大きいものになると強度の点で不安が生じますが、適宜補強を入れれば十分に利用でき、ベースボードを自作する場合よりレイアウト製作のハードルをグッと低くしてくれます。

B1サイズ（1030×728ミリ）のパネル上に展開する、ローカル私鉄風プランをお目にかけましょう。

2種類の運転が楽しめる

レールはTOMIXファイントラックを使います。スペースの節約に威力を発揮するカーブポイントを多用した、3つの駅を持つ地方私鉄風のプランです。

このレイアウトではリラックスムードのエンドレス運転だけでなく、「ポイント・トゥ・ポイント」と呼ばれるリアルな運転ができます。実物の鉄道路線は東京の山手線や大阪の環状線などを除けば、2つの終点の間を往復運転しており、模型でもこれを模した運転法がポイント・トゥ・ポイントなのです。

プラン図をたどっていただけばわかるように、ターミナル駅を発車した電車は列車交換のできる中間駅を経て、山裾の小駅に到着、また戻ってきます。ターミナル駅と中間駅の側線を上手に使い、3本の電車を常置して、列車交換しながら実物の鉄道路線と同様に走らせることができます。ダイヤや時刻表となると大袈裟ですが、順番を決めておくだけでも楽しく運転できると思います。また、パワーパックを操作する運転士と、ポイントを操作する駅助役の役割を分担して、友人や家族と一緒に走らせるのもいいでしょう。

水郷地帯の風物を

縦横に余裕のあるペースを生かし、青々とした水田が広がる水郷地帯の風景をテーマにしてみました。大きな川の取水堰を起点に水路が縦横に伸び、各々の田んぼまで引き込まれます。要所要所に設けられた水門や調整池、各所に架けられた小さな橋などの風物がレイアウトに個性を与えてくれます。

3つの駅はそれぞれ、古めかしいビルのあるターミナル駅、いかにも私鉄風の中間駅、そして山裾に片面ホームだけが設けられた終着駅と、見た目も性質も違えています。

水路や道路などで風景を分割することで、実際には近接している駅同士の間に、多少なりとも距離感が感じられるように配慮しましたが、いかが？

プラン図

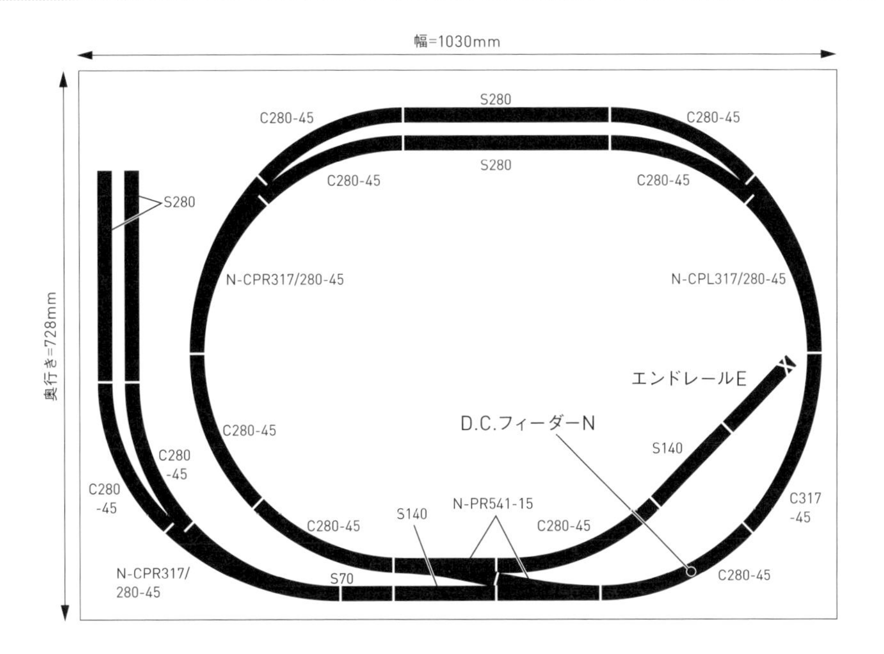

カーブポイントを多用することでスペースを節約し、B1サイズのベースボード上に3つの駅を設置。手前の渡り線ポイントを直線側に切り換えれば、2つの終着駅の間で実物風の往復運転ができ、中間駅での列車交換を交えたダイヤ運転も可能。

使用線路部品リスト（TOMIXファイントラック）

略号	部品名	数量
S280	ストレートレールS280（F）	4
S140	ストレートレールS140（F）	2
S70	ストレートレールS70（F）	1
C280-45	カーブレールC280-45（F）	10
C317-45	カーブレールC317-45（F）	1
N-PR541-15	電動ポイントN-PR541-15（F）	2

略号	部品名	数量
N-CPR317/280-45	電動カーブポイント N-CPR317/280-45（F）	2
N-CPL317/280-45	電動カーブポイント N-CPL317/280-45（F）	1
	エンドレールE（F）	1
	D.C.フィーダーN	1

大きさ ▸▸▸ 1550×750ミリ
使用レール ▸▸▸ KATOユニトラック

Layout Plan 05

- 曲線半径：標準R282、最小R249
- 使用ポイント：ユニトラック４番
- 勾配：最急４％
- 停車場有効長：18m級車両３両編成に対応
- テーマ：ローカル電車路線＋鉱石輸送路線
- 時代設定：昭和50年代
- 季節設定：初夏
- 想定走行車両：旧型電車、ED級電気機関車牽引の鉱石列車、ディーゼル機関車牽引の工事列車
- 特記事項：２つのエンドレスそれぞれに個別のパワーパックを接続

2列車同時運転をコンパクトに楽しむ

ひとつのレイアウトで２本の列車を個別にコントロール。誰もが楽しめる２列車同時運転を省スペースで実現したプラン。

タタミ１畳よりもふたまわりほど小さいサイズに、電車線と鉱石輸送線の２つのエンドレスを収めた２列車同時運転プラン。双方の相互乗り入れもスムーズにできる線路配置が特徴。本線はできるだけ離して配置、高低差をつけるとともに異なる形態の鉄橋を設けるなど、異なる印象を与えるように工夫している。

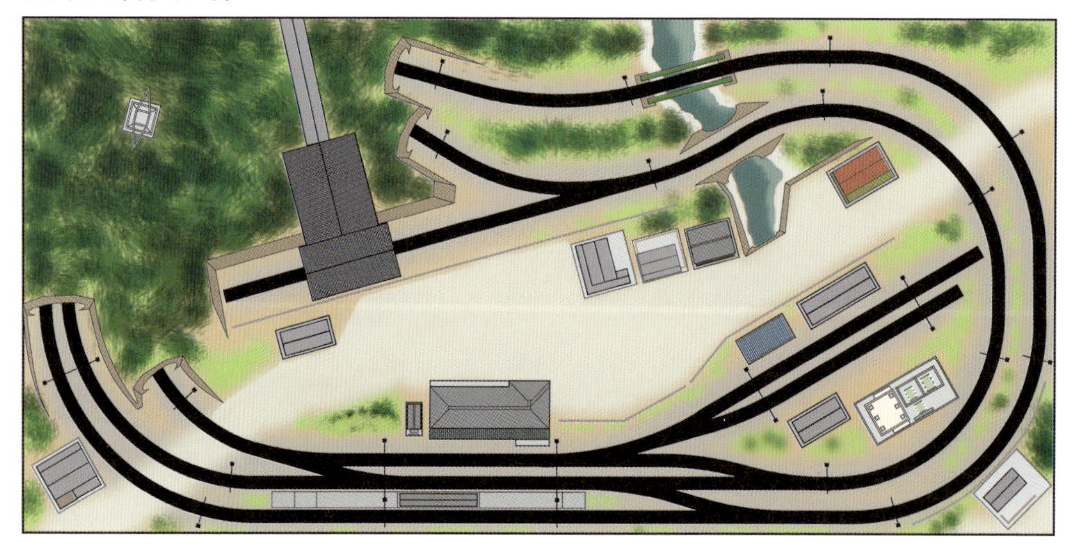

鉄鉱石運搬路線で 2列車を同時に運転する！

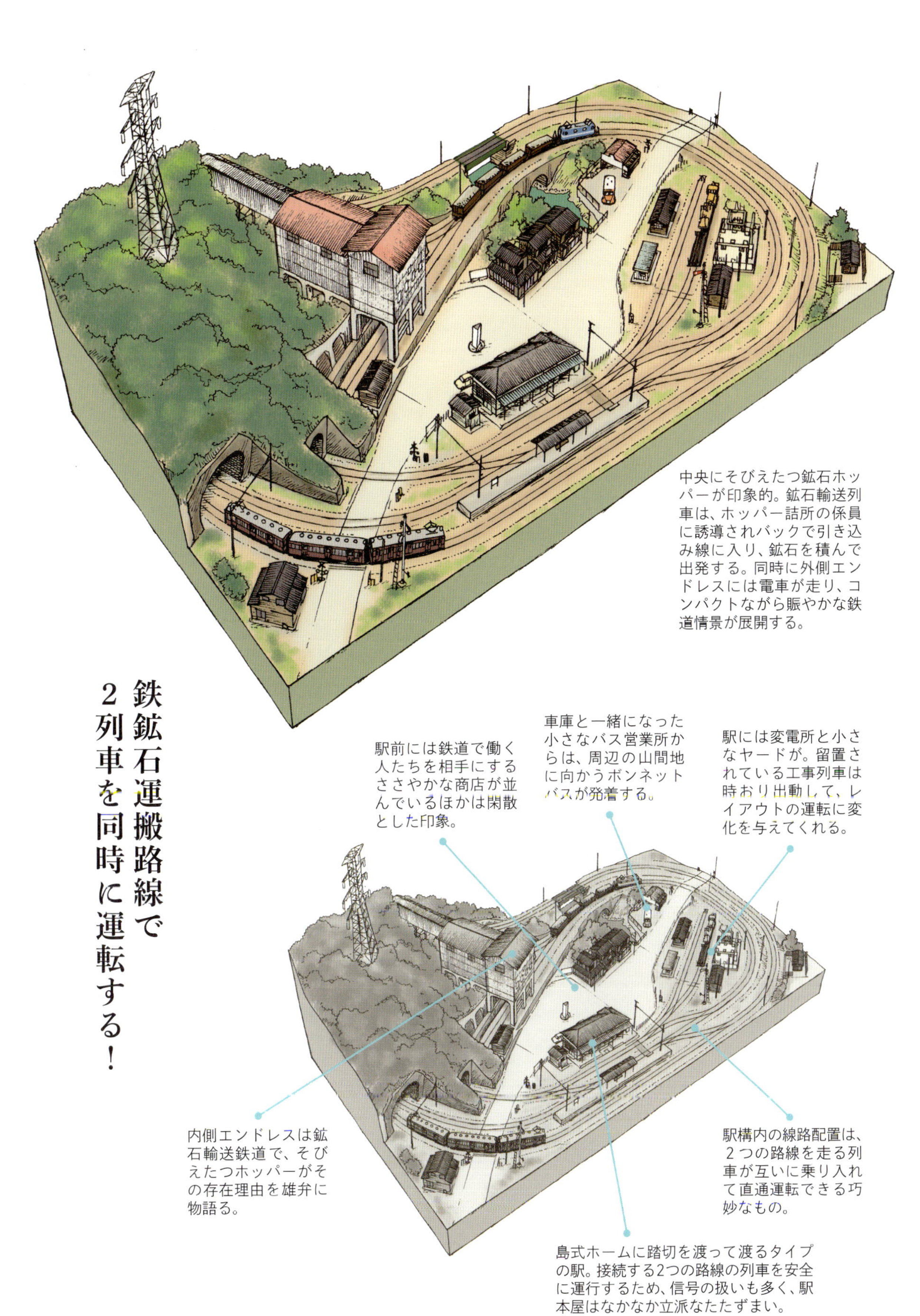

中央にそびえたつ鉱石ホッパーが印象的。鉱石輸送列車は、ホッパー詰所の係員に誘導されバックで引き込み線に入り、鉱石を積んで出発する。同時に外側エンドレスには電車が走り、コンパクトながら賑やかな鉄道情景が展開する。

駅前には鉄道で働く人たちを相手にするささやかな商店が並んでいるほかは閑散とした印象。

車庫と一緒になった小さなバス営業所からは、周辺の山間地に向かうボンネットバスが発着する。

駅には変電所と小さなヤードが。留置されている工事列車は時おり出動して、レイアウトの運転に変化を与えてくれる。

内側エンドレスは鉱石輸送鉄道で、そびえたつホッパーがその存在理由を雄弁に物語る。

駅構内の線路配置は、2つの路線を走る列車が互いに乗り入れて直通運転できる巧妙なもの。

島式ホームに踏切を渡って渡るタイプの駅。接続する2つの路線の列車を安全に運行するため、信号の扱いも多く、駅本屋はなかなか立派なたたずまい。

2列車同時運転の醍醐味

2台のパワーパックを使い、ひとつのレイアウトで2本の列車それぞれの速度や進行方向を独立してコントロールする「2列車同時運転」には、万人向けの面白さがあります。

2列車同時運転を満喫するためには、複線エンドレスよりも、単線のエンドレスを2つ収めたレイアウトが適します。この場合、2つのエンドレスが寄り添って走っているのでは複線と大差ないので、線形はできるだけ異なるものにしたいもの。それぞれ性格の違う路線の方が面白いですし、相互間の列車乗り入れ、直通列車の運転も可能にしたいところです。

ざっとこれだけの要求に、定尺サイズよりひとまわり小さなスペースで応えるプランを考えてみました。

電車線と鉱石運搬線の組合せ

外側のエンドレスは電車が走る、いわば普通の鉄道です。内側のエンドレスは鉱石輸送を目的とする貨物鉄道で、途中にある鉱石積み込み施設がその存在意義を雄弁に物語っています。手前の駅は双方の連絡地点で、鉱石列車ともう1本、工事列車あたりを留置しておけるヤードがあります。

2つのエンドレスはそれぞれ向こう側がひしゃげた形にして、途中で川を渡る橋梁も形の異なるものにするなどして、できるだけ印象に差をつけましょう。内側エンドレスにわずかに勾配区間を設け、両者の間に高低差をつけているのも同じ目的です。

鉱石列車は時計まわりが基本で、鉱石積み込み施設の側線には本線からバックで進入し、また本線へと発車します。工事列車は反時計まわりとすれば変化がつくでしょう。

時計まわりの鉱石列車は内側エンドレスから外側エンドレスへスルー運転が可能で、またそのまま戻って来ることができます。駅の線路をたどってみてください。この際、電車は駅の外側線で待機します。こうして鉱石は遠くの工場や港へと出荷されていくわけです。

外側エンドレスを走る電車も同じく、内側エンドレスにスルーで進入し、また戻ることができます。鉱石運搬が主流の路線ですが、沿線住民の生活の足として、まばらなダイヤながら電車が走るという想定です。

電気配線は運転法に合わせて

これらの運転をするための配線については詳しく書きませんが、2カ所あるフィーダー線路（S62F）のコードは統合して外側エンドレス用パワーパックに、ターミナルユニジョイナーのコードは内側エンドレス用パワーパックに接続するのが基本です。両者間のスルー運転の際は、ふたつのパワーパックの目盛りを合わせてギャップ（絶縁ジョイナー設置箇所）を通過させます。これをブロックコントロール方式といいます。より本格的にするならキャブコントロールと呼ばれるシステムやDCC（デジタル・コマンド・コントロール）が適します。

このスペースでこれだけの運転ができるのは、なかなかお得なプランだと思いますよ！

プラン図

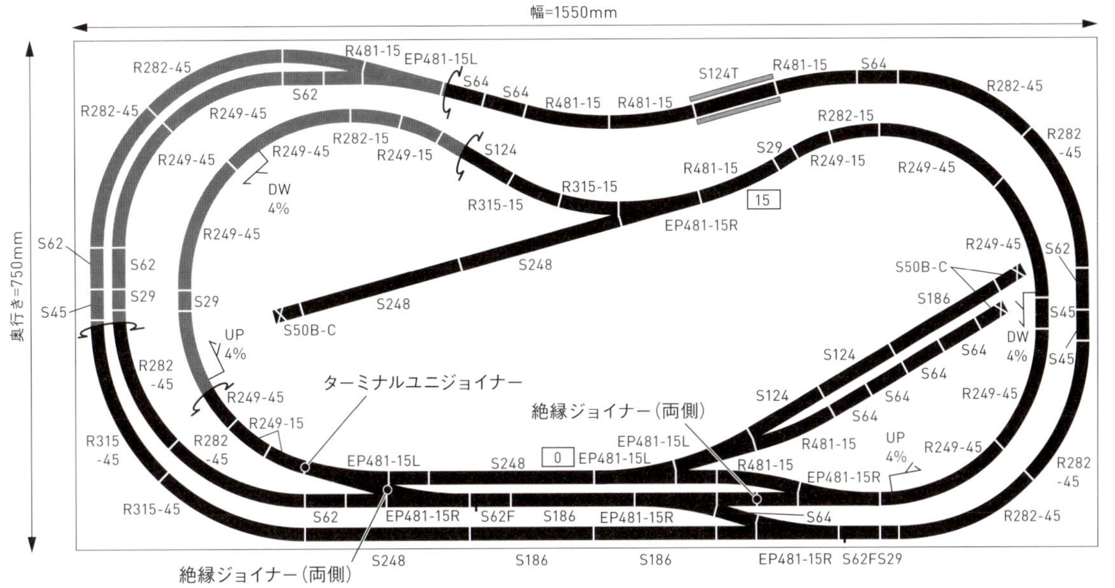

※□内はベースボード表面からの線路高
※無印の線路は電動ポイント4番に付属の線路（S60）

使用線路部品リスト（KATO ユニトラック）

略号	部品名	数量
S248	直線線路248mm	4
S186	直線線路186mm	4
S124	直線線路124mm	3
S64	直線線路64mm（電動ポイント4番に付属）	8
S62	直線線路62mm	5
S62F	フィーダー線路62mm	2
S50B-C	車止め線路C 50mm	3
S29	端数線路29mm	4
S45	端数線路45.5mm	3
R249-45	曲線線路R249-45°	9
R249-15	曲線線路R249-15°	4

略号	部品名	数量
R282-45	曲線線路R282-45°	8
R282-15	曲線線路R282-15°	2
R315-45	曲線線路R315-45°	2
R315-15	曲線線路R315-15°	2
R481-15	曲線線路R481-15°（電動ポイント4番に付属）	7
EP481-15L	電動ポイント4番（左）	4
EP481-15R	電動ポイント4番（右）	5
S124T	単線デッキガーダー鉄橋（緑）	1
	ターミナルユニジョイナー	2組
	絶縁ジョイナー	2（1組）

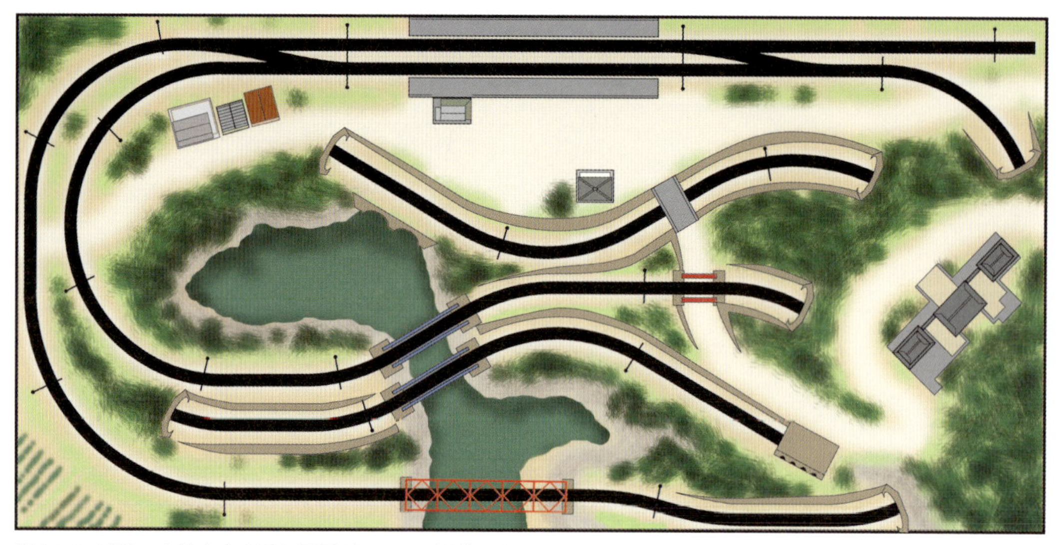

都市にほど近い山麓を走る買収国電がテーマ。緑豊かな風景の中を雑多な顔ぶれの旧型電車や旧型電機牽引の貨物列車が走る。山の上にはレイアウトのランドマーク的存在である古城が。

ロングラン運転をコンパクトに

単線エンドレスをひとひねりして長い本線を確保、列車が複雑なルートをたどって走るロングラン運転を省スペースで楽しむためのプラン。味つけは買収国電風に。

大きさ ▸▸▸ 1650×800ミリ
使用レール ▸▸▸ TOMIX ファイントラック

- 曲線半径：標準R243
- 使用ポイント：電動ポイントN-PR541-15
- 勾配：最急４％
- 停車場有効長：17m級旧型電車３両編成に対応
- テーマ：地方電鉄を国有化した買収国電路線
- 時代設定：昭和40年代
- 季節設定：夏
- 想定走行車両：17m級旧型電車
- 特記事項：支線に自動往復運転機構を組込むことも可能

ロングランが楽しめる、私鉄時代の車両と旧型国電が混在する風景

本線のエンドレスはひとひねりした複雑な形。列車はいくつものトンネルや鉄橋を渡りながら走り、ロングラン運転の醍醐味を満喫できる。

この駅は主に支線との分岐のために設けられたもの。周囲には人家も少なく、駅前広場もがらんとしていて乗降客もまばらだが、運転上は列車の待避や折り返しなど多くの機能を果たす。

山の上に建つ歴史ある城には各種プラモデルが利用できる。イラストでは大河ドラマ「真田丸」放映とともに流通している上田城の１/200スケールモデルを使うことを想定。

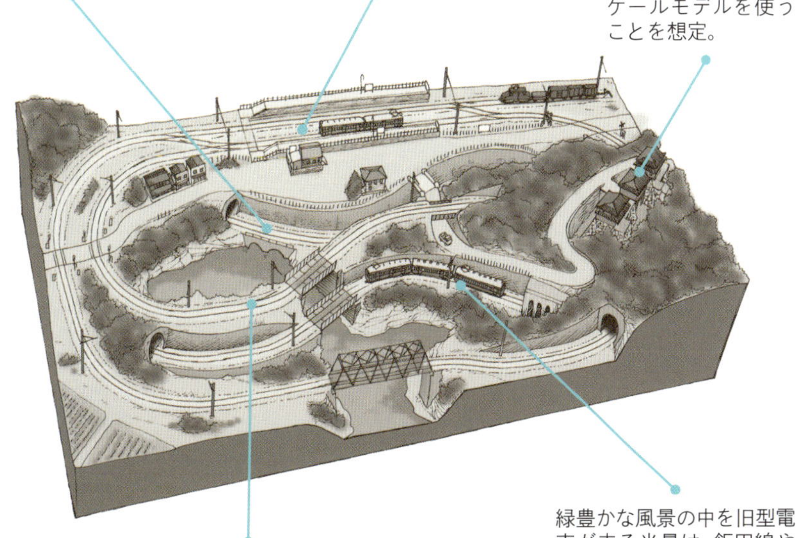

駅から分岐した支線を走る列車は勾配を上りトンネルの中へ。想定上は山の向こうの町へ向かうが、実際にはトンネル内に止まり、しばらくして戻ってくる。この支線に自動往復運転システムを組み込むのも楽しい。

緑豊かな風景の中を旧型電車が走る光景は、飯田線や身延線、青梅線など、地方電鉄を国有化した買収国電路線を思わせる。時代設定は私鉄時代の車両がまだ健在だった昭和40年代。

昭和40〜50年代は、戦前に作られた旧型国電があちこちの地方路線に落ちのび、まだ健在だった時代。照りつける日差しの下、ホコリっぽい田舎道を歩いて、「旧国」最後の活躍をカメラに収めた思い出が蘇ってくるような、そんなレイアウトを目指したい。

ロングラン運転の楽しみ

前プランは2つのエンドレスで2列車同時運転を楽しむコンセプトでした。それとは違い、同程度のスペースでロングラン運転を楽しむやり方も考えられます。1本の列車しか走らせられなくても、変化に富んだ複雑なルートをたどるのはまた格別の面白さです。

このような運転に最適なのが変形8の字エンドレス。8の字形エンドレスを折り畳んだような形の本線は、長方形のスペースに収めやすく、Nゲージレイアウトプランの基本形のひとつです。

コンパクトな変形8の字エンドレス

ここではタタミ1畳分よりひとまわり小さいスペースに変形8の字の本線を配したプランをお目にかけましょう。いちばん奥の高いところにある駅を発車した列車は勾配を下り、いくつものトンネルや鉄橋を経由して、また勾配を上って駅に戻ってきます。本線の高低差は50ミリあり、また逆カーブなどもあってかなり変化に富んだルートです。

支線で運転の変化を

もうひとつ、運転の面白さを増してくれるのが、駅から分岐する支線の存在です。こちらは勾配を上り、山に穿たれたトンネルの中へ消えていきます。想定上は山の向こうの町へ通じる線なのですが、実際にはトンネル内で行き止まりになっています。列車はここで停止し、しばらくしてから戻ってきます。一種の運転上のトリックで、スペースの限られたレイアウトでは有用なものです。

この支線に自動往復運転システムを組込むアイデアも魅力的です。本線は手動で運転し、支線の列車は自動で駅とトンネル内を走らせます。途中では並走をはじめ、2本の列車が絡む思わぬ光景が楽しめるでしょう。この場合、使用するシステムによっても異なりますが、本線と支線を電気的に独立させたり、適切な場所にセンサーを組みこんだりする必要があります。

味付けは買収国電風に

テーマにはいわゆる買収国電を選んでみました。主に太平洋戦争時に各地の電気鉄道が国有化された路線で、戦後は私鉄時代の車両と旧型国電が混用されて、独特の面白さがありました。

多用されているR２４３のカーブは、20メートル級車両を走らせるにはいささか窮屈なのですが、急カーブはできるだけトンネルで隠していますから、さほど違和感は感じられないでしょう。17メートル級を主体に、20メートル級が混在する編成も買収国電らしくて面白いですね。

明治時代の国有化路線と違い、買収国電路線はどちらかといえば閑散路線が多く、このプランでも人家がまばらに点在する山中を旧型電車が走る風景の再現を目指しています。

アクセントとして山上に建つ古城には、数多く発売されているプラモデル製品が利用できます。イラストでは大河ドラマ「真田丸」に合わせ流通している上田城のモデルを念頭に置きました。スケールは２００分の1でNゲージの縮尺より小さいのですが、こういうものは実物が大きいですし、線路と離れた山上に配置するにはむしろ好都合です。

プラン図

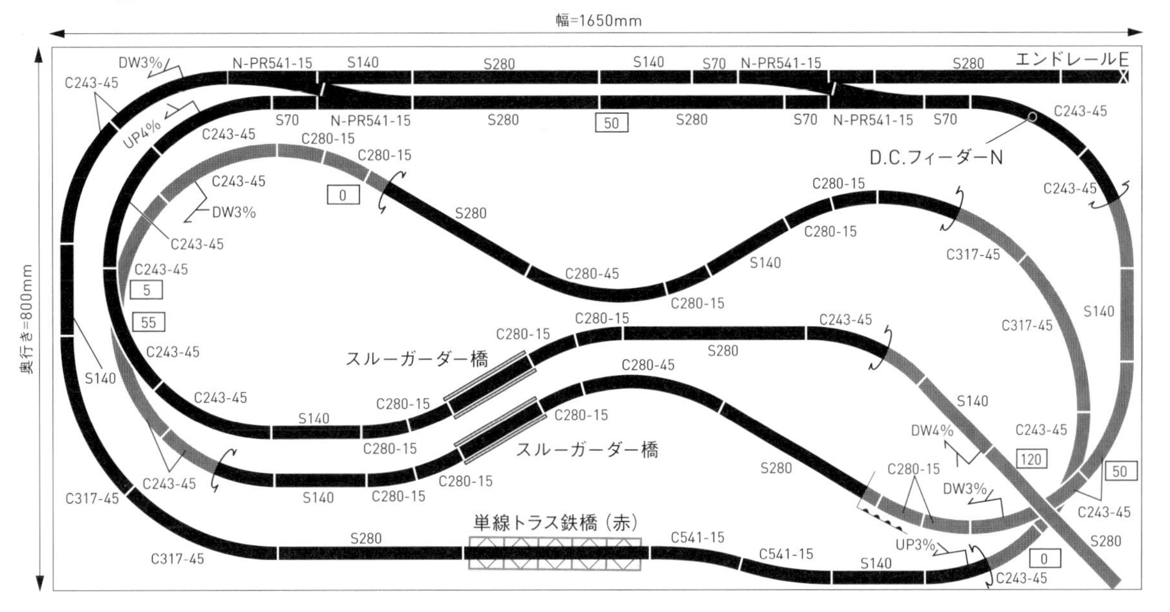

ひとひねりした変形８の字エンドレスにはＳ字形カーブや高低差で変化をつけ、ロングランの面白さを強調。図では１列車のみを走らせる場合を想定しているが、支線を本線と電気的に独立させれば２列車同時運転も可能。支線に自動往復運転システムを導入するのも楽しい。

※□内はベースボード表面からの線路高

使用線路部品リスト（TOMIXファイントラック）

略号	部品名	数量
S280	ストレートレールS280 (F)	9
S140	ストレートレールS140 (F)	9
S70	ストレートレールS70 (F)	4
C243-45	カーブレールC243-45 (F)	17
C280-45	カーブレールC280-45 (F)	2
C280-15	カーブレールC280-15 (F)	14
C317-45	カーブレールC317-45 (F)	4

略号	部品名	数量
C541-15	カーブレールC541-15 (F)	2
N-PR541-15	電動ポイントN-PR541-15 (F)	4
	エンドレールE (F)	1
	スルーガーダー橋 (F) (青)	2
	単線トラス鉄橋 (F) (赤)	1
	D.C.フィーダーN	1

大きさ ▸▸▸ 1700×650ミリ
使用レール ▸▸▸ KATOユニトラック

Layout Plan 07

- 曲線半径：標準R282、最小R249
- 使用ポイント：ユニトラック4番および2番Y
- 勾配：ナシ
- 停車場有効長：20m級車両3両編成に対応
- テーマ：山麓を走る国鉄ローカル線の小駅
- 時代設定：昭和40年代
- 季節設定：初秋
- 想定走行車両：気動車列車および小型機関車牽引の貨物列車
- 特記事項：最大3本の列車を置いて交互に走らせることが可能

ハーフシーナリーで楽しむ

ベースボードの長手方向を横切るように背景ボードをたて、前半分にのみシーナリーを作ることで製作を容易にすることを狙ったプラン。〝舞台裏〟をうまく使ったリアルな運転が楽しめる。

衝立状の背景ボードによりベースボードの奥行きをほぼ二分、背後は運転のための「楽屋」として使う一方、前面には山裾の小駅を中心とした情景を作りこむ。シーナリー製作に苦手意識を持つ向きにもとっつきやすいプラン。

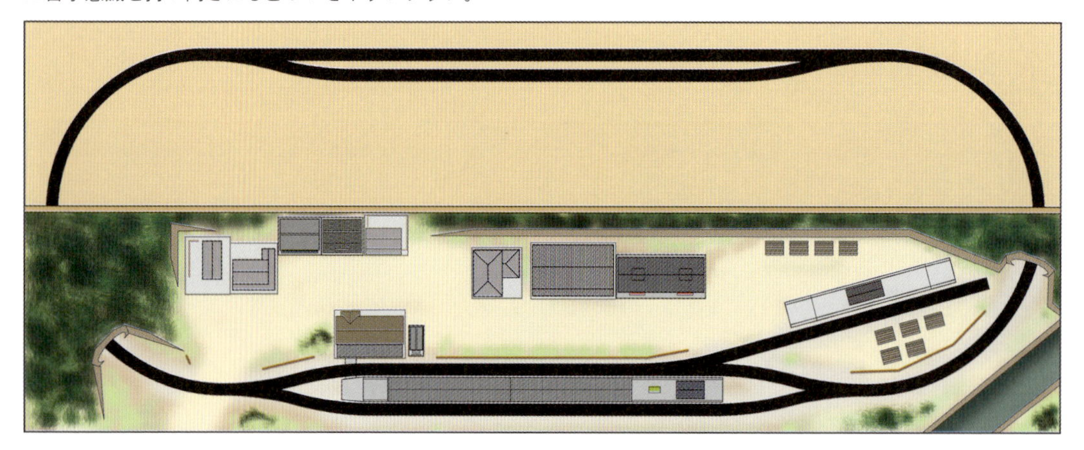

レイアウトは作りたいけれど、情景工作が難しい…という声にお応えして、半分だけシーナリーを作る前提で考えたプラン。スペースが小さい分の省力化のみならず、背景に沿って建物や石垣を並べるだけで形になるのでビギナーの方にもおすすめ。運転しないときは後ろ半分を折り畳んで壁際に寄せておくこともできる。

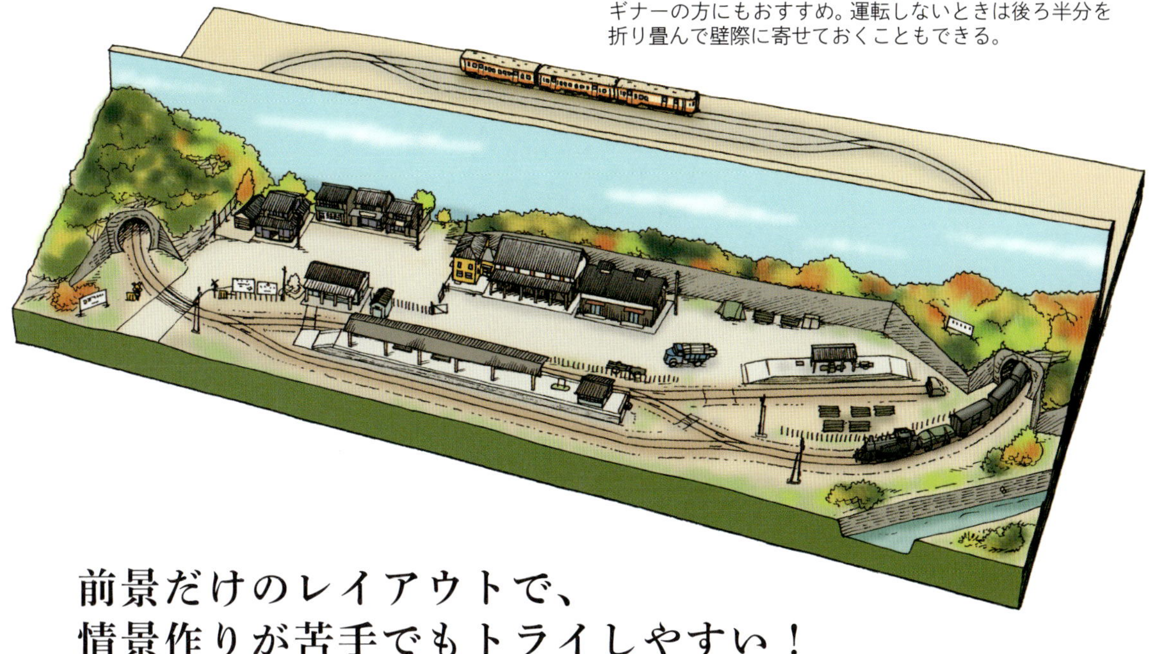

前景だけのレイアウトで、情景作りが苦手でもトライしやすい！

駅の前後の線路はトンネルに入り、レイアウトの「舞台裏」に通じる。片方のトンネルポータルはできるだけ背景ボードから離して配置し、不自然さを感じさせないようにしたい。

“舞台裏”には列車待避用の側線を１本設け、駅の側線とあわせて列車交換の妙が味わえる。スペースには余裕があるので、側線を増設すればいろいろな列車が舞台上に現れる演出も可能。

背景ボードには背景画を描けば理想的だが、空色に塗りつぶしただけでも効果大。ホームセンターでは白い雲が浮かぶ青空の柄の壁紙も売られているので、これを利用する手もある。

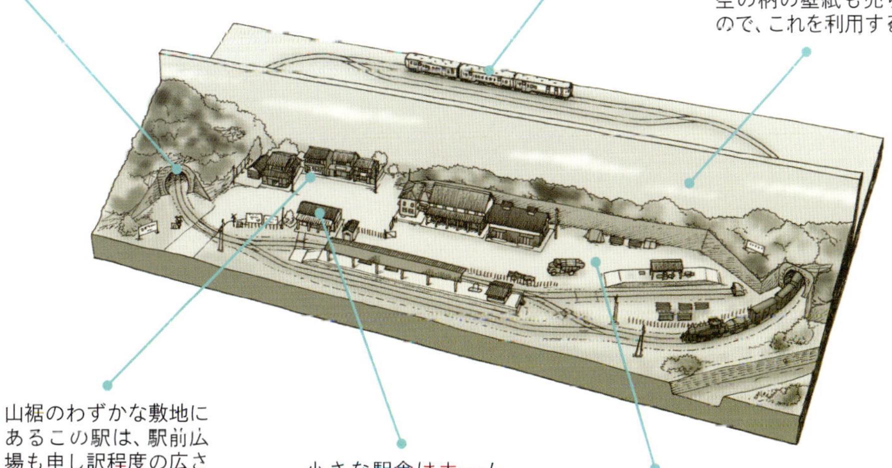

山裾のわずかな敷地にあるこの駅は、駅前広場も申し訳程度の広さしかない。数軒の商店と駅長さんの官舎が肩を寄せ合うように並んでいる。

小さな駅舎はホームとは独立して建ち、お客は踏切を通って島式ホームに渡る。乗降客の少ない田舎の駅らしい風情が漂う。

貨物ホームに農業倉庫、日通の荷受所などが並ぶ貨物扱い用の構内は、かつての国鉄ローカル駅にはよく見られた光景。トラックやリアカー、積み込みを待つ貨物類などのディテールで雰囲気を盛り上げたいところ。

運転優先か、情景優先か

レイアウトプランを考えるときによく思うこと。それは運転を楽しむのに必要なスペースと、情景を作り鑑賞して楽しむのに必要なスペースとは、必ずしも一致しないのではないかということです。

例えばタタミ1畳分の大きさのNゲージレイアウトは、運転を楽しむのに好適な大きさですが、このスペースにリアルで見応えのあるシーナリーを作るのはなかなか大変です。しかも線路で不定形に区切られているのですからなおさら。ビギナーの中には、線路は敷いたものの情景作りが進まず嫌気がさしてしまう方も多いのではないでしょうか。

衝立状のボードでベースを二分

この問題の解決をはかるべく考えたのが、このプラン。タタミ1畳より少し小さい長方形のベースボード上に、奥行きをほぼ二分するように衝立状の背景ボードを立て、この前方にだけシーナリーを作る作戦です。線路はボードの裏側をぐるりとまわってエンドレスを構成します。これなら運転も存分に楽しめる一方、シーナリー作りが苦手な向きにも比較的抵抗なく製作できるのではないでしょうか。単にスペースが小さいだけでなく、背景ボードで直線的に区切られているので、この線に沿ってストラクチャーを並べるだけでも大体のかっこうがつきます。

線路が背景ボードを抜ける部分はなんらかのカモフラージュが必要で、ここでは常識的にトンネルとしましたが、陸橋などで上手に隠す方法も考えられます。ただ、いずれにしても線路の両端が後ろへとまわりこんでいる印象を弱めるために、少なくとも片側はできるだけ手前寄りから隠すことを考えましょう。

駅周辺の情景を作り込む

シーナリーのスペースが小さくなった分、駅を中心とした情景をじっくり作り込みましょう。駅の前後にトンネルがあることから、山麓の駅という設定にして、山から切り出されてくる原木と、山裾の平地で穫れる農作物の出荷拠点ということにしました。国鉄時代の地方駅では、旅客ホームに隣接して貨物扱い用の広々とした構内が設けられている場合が多く、その雰囲気を再現したいもの。貨物ホームに農業倉庫、黄色く塗られた日通の荷受所も欠かせませんね。

駅構内の分岐に使われているY字形ポイントは、実物でもローカル駅に多用されたもの。列車交換の面白さを味わえるよう、背景ボードの後ろ側にも列車が待避できる側線1本を設けています。この側線を増設して、さまざまな列車が舞台上に登場しては去っていくのを楽しむのも一興かもしれません。

折りたたんでスペースの節約も可能

工作は面倒になりますが、レイアウトの後ろ半分を折りたたみ式にして、運転しないときのスペースを節約することもできます。この場合、レイアウトの前半分をキャスター付きの台に載せ、ふだんは壁に押しつけておけば場所をとりません。この際、前後の線路の通電はジョイナーに頼らず、個別に配線を施した方がよいでしょう。

45

プラン図

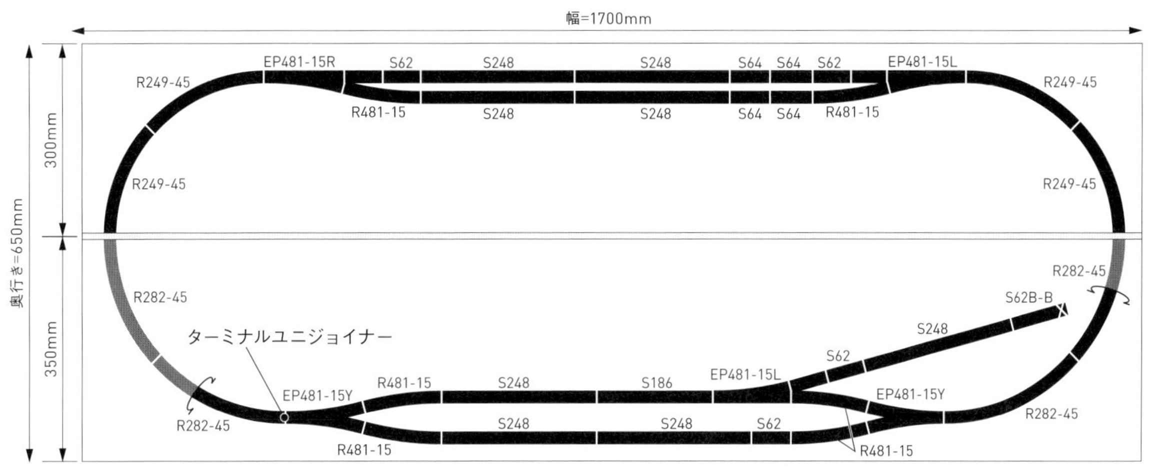

舞台上では20m級車両も違和感なく走行できるR282のカーブを採用する一方、舞台裏ではR249を使いスペースを節約している。線路が左右に同じ角度で分岐するYポイントは、急行が走ることのないローカル線の駅ではよく使われていたアイテムで、ユニトラックの電動Yポイント２番(EP481-15Y)によりその風情を再現。

※無記入の線路は電動ポイント4番に付属の線路(S60)

使用線路部品リスト(KATOユニトラック)

略号	部品名	数量
S248	直線線路248mm	8
S186	直線線路186mm	1
S64	直線線路64mm (電動ポイント4番に付属)	4
S62	直線線路62mm	4
S62B-B	車止め線路B 62mm	1
R282-45	曲線線路R282-45°	4

略号	部品名	数量
R249-45	曲線線路R249-45°	4
R481-15	曲線線路R481-15° (うち3本は電動ポイント4番に付属)	6
EP481-15L	電動ポイント4番 (左)	2
EP481-15R	電動ポイント4番 (右)	1
EP481-15Y	電動Y字ポイント2番	2
	ターミナルユニジョイナー	1組

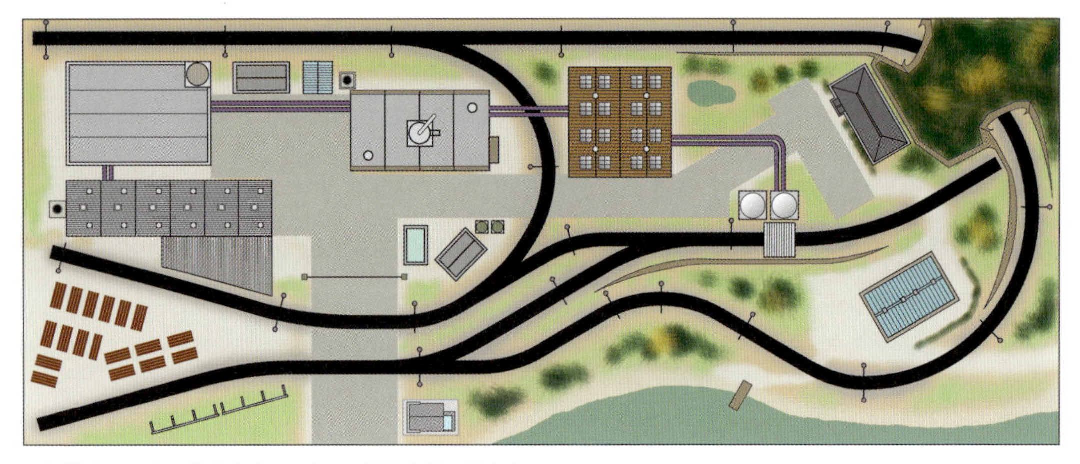

工場構内で原木や薬品を降ろしたり、製品を積み込むための側線群を、本線がスイッチバック式に結ぶ。市販の自動往復運転機構を使用すれば、手放しで列車を走らせて楽しめる。

工場専用線をテーマにした自動運転向けプラン

行き止まり式の側線を本線がスイッチバック式に結び、前後進をくりかえして進む列車の動きを楽しむプラン。自動往復運転システムを組込めば手放しでの運転も可能。

大きさ ▸▸▸ 1500×600ミリ
使用レール ▸▸▸ TOMIXファイントラック

- 曲線半径：標準R177
- 使用ポイント：電動ポイントN-PR280-30、電動ポイントN-PL280-30
- 勾配：３％
- 停車場有効長：側線はED級電気機関車＋２軸貨車５両に対応
- テーマ：製紙工場の専用線および構内線
- 時代設定：昭和40年代
- 季節設定：秋
- 想定走行車両：ED級電気機関車＋２軸貨車
- 特記事項：自動往復運転機構によるスイッチバック運転も可能

紙の製造にはいくつもの工程があり、構内にはさまざまな建物が並び、原料や燃料を運ぶパイプで結ばれている。輸入ストラクチャーを活用すれば雰囲気が出るはず。

丘を背にして建つ木造の建物はこの工場の事務所。小さな踏切を渡った先には職員向けのアパートがある。手入れの行き届いた生け垣や植木が整然とした印象を与える。

紙の原料となる原木が積まれた一角。時代や場所によっては木を砕いたチップの形で輸送される場合もある。

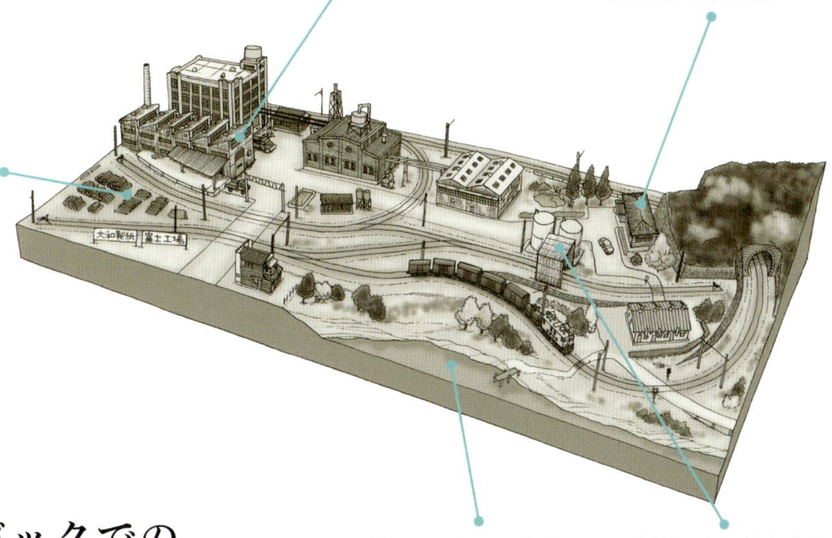

スイッチバックでの自動運転が楽しい製紙工場をぬって走る専用線の風景

製紙の工程には大量の水が使われるので、工場は湖や大きな川に面していることが多く、このレイアウトでも前景に湖水を配している。

製紙工程で使う薬品はタンク貨車で運ばれ、ここでタンクに貯蔵される。

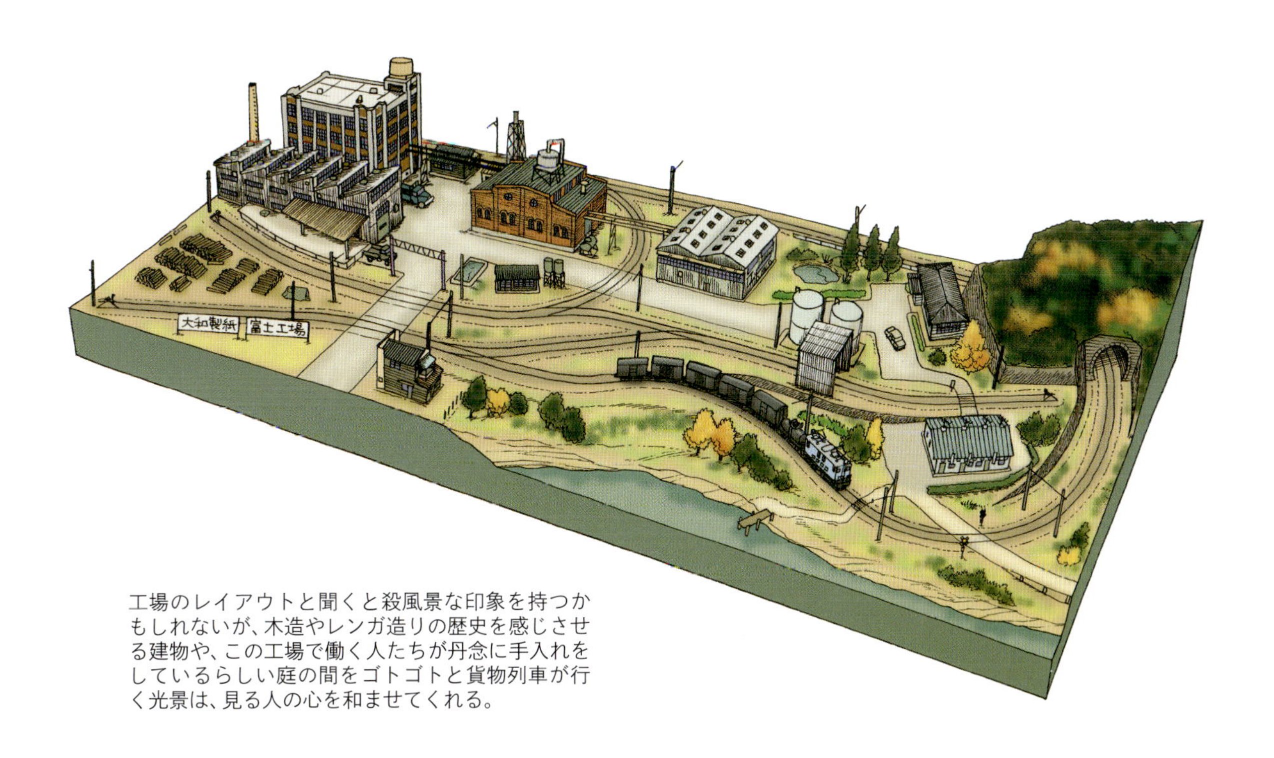

工場のレイアウトと聞くと殺風景な印象を持つかもしれないが、木造やレンガ造りの歴史を感じさせる建物や、この工場で働く人たちが丹念に手入れをしているらしい庭の間をゴトゴトと貨物列車が行く光景は、見る人の心を和ませてくれる。

小型車両に特化して楽しむ

先にNゲージのカーブは半径28センチぐらいが標準と書きましたが、小型車両専用のレイアウトではもっと小さな半径のカーブを使う場合もあります。

近年では半径十数センチの急カーブの線路製品も各種発売されていて、Nゲージの楽しみ方の幅が広がっていることがうかがえます。実物の鉄道でも、例えば路面電車ではビックリするような急カーブが使われています。小型の車両が低速で走るのには支障ないわけですね。

かつて全国に数多く存在した工場専用線も、急カーブが使われていた鉄道の例です。ここでは、製紙工場の専用線をテーマにした、小型車両向けプランをご紹介しましょう。

エンドレスがなくても運転は楽しめる

大きな工場の構内には、用途別に多くの側線が設けられています。製紙工場の場合は、原料である原木やチップを降ろす側線、製造に使う薬品を降ろす側線、製品を積み込むための側線などを再現したくなります。とはいうものの、実物同様に貨車の入換えをするのはちょっと荷が重い。でも、せっかく作った側線群が単なる背景でしかないのもつまらない……。

そこで、これらの側線群をスイッチバック状に結び、列車が前後進をくりかえしながら進む運転を考えてみました。このような変わった運転にも独特の面白さがあります。

走らせるたびに前後進スイッチやスピードコントロールツマミを煩雑に操作しなければならないのは嫌だとおっしゃる方もご安心を。このプランでは市販の往復運転システムを使って、エンドレス同様の手放し運転ができます。リラックスムードで複雑な列車の動きを楽しめるのです。

自動往復運転システムを活用

Nゲージ用の自動往復運転システムは、鉄道模型メーカーだけでなく電子メーカーなどからも各種発売されています。線路になんらかの仕掛けは必要で、ギャップを切るもの、センサーを使うものなどさまざまですが、特に難しい工作は要しません。各製品の説明書を参照ください。

ポイントは、列車を完成予想イラストのように反時計回り(左端の線路を手前から奥へ進む向き)に走らせる場合、すべて図の手前側の線路に開通させておけばOK。TOMIXのポイントは、開通していない線路の方から車両が進入してきた場合も、車輪が先端レールを押し開けて通過する「スプリングポイント」として使えますから、切り換えなくても大丈夫なのです。

ただし、この場合はポイント通過時にごく短い無電区間を通過することになり、全長の短い電動車ではやや不安な場合もあります。

この対処法としては、「完全選択式」という電気方式を採っているTOMIXのポイントを「選択式」に(自己責任で)改造するか、あるいはTOMIX純正のTCS自動運転ユニットNを使えば、進行方向とともにポイントの切り換えも自動で行えます。いろいろと研究してみると面白いと思います。

プラン図

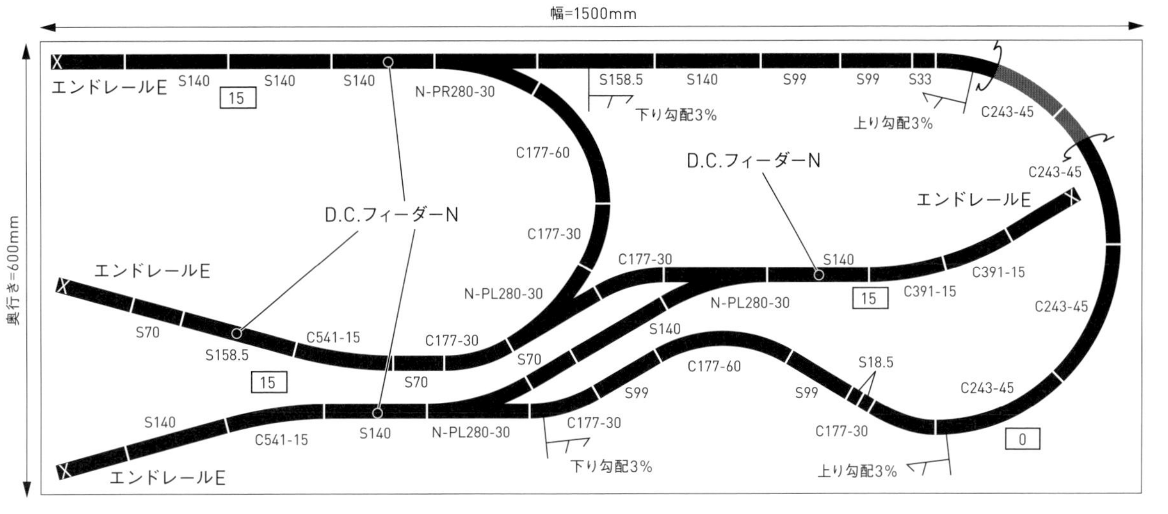

あえてエンドレスを廃しジグザグ運転を楽しむのが当プランの主目的。4カ所のフィーダーはひとつのパワーパックに接続。TOMIXのポイントはスプリングポイントとして使用できるので切り換えは不要。さらに自動往復運転システムと組み合わせれば手放しで複雑な列車の動きを楽しめる。TOMIX純正のTCS自動運転ユニットNを使う場合、4カ所のエンドレール付近に専用のセンサーを取り付ける。

※□内はベースボード表面からの線路高

使用線路部品リスト(TOMIXファイントラック)

略号	部品名	数量
S158.5	ストレートレールS158.5 (F)	2
S140	ストレートレールS140 (F)	8
S99	ストレートレールS99 (F)	4
S70	ストレートレールS70 (F)	3
S33	端数レールS33 (F)	1
S18.5	端数レールS18.5 (F)	2
C177-60	ミニカーブレールC177-60	2
C177-30	ミニカーブレールC177-30 (F)	5

略号	部品名	数量
C243-45	カーブレールC243-45 (F)	4
C391-15	カーブレールC391-15 (F)	2
C541-15	カーブレールC541-15 (F)	2
N-PR280-30	電動ポイントN-PR280-30 (F)	1
N-PL280-30	電動ポイントN-PL280-30 (F)	3
	エンドレールE (F)	4
	D.C.フィーダーN	4

大きさ ▸▸▸ 1500×600ミリ
使用レール ▸▸▸ KATOユニトラック

Layout Plan 09

- 曲線半径：標準R249、最小R216
- 使用ポイント：ユニトラック6番および4番
- 勾配：ナシ
- 停車場有効長：20m級車両3両編成に対応
- テーマ：港湾鉄道
- 時代設定：昭和50年代
- 季節設定：初夏
- 想定走行車両：通勤電車および小型機関車牽引の貨物列車
- 特記事項：2本の列車を置いて交互に走らせることが可能

港湾線をテーマにした平面交差のあるプラン

旅客駅のあるエンドレスの内側に平面交差やスイッチバックのある貨物専用線を配し、変化に富んだ運転が可能な港湾風プラン。

20m級の電車が走行できる外側エンドレスの内側に、埠頭や倉庫をめぐる小型車両専用の港湾線をおさめ、2種類の列車の運転が楽しめる。港湾線の軌道はスイッチバックや平面交差などを経て工場や倉庫の間を縫うように進んでいく。

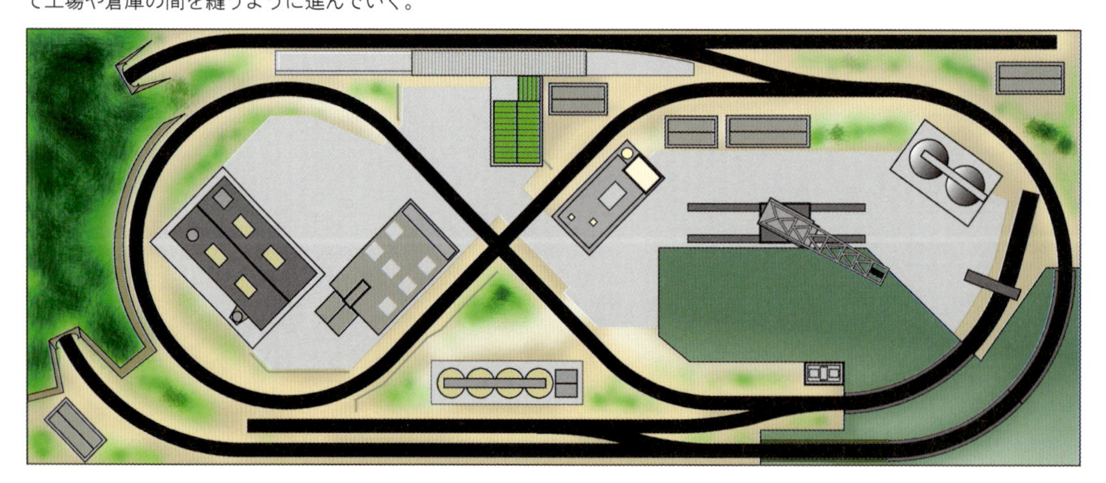

大型コンテナ船が普及する以前、沖合に停泊した船からハシケが行き来し荷の積み降ろしをしていた頃は、港湾地区には小規模な埠頭が数多く設けられていた。倉庫や穀物の貯蔵施設、クレーンなど、港に付随するさまざまな風物をあしらって、小さくても雰囲気のある好ましいレイアウトに仕立てたい。

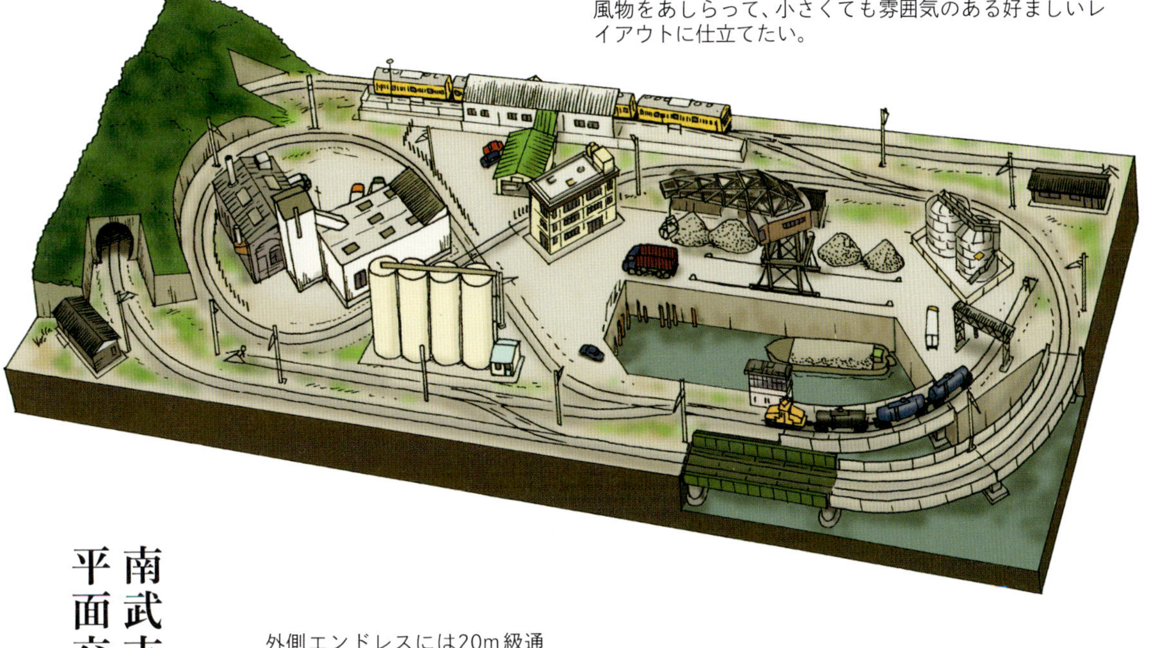

南武支線をイメージした平面交差のある小さな港湾風景

外側エンドレスには20m級通勤電車の４両編成が走り、港湾地区で働く人々の足となっているが、この駅の乗降客は少なく、付近は商店もなくガランとしている。

艀船が運んで来た砂利を扱う埠頭には、大きなガントリークレーンが聳え立ち、港のシンボルに。

埠頭の片隅にはオイルタンクも。また貨車から大型機械類を積み降ろしするため門形クレーンも設置されている。

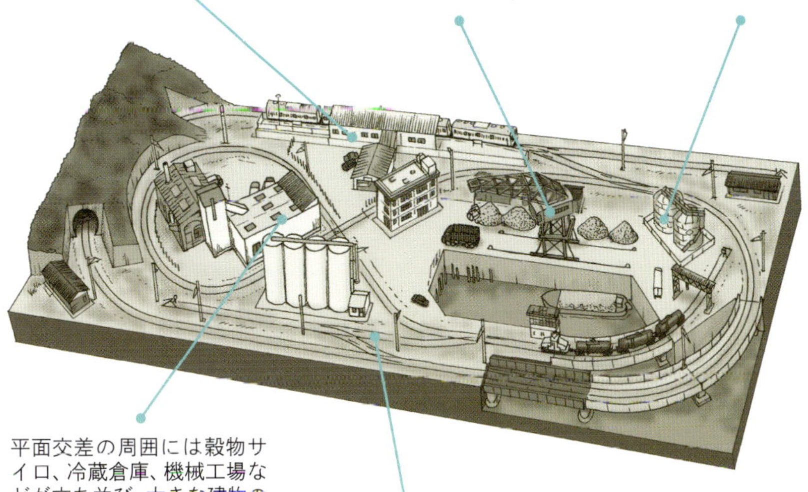

平面交差の周囲には穀物サイロ、冷蔵倉庫、機械工場などが立ち並び、大きな建物の合間から貨物列車がひょっこり顔を出すのはなかなか楽しい眺め。

港湾線の一部はスイッチバック状の線路配置になっていて、貨物列車はジグザグに進む。ルートの一部は電車と線路を共有しているので、渡り線ポイントの手前で、通過待ちの長い待避を強いられることも。

港をめぐる鉄道の風情を

いまも昔も港には鉄道がつきもの。トラック輸送が発達した現在では昔ほどの活気はありませんが、それでも埠頭や港湾施設の間を縫うように走る線路や、その上を行き来する貨車の列には独特の風情があります。大きな船の出入りする港を丸ごとモデル化する必要はなく、そのエッセンスを取り入れれば、コンパクトで楽しいレイアウトができそうです。1500×600ミリのスペースに展開する港湾風レイアウトを考えてみました。

設定としては神奈川県川崎市内を走る南武支線あたりをイメージし、貨物列車と通勤電車が走る本線と、そこから分岐して港の倉庫や埠頭の間に毛細血管のように張り巡らされた貨物専用線がレイアウトのテーマです。

外側エンドレスが電車も走る本線で、その内側にスイッチバックや平面交差のある貨物線が走ります。日本の鉄道では、本線上に平面交差を使うことは比較的少ないのですが、港湾鉄道では複雑に分岐した線路同士が思わぬところで交差することも多く見られ、独特の面白さを形作っています。

制約が運転を面白くする

貨物線はR216(半径216ミリメートル)の急カーブを使い、入線できるのは小型車両に限定されますが、D形のディーゼル機関車や電気機関車、大多数のボギー貨車は入線可能です。ともあれ、このような制約はむしろ運転を面白くしてくれることは強調したいところです。実際に電車は入れないことが、貨物専用線という設定にリアリティーを与えてくれます。

外側エンドレスを電車が走っている間は貨物列車を待避させておき、電車が駅に停車中に、渡り線を通って本線に進ませます。電車と貨物列車が同じ線路を共有する区間があることが、実物の鉄道に共通する緊張感を生み出してくれます。

図ではレイアウト上に2本の列車を置き、交互に走らせることを想定してフィーダーやポイントの電気設定を決めていますが、パワーパックを2台用意すれば、電車を走らせながら貨物線内の運転を同時に行うこともできます。この場合は線路の一部にギャップを設けて全体を2つの電気的ブロックに分け、それぞれにフィーダーを設けることになります。

メリハリのあるシーナリーを

レイアウトの左半分はトンネルや密集した建物で埋め、反対に右半分は大きなクレーンを中心に、広々とした港の風情を少しでも再現したいところ。広大な海面をレイアウトで再現することは無理でも、埠頭に面した海水の表情で、港湾線らしい特徴を出したいですね。

埠頭前の海面上を線路が走るのは港湾線ではポピュラーな風景でした。大型船の出入りのために、さまざまな形態の可動橋も見られましたが、このレイアウトではスペースの関係上、小型船やはしけが接岸する設定です。なおこの部分の線路には、ユニトラックのシステム化された高架線路やデッキガーダー橋、橋脚を使用して工作を簡易化しているので、初心者の方にも難なく完成させられると思います。

プラン図

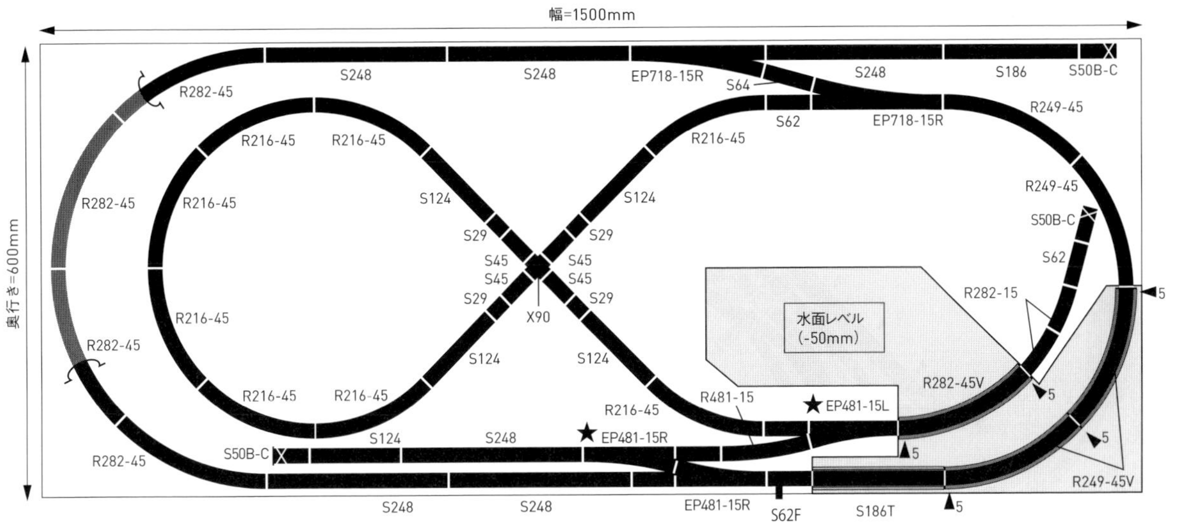

KATOユニトラックの4番ポイントは、電気方式を「選択式」と「非選択式」のいずれかの設定できる。図中の★印のポイントを非選択式に設定するのは、ポイントの切り換え方により一部の線路に通電せず運転不能になるため。

※◀ =橋脚の位置と番号を示す
※★印のポイントは非選択式に設定
※無記入の線路は電動ポイント4番に付属の線路(S60)

使用線路部品リスト(KATOユニトラック)

略号	部品名	数量
S248	直線線路248mm	6
S186	直線線路186mm	1
S124	直線線路124mm	5
S64	直線線路64mm (電動ポイント4番に付属)	1
S62	直線線路62mm	2
S62F	フィーダー線路62mm	1
S50B-C	車止め線路C 50mm	3
S29	端数線路29mm	4
S45	端数線路45.5mm (交差線路90°に付属)	4
R282-45	曲線線路R282-45°	4
R282-15	曲線線路R282-15°	2

略号	部品名	数量
R249-45	曲線線路R249-45°	2
R216-45	曲線線路R216-45°	8
R481-15	曲線線路R481-15° (電動ポイント4番に付属)	1
EP718-15R	電動ポイント6番(右)	2
EP481-15L	電動ポイント4番(左)	1
EP481-15R	電動ポイント4番(右)	2
X90	交差線路90°	1
S186T	単線プレートガーダー鉄橋(緑)	1
R249-45V	単線高架曲線線路R249-45°	2
R282-45V	単線高架曲線線路R282-45°	1
	橋脚No.5	5個

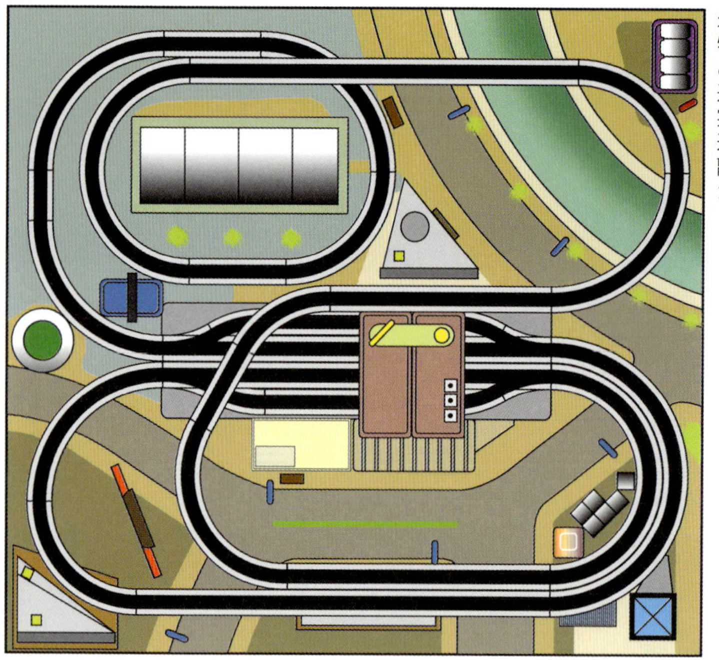

未来的なデザインの建物が建ち並ぶ大都市をめぐる、全線高架の新交通システムをイメージ。実物の鉄道や既存の鉄道模型の決まり事から離れて、想像力を羽ばたかせて製作したい。

新交通システム風プラン 親子で楽しめる

Nゲージ鉄道模型と互換性のある鉄道玩具「Bトレインショーティー」を新交通システムに見立てた近未来風プラン。身の回りにある品々を使ったストラクチャー工作も楽しい。

大きさ ▸▸▸ 1000×900ミリ
使用レール ▸▸▸ TOMIXファイントラック

- 曲線半径：R140およびR177
- 使用ポイント：電動ポイントN-PR140-30、電動ポイントN-PL140-30
- 勾配：４％
- 停車場有効長：Bトレインショーティー５両編成に対応
- テーマ：都市の新交通システム
- 時代設定：近未来
- 季節設定：夏
- 想定走行車両：Bトレインショーティーの近代型電車
- 特記事項：ペットボトルや各種雑貨など身の回りにある品を利用してストラクチャーを製作

未来風の新交通システムでBトレインショーティーを走らせる！

ペットボトルにCD-R、ガチャガチャのカプセルを組み合わせたオブジェ風ビル。ちなみにこの鉄道はプラネット・トランジット・オーソリティ（略してPTA）といい、舞台は実は地球外の惑星！

フィギュアや食玩のディスプレイ用に販売されているケースは、内部を作れば立派なスケルトンビルになる。

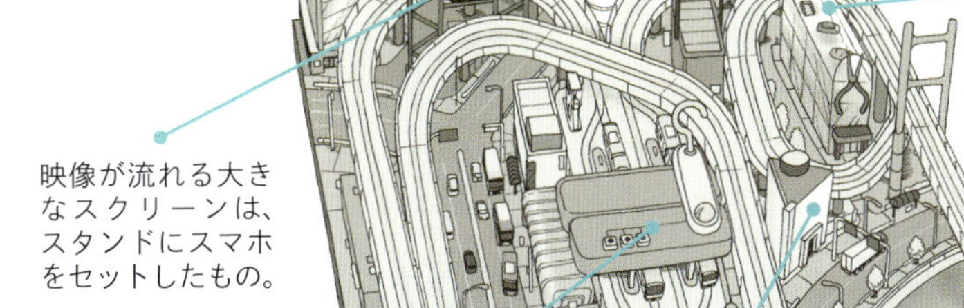

映像が流れる大きなスクリーンは、スタンドにスマホをセットしたもの。

中央ターミナル駅の上屋は100円ショップで売っている各種の小物入れを組み合わせればいいのでは？

急曲線用の高架線路は市販されていないので自作することになるが、ボール紙を使ったシンプルな工作で十分。お子さんと一緒にも楽しめるはず。

CDケースを適当な角度に開き、ボール紙と組み合わせてフォルムを作り、Nゲージストラクチャーのディテールパーツを取り付ければ、いびつな形の敷地にもぴったりのビルに。

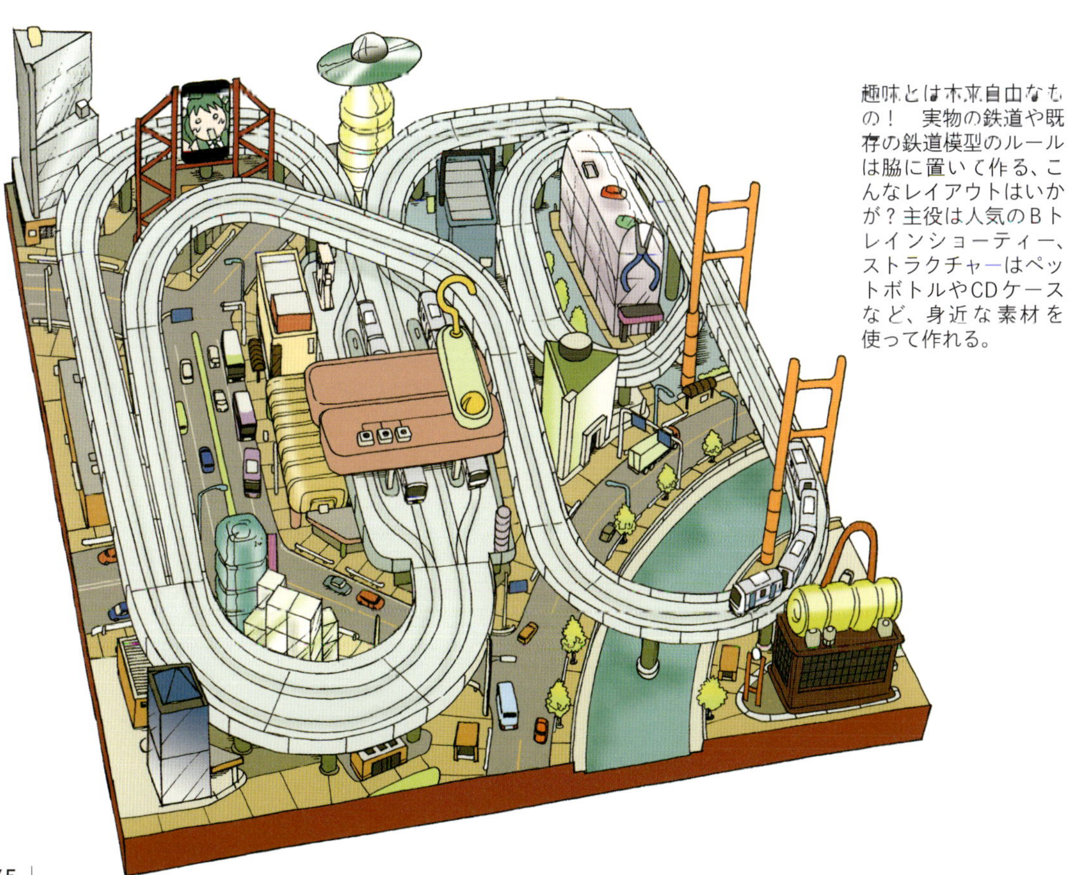

趣味とは本来自由なもの！　実物の鉄道や既存の鉄道模型のルールは脇に置いて作る、こんなレイアウトはいかが？主役は人気のBトレインショーティー、ストラクチャーはペットボトルやCDケースなど、身近な素材を使って作れる。

「Bトレ」のコンセプトを拡大解釈

Bトレインショーティーとは、大手玩具メーカーのバンダイが発売している組立式鉄道玩具で、実物の鉄道車両をほぼNゲージサイズに縮小したものですが、長さだけをギュッと縮めたデフォルメされたデザインが特徴。オプションの動力ユニットや走行用車輪などを使えばNゲージの線路の上を走らせることが可能で、Nゲージファンの間でも根強い人気があります。

Bトレインショーティーには古今の車両が発売されているのですが、JR各社で活躍中の近代的な電車は「Bトレ」の得意ジャンルといえそうです。

思うに、実物のスタイルがシンプルで機能的なだけに、思い切ったデフォルメをしても魅力が損なわれず、むしろ特徴ある前面や明快な塗装の良さが引き立つのかもしれません。

実際、新交通システムの「ゆりかもめ」あたりで走っていそう(ゴムタイヤ走行ですが)ですし、JR東日本のE331系やE993系などの連接車にも一脈通じるスタイルにも見えてきます。

既製概念を吹き飛ばせ!

こんなことを考えているうちに、Bトレインショーティーを使った新交通システム風のレイアウトが浮かんできました。鉄道名はプラネット・トランジット・オーソリティ(略してPTA)。つまり地球ではない別の惑星の輸送機関というわけ。

こんな突拍子もない設定にしなくてもいいのですが、実物の鉄道や、既存の鉄道模型の決まり事から解き放たれて、自由に想像を膨らませるための宣言みたいなものです。

レールはTOMIXファイントラックのミニカーブレール群を使います。

このような急曲線に合致する高架システムは自作するしかありませんが、ボール紙を材料にしたシンプルな工作で十分に事足ります。勾配は4%で、通常のNゲージでは普通に用いられる値ですが、急カーブでは予想以上に走行抵抗が大きくなるので、場合によっては1編成に2基の動力を組み込む必要があるかもしれません。

なお、新交通システムでは軌条から集電するのでパンタグラフは不要で、立体交差部分の高低差も小さくて済みます。

線路配置は大きなエンドレスを折りたたんだもので、中央の駅は実際には2つの駅の役目を果たし、それぞれで列車交換(すれ違い)ができます。

思わぬ品物が変身する楽しさ

ストラクチャーには身の回りのものを活用して近未来的風景を構成しましょう。現代の建築には、私たちが考えもつかないような形態のものが多くあります。ペットボトルや菓子の包装材、100円ショップで売られている小物入れ、CDケースやトレイ、カプセルトイの容器、ディスプレイケースなどなど、使えるものは多いと思います。要所要所にNゲージストラクチャー用のディテールパーツを取り付けるとメリハリが付きリアルさもアップします。道路の信号機や街灯、標識などにNゲージ用のセットを活用するのはおすすめです。

日用品が並んでいるだけでも「町」に見えてきますよ。

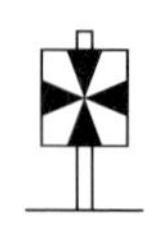

プラン図

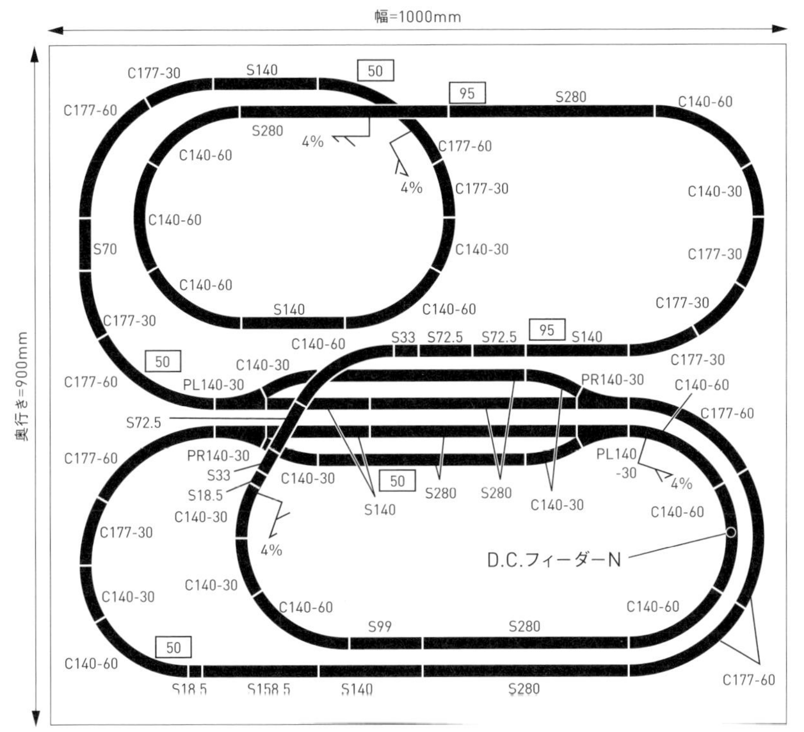

※□内はベースボード表面からの線路高

図をたどってみると、本線は長いひとつのエンドレスで、途中に列車交換のできる駅が2カ所(見た目はひとつの大きな駅)あるのがわかる。3本の列車を置いて、互いに駅の側線で待避させながら、駅から駅へと列車を進めていくのが基本的な運転法。4つのポイントは向かい合う2基を1対として、同時に切り換えるようにすれば、1カ所のフィーダーから本線の全線に通電されると同時に、運転中も側線に別の列車を停めておくことができる。

使用線路部品リスト(TOMIXファイントラック)

略号	部品名	数量
S280	ストレートレールS280 (F)	8
S158.5	ストレートレールS158.5 (F)	1
S140	ストレートレールS140 (F)	6
S99	ストレートレールS99 (F)	1
S72.5	ストレートレールS72.5 (F)	3
S70	ストレートレールS70 (F)	1
S33	端数レールS33 (F)	2
S18.5	端数レールS18.5 (F)	2

略号	部品名	数量
C140-30	ミニカーブレールC140-30 (F)	9
C140-60	ミニカーブレールC140-60 (F)	11
C177-30	ミニカーブレールC177-30 (F)	7
C177-60	ミニカーブレールC177-60 (F)	7
PR140-30	ミニ電動ポイントN-PR140-30 (F)	2
PL140-30	ミニ電動ポイントN-PL140-30 (F)	2
	D.C.フィーダーN	1

大きさ ▸▸▸ 1200×800ミリ
使用レール ▸▸▸ KATOユニトラック

Layout Plan 11

平面交差を上手に使ったロングランプラン

トンネル内で本線同士を平面交差させることで急勾配を避けたコンパクトなロングラン向けプラン。限られたスペースながら変化に富むシーナリーも魅力。

- 曲線半径：標準R282およびR249
- 使用ポイント：ユニトラック４番
- 勾配：最急３％
- 停車場有効長：20m級車両３両編成に対応
- テーマ：砂利採取線のある非電化の地方ローカル線
- 時代設定：昭和50年代
- 季節設定：初夏
- 想定走行車両：気動車、ディーゼル機関車牽引の砂利運搬列車
- 特記事項：平面交差の採用により急勾配なしにロングラン運転が可能

気動車に混じって時おり砂利運搬列車が走るローカル線の風情を再現。中央の川で風景を二分し、限られたスペースに平地と山地を不自然にならないよう収める狙い。トンネル内では本線が交差している。

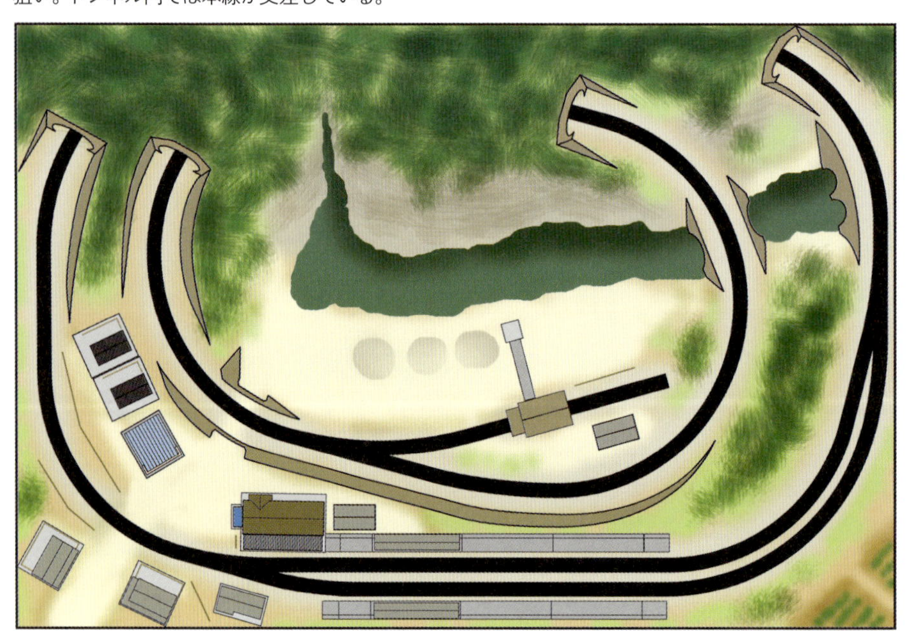

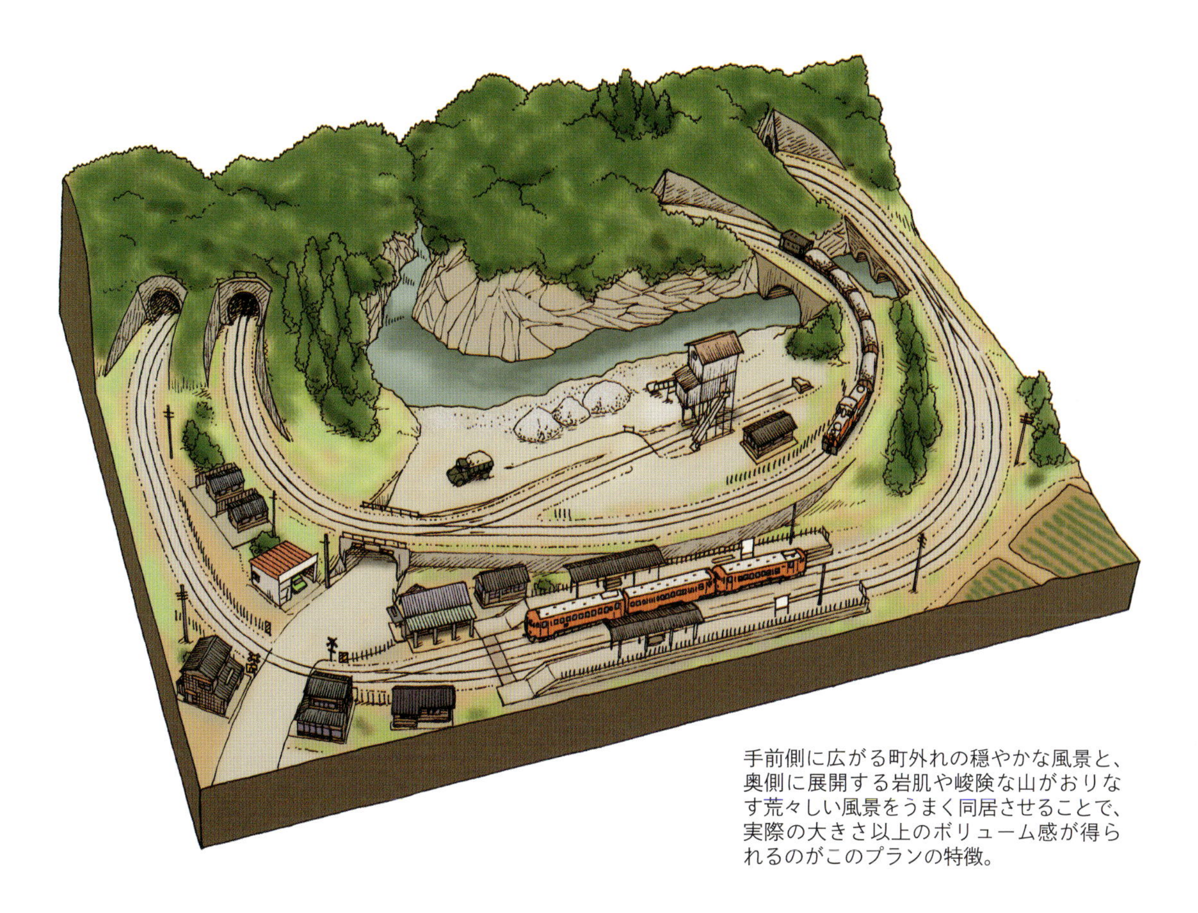

手前側に広がる町外れの穏やかな風景と、奥側に展開する岩肌や峻険な山がおりなす荒々しい風景をうまく同居させることで、実際の大きさ以上のボリューム感が得られるのがこのプランの特徴。

砂利採取場を走るディーゼル機関車。山と平地を川で区切り、大きな風景に

レイアウト中央をゆったりと流れる川は、その向こうの山と距離感を感じさせる上でも重要。山の中では本線が交差しているが、さほど不自然さは感じられないことがわかるはず。

川原に伸びるのは線路のバラスト用に使う砂利を採取するための引き込み線。砕石が使われる以前は、このような砂利採取線は各地に見られた。ホッパーは海外製品のキット利用を想定。

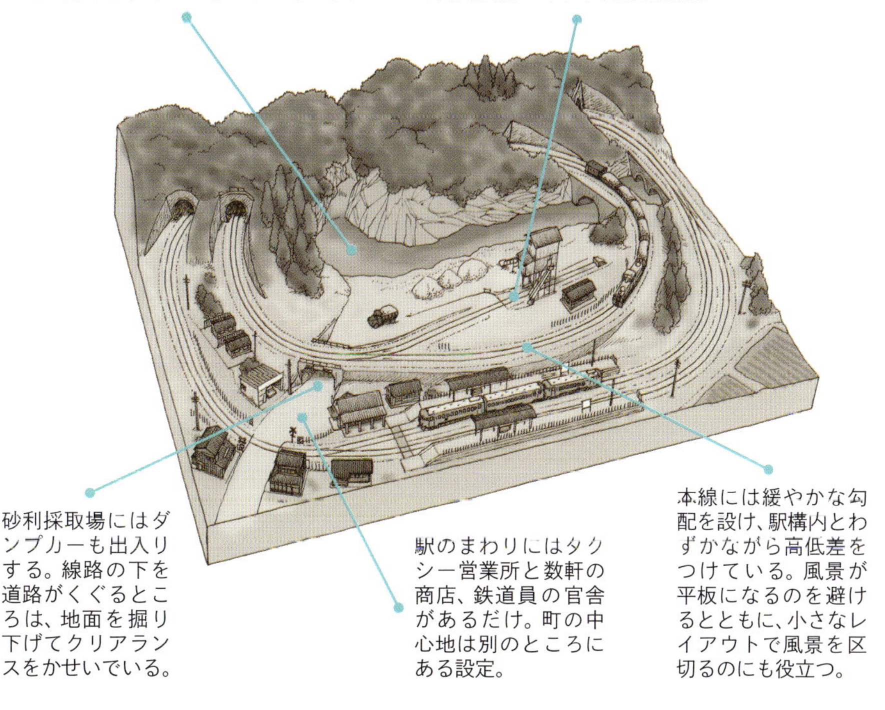

砂利採取場にはダンプカーも出入りする。線路の下を道路がくぐるところは、地面を掘り下げてクリアランスをかせいでいる。

駅のまわりにはタクシー営業所と数軒の商店、鉄道員の官舎があるだけ。町の中心地は別のところにある設定。

本線には緩やかな勾配を設け、駅構内とわずかながら高低差をつけている。風景が平板になるのを避けるとともに、小さなレイアウトで風景を区切るのにも役立つ。

エンドレスプランの工夫

エンドレスをひとひねりして、列車がレイアウト上を2周する形の本線は、限られたスペースで長い距離の運転を楽しむのに好適で、レイアウトプランの定石のひとつです。しかし、本線同士を立体交差させるためには当然、高低差をつけるための勾配が必要となり、小さなレイアウトでは全線が急勾配になってしまうことも。

平面交差を隠す

立体交差のかわりに平面交差を使えばこの問題は解決です。が、日本の鉄道では本線同士の平面交差は珍しい部類に入ります。線路が密集している箇所ならともかく、山中や田園風景の中で線路が交差している光景はあまりいただけません。そこで、トンネル内に平面交差を隠してしまいましょう。

そんなのリアルじゃないという意見もありそうですが、そもそもエンドレスというものが現実にはあり得ない線路配置であり、そこに設けられたトンネルは想定上、レイアウト外のどこか外の世界への出口と考えるべきだと思います。欧米のレイアウトにはよく、トンネルの中に列車を留置する「隠しヤード」が設けられますが、これは正にこのような考え方によるものですね。平面交差を隠すのも、その延長上にあるといえるでしょう。

レイアウトの大きさは１２００×８００ミリ。平面交差の採用で勾配は不要になり、快適な運転が楽しめます。ただし、平板になるのを避けるため、内側の線路には緩やかな勾配を設け、駅構内とその向こうを走る線路の間にわずかながら高低差をつけました。

砂利採取線のあるローカル線

本線上にある側線は川原に伸びる砂利採取線という設定で、海外のプラキットを利用した積み込みホッパーを設置。現在、線路の砂利（バラスト）は砕石が使われていますが、以前はこのように砂利をとる設備が多く見られたものです。

砂利を運ぶ無蓋車を連ねた貨物列車が時おり走るほかは、ディーゼルカーがのんびり走る地方ローカル線の風情です。イラストにはキハ40系を描きましたが、曲線半径から判断すると、もっと小型の車両の方が似合うかもしれません。旅客需要は少ないことにしてレールバスや、キハ４１０００など戦前形気動車を走らせるのもいいですね。

ちなみに国鉄のディーゼルカーには小型のものが極端に少ないので、小さなレイアウトでは小型電車の走る電化路線の方が扱いやすい場合もあります。他線から乗り入れる気動車や、架線が張られていない側線に入線するためにディーゼル機関車が走ってもおかしくありません。

平面交差の留意点

このプランで使っているような平面交差は、プラスとマイナスの電気が流れるレールが交差するので、どうしても無電区間が生じます。交差角度が緩くなるほど無電区間も長くなります。現代のNゲージ製品の大部分はスムーズに通過できるはずですが、設計が古かったり、通電の調子の悪い機関車（特に蒸気機関車）などは避けた方が無難です。

Layout Plan 11 平面交差を上手に使ったロングランプラン

プラン図

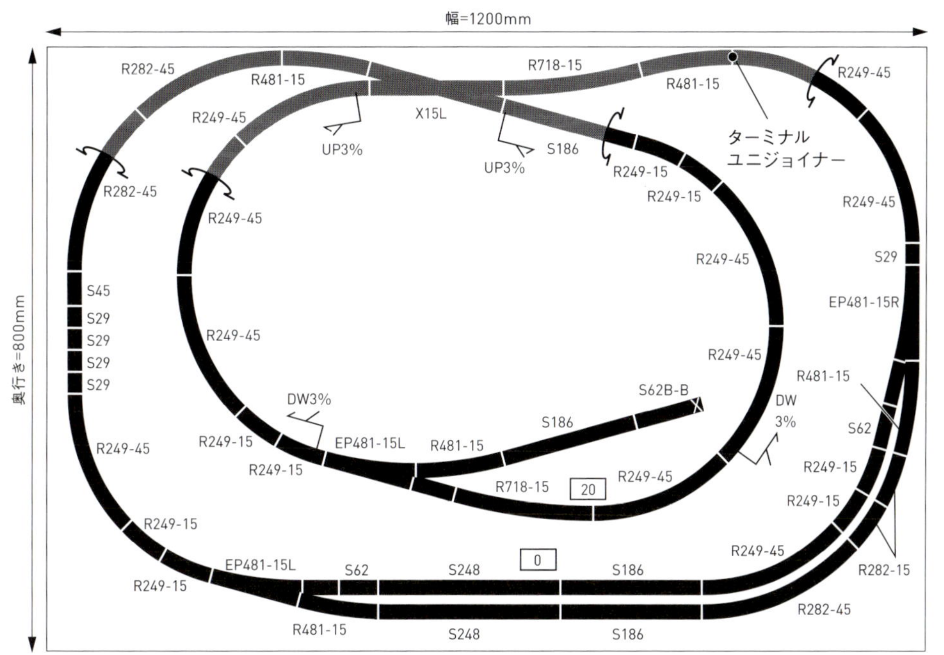

駅構内にはポイントを斜めに組みこむことで、スペースを節約しながら停車場有効長をかせいでいる。なおこのレイアウトに限らず、メンテナンスのためトンネル内の線路に裏から手が届くようにすることは必要。

※□内はベースボード表面からの線路高
※無印の線路は電動ポイント4番に付属の線路(S60)

使用線路部品リスト（KATOユニトラック）

略号	部品名	数量
S248	直線線路248mm	2
S186	直線線路186mm	4
S62	直線線路62mm	2
S45	端数線路45.5mm	1
S29	端数線路29mm	5
S62B-B	車止め線路B 62mm	1
R249-45	曲線線路R249-45°	10
R249-15	曲線線路R249-15°	8
R282-45	曲線線路R282-45°	3

略号	部品名	数量
R282-15	曲線線路R282-15°	2
R481-15	曲線線路R481 15° (うち3本は電動ポイント4番に付属)	5
R718-15	曲線線路R718-15°	2
EP481-15L	電動ポイント4番（左）	2
EP481-15R	電動ポイント4番（右）	1
X15L	交差線路15°（左）	1
	ターミナルユニジョイナー	1組

小海線や飯山線など信州の高原地帯の簡易線と呼ばれる地方ローカル線がテーマ。奥行きのあるスペースを生かし雄大な沿線風景の再現を目指したい。

変形ベース上に展開する簡易線風プラン

奥行きのある変形ベースの特性を生かし、高原の雄大な景色の中を小さな列車が走る簡易線をテーマにしたプラン。牧場やそば畑、簡易乗降場などの風物も楽しめる。

製作難易度 ★★★★★

大きさ ››› 1200×1200ミリ変形
使用レール ››› TOMIXファイントラック

- 曲線半径：最小R243
- 使用ポイント：電動ポイントN-PR541-15
- 勾配：最急４％
- 停車場有効長：20m級車両２両編成に対応
- テーマ：信州の高原を走る国鉄簡易線
- 時代設定：昭和40年代
- 季節設定：夏
- 想定走行車両：小型蒸気機関車牽引の貨物列車、混合列車、ディーゼルカー
- 特記事項：線路配置をシンプルにして雄大なシーナリーの再現を主眼に

Layout Plan 12

信州の高原をイメージ、長い直線を小さな列車が走り抜ける

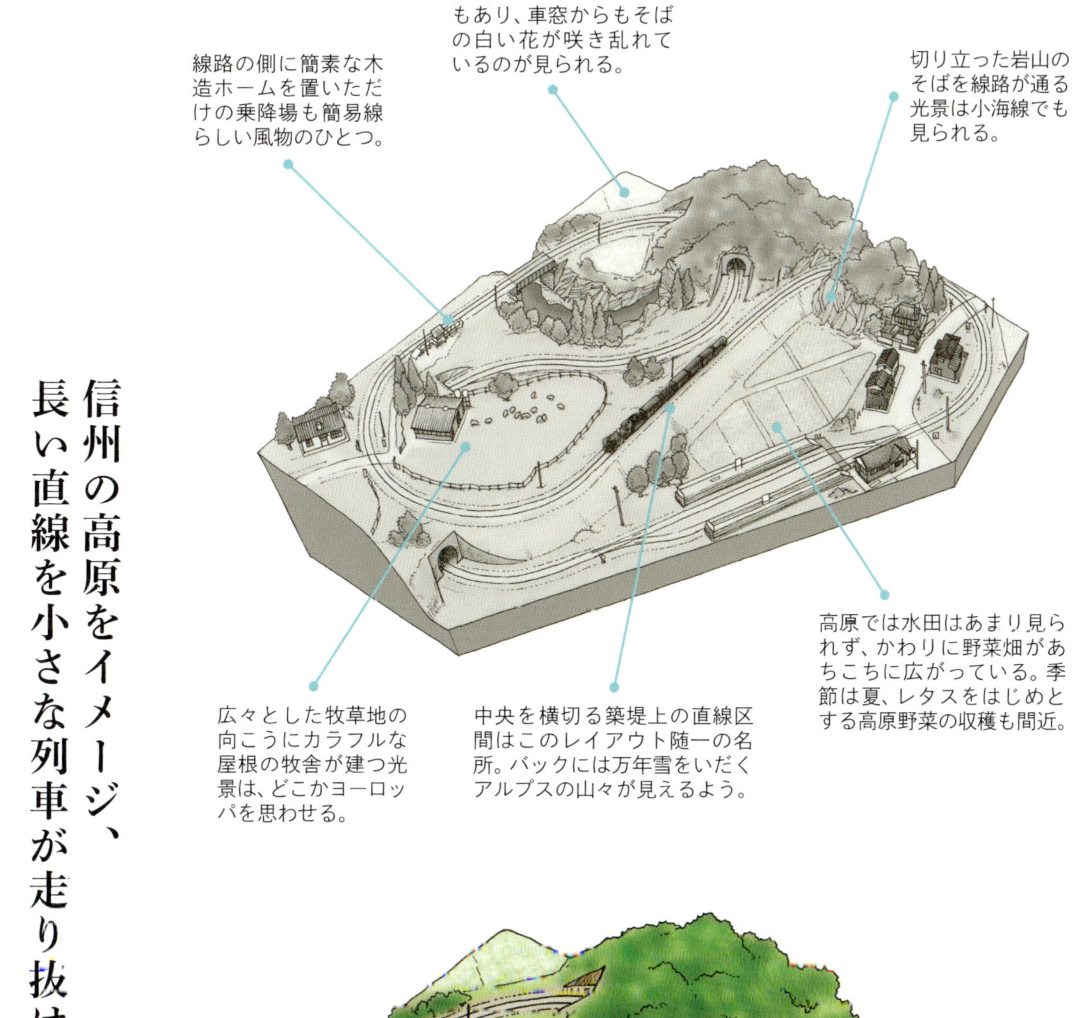

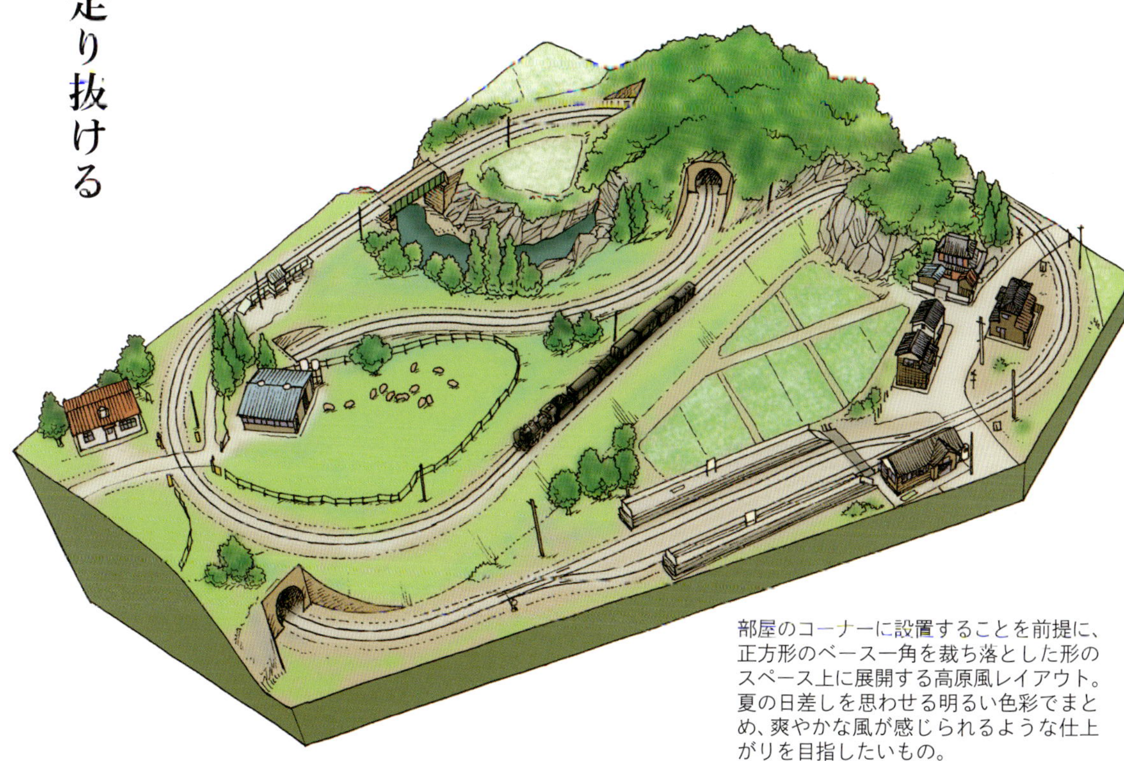

部屋のコーナーに設置することを前提に、正方形のベース一角を裁ち落とした形のスペース上に展開する高原風レイアウト。夏の日差しを思わせる明るい色彩でまとめ、爽やかな風が感じられるような仕上がりを目指したいもの。

長方形でなくてもOK

レイアウトに長方形のものが多いのは、ベースボード調達の都合や、工作やメンテナンスのしやすさが理由なのでしょうが、もちろん、設置スペースに合わせていろいろな形のものがあってよいわけです。二方の壁にまたがる形で部屋の隅に設置することを想定した、変形ベースボードのプランを考えてみました。

1200ミリ四方の正方形の一端を裁ち落とした形で、面積はタタミ1畳の3分の2程度ですが、長方形のレイアウトに慣れた目には結構広い印象を受けます。特に奥行きに余裕を感じさせるので、この利点を生かすことに主眼を置きました。

国鉄の簡易線をテーマに

かつて国鉄では、輸送量の特に少ない路線を「簡易線」と呼んで区分し、簡素な線路を軽量小型の車両が走っていました。C12形蒸気機関車や、そのテンダ機関車版であるC56、これらの後継と目されるDD16形ディーゼル機関車などが簡易線の主役といえます。

Nゲージではこれらの小型車両も素晴らしいモデルが発売されています。小さいだけに急カーブの通過も容易で、小レイアウトの主役として重宝されている様子。しかし一方、簡易線は雄大な自然の中を通っていることが多く、小さな列車が大自然の懐に抱かれながら走る風景を再現してみたいと考えました。

走る姿が引き立って見えるように

線路配置は機能としては単線エンドレス1本に列車交換のできる駅があるだけのシンプルなものですが、エンドレスの形を工夫して、ひろびろとした高原の中を走る感じを目指しました。小海線や飯山線など、信州の簡易線のイメージを投影しています。

中央を斜めに横切る直線区間は、長方形のレイアウトでは実現しづらいもので、整然とした築堤を作って見せ場にしたいもの。周囲には野菜畑や白い花が咲き乱れるそば畑(信州ですから)、牧場など高原らしい風物を配します。一方で荒々しい岩肌がそそりたつ山や、水流のうずまく渓流などもあり、変化に富んだシーナリーが楽しめます。欲をいえば、アルプスの山並みを描いた背景画も欲しいですね。

このレイアウトの目的は走る列車の姿を魅力的に見せることで、運転上の面白みは駅での列車交換ぐらいですが、本線の途中に設けた乗降場は多少なりとも運転に変化をつけようとしたもの。小海線では夏野菜の出荷シーズンになると、本線脇に設けた農作物の集積場の脇に列車を停めて積み込みを行ったそうですから、この再現も楽しいのでは?

高原に汽笛が響いて…

サウンドもこのレイアウトの楽しみを増してくれるでしょう。

最近のNゲージでは車載スピーカーから走行音や警笛を出す車両も登場していますし、パワーパックに接続したスピーカーボックスから、車両に同調した良質の音を出す製品もあります。

高原に響く汽笛、聞いてみたいと思いませんか。

プラン図

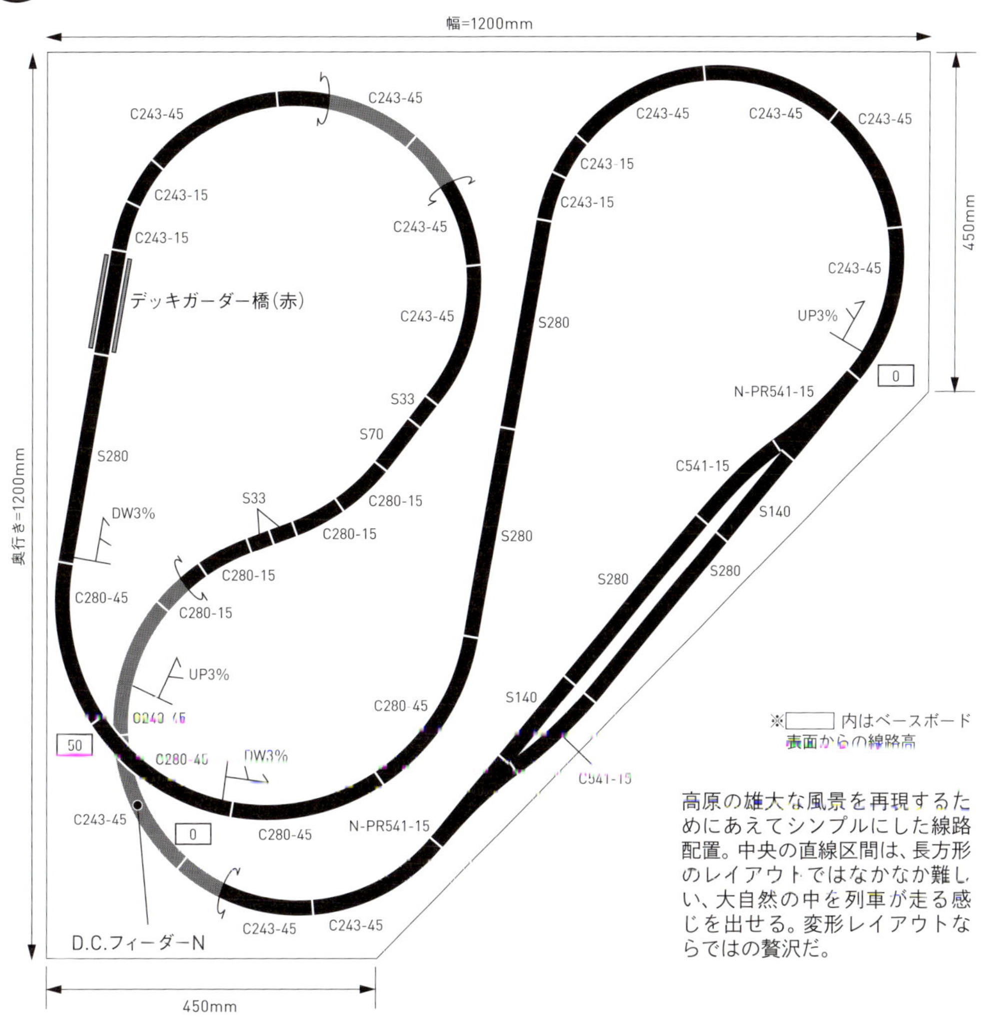

高原の雄大な風景を再現するためにあえてシンプルにした線路配置。中央の直線区間は、長方形のレイアウトではなかなか難しい、大自然の中を列車が走る感じを出せる。変形レイアウトならではの贅沢だ。

使用線路部品リスト(TOMIXファイントラック)

略号	部品名	数量
S280	ストレートレールS280 (F)	5
S140	ストレートレールS140 (F)	2
S70	ストレートレールS70 (F)	1
S33	端数レールS33 (F)	3
C243-45	カーブレールC243-45 (F)	12
C243-15	カーブレールC243-15 (F)	4

略号	部品名	数量
C280-45	カーブレールC280-45 (F)	4
C280-15	カーブレールC280-15 (F)	4
C541-15	カーブレールC541-15 (F)	2
N-PR541-15	電動ポイントN-PR541-15 (F)	2
	デッキガーダー橋 (赤)	1
	D.C.フィーダーN	1

大きさ ▸▸▸ 1800×600ミリ
使用レール ▸▸▸ KATOユニトラック

Layout Plan 13

- 曲線半径：標準R249、最小R216
- 使用ポイント：ユニトラック6番および4番
- 勾配：最急4％
- 停車場有効長：18m級車両3両編成に対応
- テーマ：大私鉄の都市郊外路線
- 時代設定：昭和50年代
- 季節設定：春
- 想定走行車両：私鉄の通勤形電車
- 特記事項：ダイヤを想定した往復運転が可能

ダイヤ運転も楽しめる私鉄風プラン

大私鉄の単路線をまるごと凝縮した線路配置で、リアルなダイヤ運転も楽しめるコンパクトなプラン。もちろんエンドレス周回運転も可能。

都市近郊の風景がテーマ。右上の高架ターミナル駅と、右下の地下ターミナル駅を結ぶ本線は途中が複線となり列車のすれ違いが可能。実物同様のダイヤ運転も楽しめる一方、リラックスムードのエンドレス周回運転もできる。

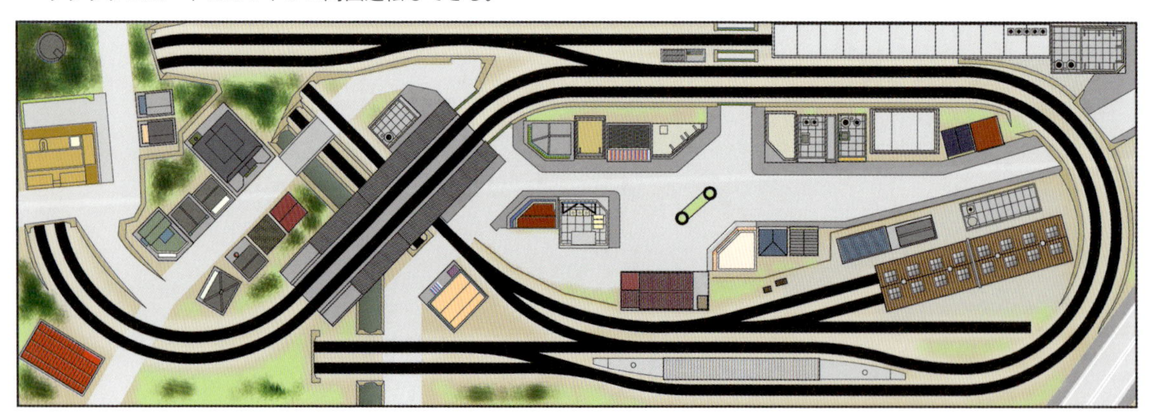

Nゲージの老舗メーカー、グリーンマックスの製品群が持つ独特のムードから想起した私鉄風レイアウトプラン。コンパクトなスペースに濃密な世界が展開する。線路配置は実物に即したダイヤ運転も可能な高度なもの。製作の難易度も高いので、じっくり時間をかけて取り組んでいただきたいところ。

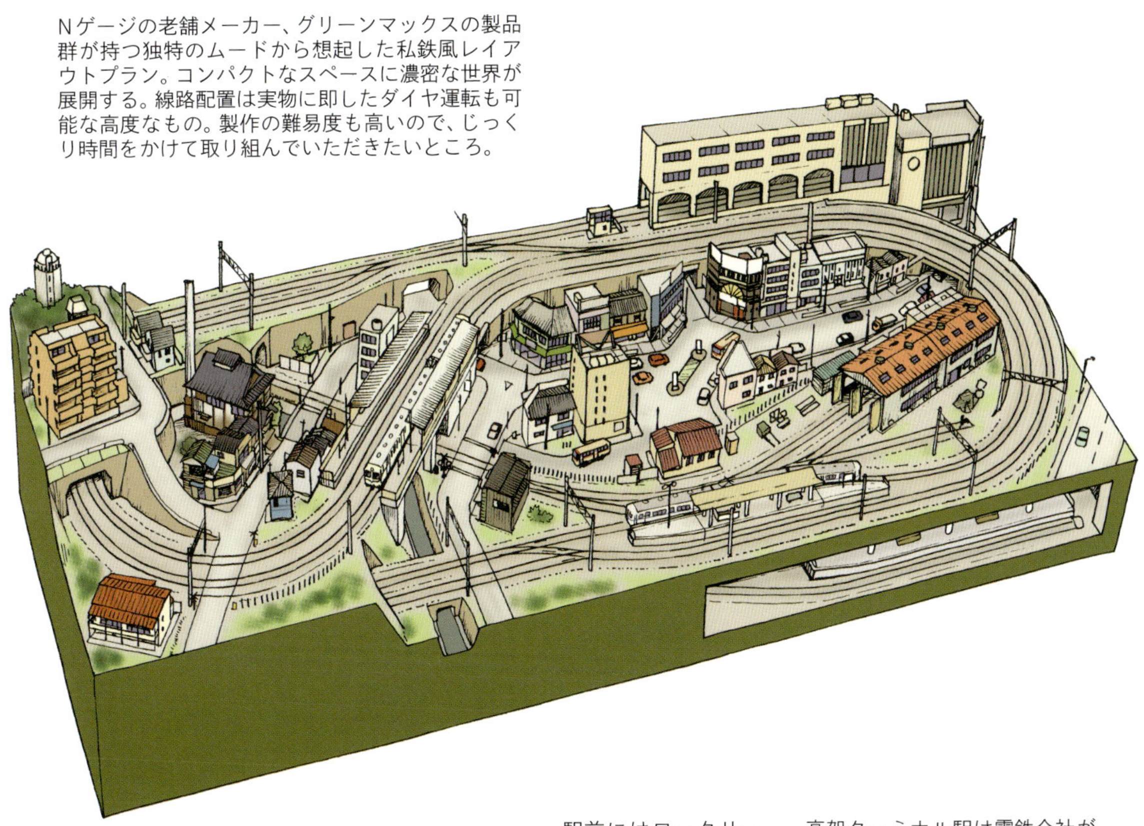

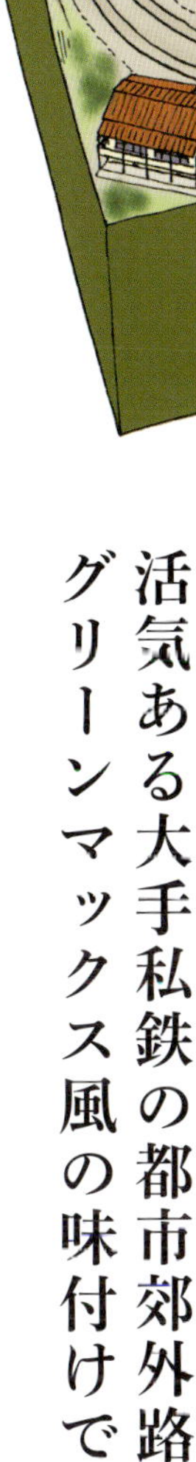

活気ある大手私鉄の都市郊外路線をグリーンマックス風の味付けで

レイアウトの左半分には銭湯もある古びた商店街と、アパートやマンションが並ぶ丘の上の住宅街が。

駅前にはロータリーに面してビルが並び賑やか。このあたりはベッドタウンとして発展いちじるしいという設定。

高架ターミナル駅は電鉄会社が経営するデパートの建物の中に設けられている。複線の本線がホーム手前で１本に合流するのは、私鉄の小ターミナルによく見られる配線パターン。

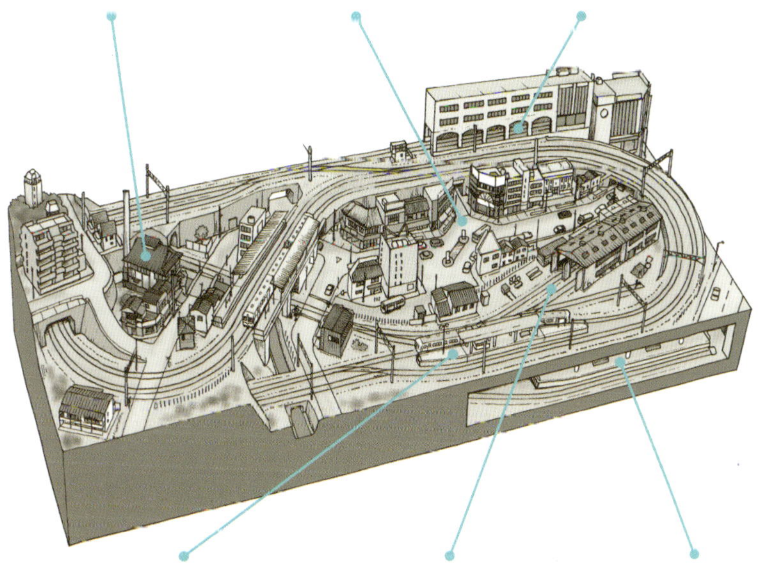

この駅は地下ターミナルや車両基地に出入りする車両をさばく、列車運行上の重要拠点。ポイント操作は慎重に！

小さな車両基地には検修庫もあり、ちょっとした修繕ぐらいはできる設備が整っている。工事列車も出入りする。

地下ターミナル駅には島式ホームに面して２本の行き止まり式の線路が。片方に列車が到着すると他方から発車する。

拝啓グリーンマックス様

グリーンマックス(GM)はNゲージ鉄道模型の老舗メーカーで、それまで製品化されていなかった旧型国電や私鉄電車、さらに独特のリアリティをもつストラクチャーなどをプラキット形式で多数発売、この趣味の裾野を広げると同時にNゲージレイアウトにひとつの方向性を与えてくれました。つまり、ふだん通勤や通学に使っている電車が走る、身近な風景を再現する楽しみ方です。

総菜の匂いが漂う夕暮れの商店街、その向こうに点滅する踏切の赤色灯がにじんで……。といった情景を頭に置いて、1800×600ミリのスペースに私鉄電車が走る都市郊外風景をテーマにしたプランを考えてみました。GM製品の多用を想定してはいますが、もちろん各社の製品も動員します。レールはKATOユニトラックです。

2種類の運転法を想定

このプランは2種類の運転法を想定しています。ひとつはエンドレスでの周回運転。図を指でたどっていただくとわかりますが、単線エンドレスの中央部を押しつぶして複線のようにした「ドッグボーン(犬に与える骨)形」のエンドレスが組込まれています。そのため、手放しで列車の走る姿を鑑賞できます。

ポイントを切り換えて高架や地下のターミナル駅、あるいは車庫などに乗り入れ、別の列車と交換することができます。列車は18メートル級電車の3連が基本で、電車4本と工事列車1本を常置しておけます。

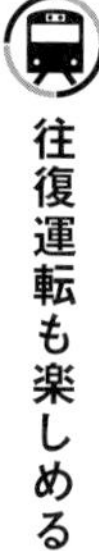

往復運転も楽しめる

もうひとつの運転法は図の右上に位置する高架ターミナル駅と、右下に位置する地下ターミナル駅の間の往復運転です。地下のターミナル駅を発車した電車は勾配を上って地上に出て中間駅に到着、ここからは複線区間になってさらに勾配を上り、高架の中間駅を経て、高架ターミナル駅に到着します。同じルートでまた戻りますが、複線区間ではもちろん左側通行で往路とは違う線路を経由します。

実はこのプラン、大手私鉄の単路線をまるごとモデル化したような線路配置になっているので、上記の往復運転パターンをもとに、リアルなダイヤ運転をすることもできます。時刻はともかく、車両を動かす順序だけ決めて数人で分担して運転しても楽しいと思います。

運用パターンを決めて楽しむ

例えば早朝を想定して、ふたつのターミナル駅に前夜から留め置かれた1編成ずつ、車庫に残る2編成を置いた状態からスタート。

2編成を往復するパターンに、車庫からタイミングよく出庫した編成が加わり、ラッシュ時には4編成が本線を行き来するダイヤとなります。日中の閑散時間帯には3編成に減らし、夕方のラッシュにはまた増発して……。1日の終わりにはまたスタート位置に戻りますが、それぞれの編成は玉突き式に朝とは異なる位置にして、4日のサイクルで4編成が同じ行程をこなすようにするとよりリアル。第1編成から第4編成それぞれの運用表も必要になってきますね。

Layout Plan 13 ダイヤ運転も楽しめる私鉄風プラン

プラン図

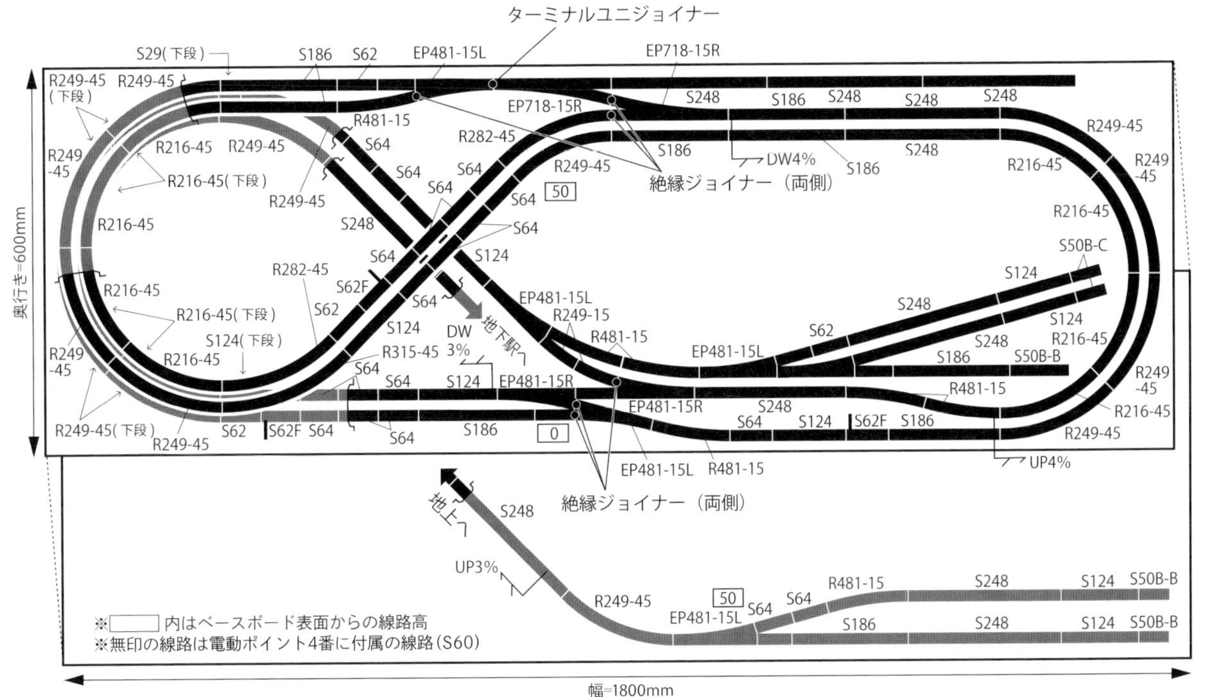

※□内はベースボード表面からの線路高
※無印の線路は電動ポイント4番に付属の線路(S60)

列車1本を運転する場合のフィーダー位置を示す。2カ所あるフィーダー線路(S62F)はいずれもリバース運転用なので注意(配線法はメーカーカタログを参照)。複数の列車を同時に運転する場合には、ギャップとフィーダーを追加し複数のパワーパックを接続する必要がある。どのような運転をしたいのかによって変わってくるので研究していただきたい。特に高度なダイヤ運転を行いたい場合は、DCC(デジタル・コマンド・コントロール)の導入がおすすめ。

使用線路部品リスト(KATOユニトラック)

略号	部品名	数量
S248	直線線路248mm	12
S186	直線線路186mm	10
S124	直線線路124mm	8
S64	直線線路64mm (うち14本は電動ポイント4番に付属)	19
S62	直線線路62mm	4
S62F	フィーダー線路62mm	3
S62B-B	車止め線路B 62mm	1
S50B-C	車止め線路C 50mm	4
S29	端数線路29mm	1
R216-45	曲線線路R216-45°	12

略号	部品名	数量
R249-45	曲線線路R249-45°	16
R249-15	曲線線路R249-15°	2
R282-45	曲線線路R282-45°	2
R315-45	曲線線路R315-45°	1
R481-15	曲線線路R481-15° (電動ポイント4番に付属)	7
EP718-15R	電動ポイント6番(右)	2
EP481-15L	電動ポイント4番(左)	6
EP481-15R	電動ポイント4番(右)	2
	ターミナルユニジョイナー	1組
	絶縁ジョイナー	12個(6組)

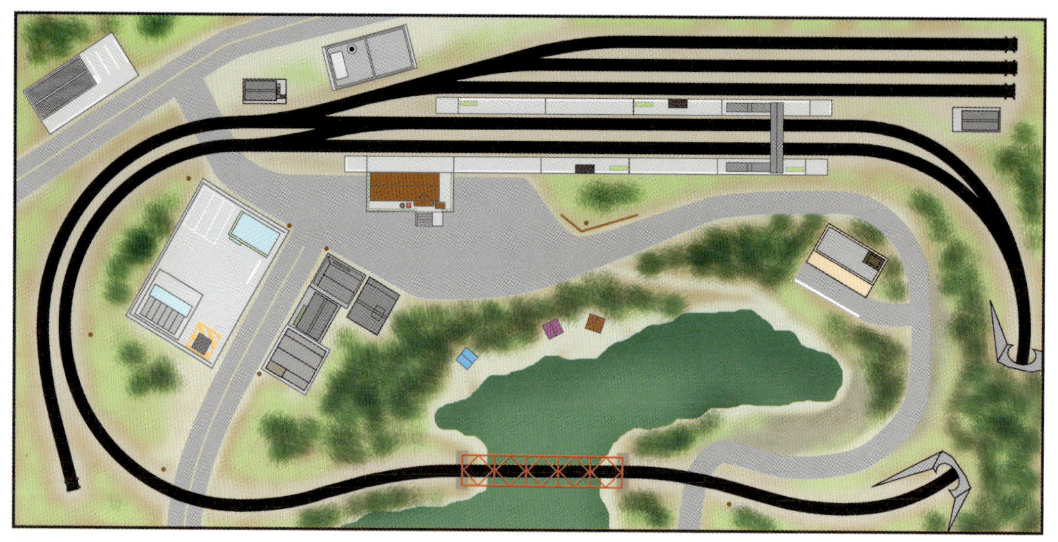

風景のテーマは湖畔のリゾート地。バス営業所やホテル、バンガローなどが雰囲気を盛り上げる。季節は夏で、林間学校や団体旅行のために各地から団体臨時列車がやってきて、駅に併設されたヤードに留置される設定。

ヤードのある単線オーバルのプラン

単線の楕円形エンドレス（オーバル）にさまざまな列車を留置しておけるヤードを付加。鉄道模型の原点ともいえる走らせる楽しみを満喫できるオーソドックスなプラン。

大きさ ››› 1650×800ミリ
使用レール ››› TOMIXファイントラック

- 曲線半径：最小R280
- 使用ポイント：電動ポイントN-PR541-15、電動ポイントN-PL541-15、電動カーブポイントN-CPL317/280-45
- 勾配：ナシ
- 停車場有効長：20m級車両５両編成に対応
- テーマ：非電化の国鉄地方路線
- 時代設定：昭和50年代
- 季節設定：夏
- 想定走行車両：波動輸送用を含む各種車両
- 特記事項：ヤードに引き上げ線を付加しリアルな列車の動きを再現

Layout Plan

踏切を渡った国道沿いには新しいコンビニエンスストアがあり、開けた感じ。

夏の観光シーズンを除くと乗降客の少ないこの駅は、駅舎も小さく、駅前にも地元住民を相手にする古びた商店が数軒並んでいるだけ。

小さな駅に不釣り合いなヤードは列車の留置線群で、観光シーズンに運転される団体臨時列車がここで駐泊する。

小さな駅舎とは対照的に大規模なバス営業所からは湖畔に数多く点在するキャンプ場やリゾートホテル、観光名所などに向かうバスがひっきりなしに発着する。

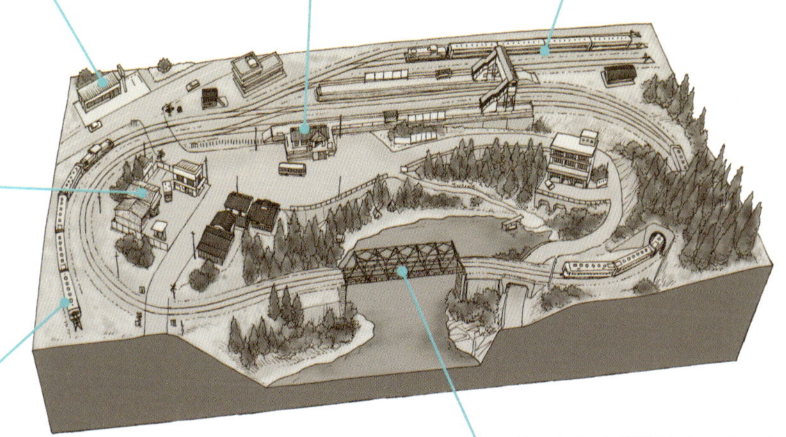

この側線はヤードの引き上げ線で、駅に到着した列車はいったんここに引き上げられてからヤードの所定の線に入れられ、出発のときも引き上げ線から駅のホームへ据え付けられる。これでヤードからいきなり本線に進入したり、本線で突然停車してバックする不自然さも解消！

湖にかかる鉄橋は本レイアウト随一の景勝。眼下の湖畔にはホテルやバンガロー、ボート用の桟橋などが見える。

トラス鉄橋がハイライト ヤードにいろいろ留置して悦に入りたい！

単線エンドレス＋ヤードという、きわめてオーソドックスな線路配置にどう肉付けするか、その一例ともいえるプラン。湖畔のリゾート地という設定には、さまざまな車両を走らせることができる利点がある。見応えのあるシーナリーの魅力も見逃せない。

ヤードについて考える

ヤードとは操車場のことで、貨車を行き先別に並べ替えて列車を仕立てる設備です。一般に、Nゲージレイアウトのヤードは、いろいろな列車を停めておくための留置線の集合体であるケースが多いようです。

ヤードから好みの列車を選んでエンドレスを走らせ、気分次第で別の列車と取り替えて……という、Nゲージ鉄道模型の原点ともいうべき楽しみ方を主眼に置いて、単線の楕円形エンドレス（オーバル）にヤードを追加した、オーソドックスなプランを考えてみました。タタミ1畳よりも少し小さいスペースに収まります。

ヤード設置の問題点

長い列車を停めておくヤードには、細長いスペースが必要です。同じように駅にも細長いスペースが要ります。実はここに、レイアウトにヤードを設ける際のジレンマが生じます。

実物の鉄道では列車を留置しておく線は、たいていの場合、駅の前方もしくは後方に設置されています。ホームでお客を降ろした列車を収容するのにも、反対に客扱いのためにホームに据え付けるのにもスムーズだからですね。しかしこの配置には駅とヤードを縦に並べた、とても長い敷地が必要になり、かなり大きなレイアウトでなければ再現できません。したがって駅とヤードを横に並べた配置にするのが定石といえます。

ところがこの場合、ヤードに出入りする線は駅の前方の本線に接続されることになり、ヤードに出入りする際のいずれか1回は、本線で停止してバックしなければなりません。実物の鉄道の本線は信号をはじめさまざまな保安システムで守られていますから、これはありえない光景で、どうも面白くありません。

引上げ線の効用

これを解決するのが引き上げ線です。実物の駅やヤードにもよく見られるもので、車両基地からの入出庫や入れ換え作業などを、本線に支障なく行えるようにするための線路です。

ヤードから出発する列車は、まずこの引き上げ線に入り、それからポイントを切り換えて駅のホームに据え付けられます。反対に駅に到着した列車は、ホームでお客を降ろしてからいったん引き上げ線に入り、それからヤードの所定の線へと移動するのです。

この線を設けることで、レイアウトに、単なる列車運転場とは一線を画した、鉄道らしさを付加することができます。

夏のリゾート地をテーマに

レイアウトの風景は湖畔のリゾート地がテーマで、季節は夏としました。林間学校の生徒たちや団体旅行客を乗せた臨時列車が各地から運転され、この小駅に到着、ヤードで休むという想定です。このようないわゆる波動輸送用には、バラエティに富む車両が動員されましたから、さまざまな列車を運転できます。

イラストは非電化路線として描きましたが、もちろん電化されている設定でもOK。この場合も非電化路線からの直通列車とすれば、気動車を走らせてもおかしくありません。

プラン図

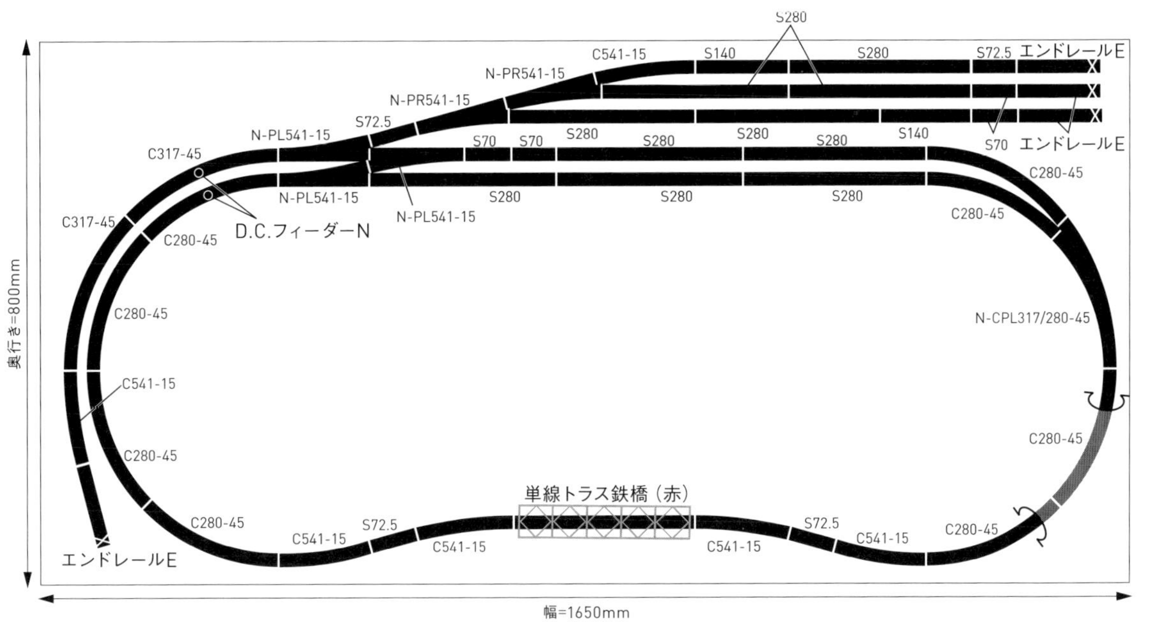

TOMIXのポイントは完全選択式という電気方式を採用しているため(一部そうでない製品もあり)、ポイントの切り換え方向によってはレイアウト全体に通電しないことがあるので、2カ所のフィーダーが必要となる。双方のフィーダー線はまとめて1台のパワーパックに接続すればOKだ。なおS70が連続しているのは購入時の無駄が出ないようにするためで、S140に置き換えても構わない。

使用線路部品リスト（TOMIXファイントラック）

略号	部品名	数量
S280	ストレートレールS280 (F)	10
S140	ストレートレールS140 (F)	2
S72.5	ストレートレールS72.5 (F)	4
S70	ストレートレールS70 (F)	4
C280-45	カーブレールC280-45 (F)	8
C317-45	カーブレールC317-45 (F)	2
C541-15	カーブレールC541-15 (F)	6

略号	部品名	数量
N-PR541-15	電動ポイントN-PR541-15 (F)	2
N-PL541-15	電動ポイントN-PL541-15 (F)	3
N-CPL317/280-45	電動ポイントN-CPL317/280-45 (F)	1
	エンドレールE (F)	4
	D.C.フィーダーN	2
	単線トラス鉄橋 (赤)	1

大きさ ▸▸▸ 1800×750ミリ
使用レール ▸▸▸ KATOユニトラック

Layout Plan 15

- 曲線半径：標準R282およびR315
- 使用ポイント：ユニトラック4番
- 勾配：ナシ
- 停車場有効長：20m級車両6両編成に対応
- テーマ：都市郊外を走るJR通勤路線
- 時代設定：現代
- 季節設定：春
- 想定走行車両：通勤形、近郊形車両
- 特記事項：本線逆走なしに駅とヤード間の回送運転が可能

複線オーバルとヤードのコンビネーション

複線の楕円形エンドレスに4線のヤードを付加したオーソドックスなプラン。回送運転のリアルさにもこだわった渡り線の配置にも注目。

大都市中心部へ通勤する人たちが住むベッドタウンとして発展いちじるしい郊外の町と駅が風景のテーマ。高い需要をあてこんで特急形車両を使った通勤ライナーも運転され、ヤードには通勤形以外にも多種多様な車両が出入りする。

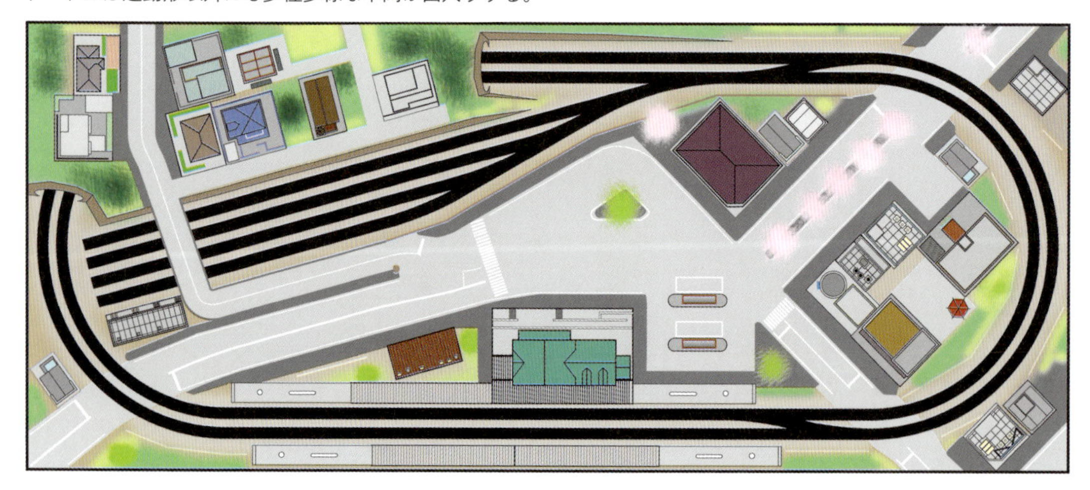

複線エンドレスにヤードを組み合わせたオーソドックスな線路配置に、大都市近郊にある衛星都市の端正な街並みを組み合わせたプラン。市長にでもなって、理想の町を作るつもりで製作すれば、楽しい時間が過ごせるかも。

複線で6両編成走行が可能 あの、住みたい街を再現

ヤードの向こうの高台には閑静な住宅街が広がっている。一角にある美しい教会はランドマーク的存在。

駅前には広いロータリーがあり、周辺の各方面に向かうバスが数多く発着して活況を呈している。

桜並木の美しい大通り沿いには端正な商店街が展開。住みたい町ランキングで上位にランク入りする一因になっている。

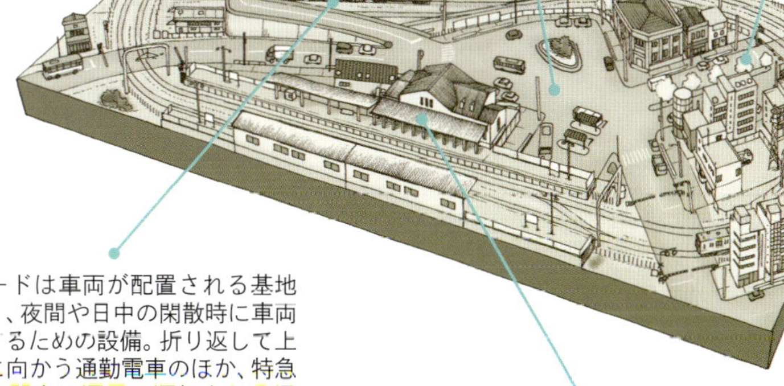

このヤードは車両が配置される基地ではなく、夜間や日中の閑散時に車両を留置するための設備。折り返して上り方面に向かう通勤電車のほか、特急形車両の間合い運用で運転される通勤ライナーや下り方面に発着する近郊電車も出入りする。

この駅は戦前に住宅地として開発が始まった際に開業し、当時に建てられた歴史ある駅舎が改修を重ねながら大切に使われているという設定。

複線の楽しさは離合シーン

　複線にも独特の面白さがあり、特に上下列車が走りながらすれ違う離合シーンの迫力は魅力的で、単純な線路配置でも大きな楽しみを提供してくれます。前プランの複線版ともいうべき、複線オーバルとヤードをできるだけコンパクトにまとめたプランをお目にかけましょう。

　複線のレイアウトはスペースを要すると思われがちですが、そうとは限りません。例えば駅。簡素な乗降場などを除くと、単線の鉄道の駅は両端に分岐が不可欠ですが、複線なら両側に2本のホームを設置すれば立派な駅になり、結果的には省スペースになるケースも多いのです。むしろ線路よりも、複線の鉄道が走るのに相応しいシーナリーにスペースが必要かもしれません。

都市近郊の駅をモデルに

　複線化されるのは一般に、人口の多い地域を通り列車の運転本数の多い路線です。この条件に合致し、タタミ1畳未満のスペースに収まる舞台設定として、大都市近郊のいわゆる衛星都市を選びました。ベッドタウンとして発達し、朝夕のラッシュ時にはこの町から都心方面に多数の電車が運転されます。当駅折り返しの電車も数多く設定されているため、駅には夜間や日中閑散時に車両を留置しておくヤードが併設されています。

　通勤形車両ばかりでなく、優等列車用の車両を間合いで使った通勤ライナーや、都心とは逆の方向へ発着する近郊形車両も出入りします。

複線オーバルに斜めのヤードを

　線路配置は複線オーバルに4線のヤードを加えたシンプルなもの。ヤードを斜めに配したのは有効長を確保するとともに、シーナリーが平板になるのを避ける狙いがあります。駅構内とヤード入口の2カ所に渡り線を設けることで、ヤードと駅の間の列車回送時に、不自然な本線逆走が生じないように配慮しました。

　ヤードを出る列車は必ず渡り線を渡って外回り線(想定上は下り本線・時計回り)を経由して駅に到着、ホームで客扱いの後、下り列車であればそのまま発車、上り列車であれば駅構内の渡り線を通って内回り線(想定上は上り本線・反時計回り)に進みます。ヤードに列車が入る場合も同様の運転が可能です。図をたどってみてください。

　渡り線には絶縁ジョイナーを組み込み、上下本線を電気的に独立させて、2台のパワーパックを個別に接続します。渡り線を車両が渡る際には両方のパワーパックの設定を揃えて運転します。このような運転法をセクションコントロールといいます。より本格的なやり方としてはキャブコントロールやDCCなどがありますので、興味のある方は研究してみてください。

こんな町に住みたい

　この町は近年、住みたい町ランキングで人気急上昇。桜並木の美しい通りに面してこぎれいな商店が並び、高台には静かな住宅街が広がっています。

　自分の理想の町をNゲージの世界に再現するのもまた楽しいではありませんか。

プラン図

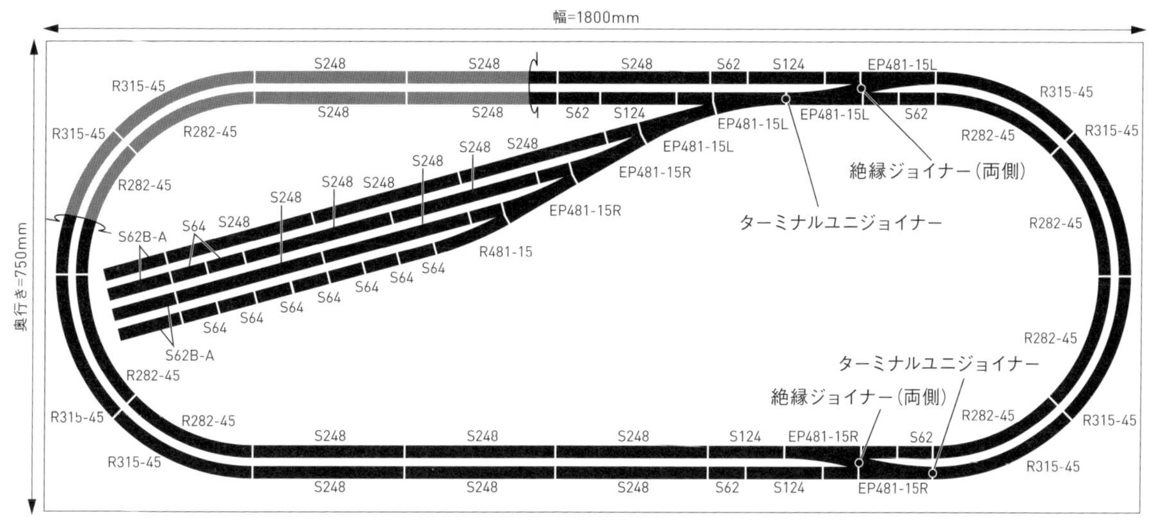

外回り線と内回り線で個別に列車をコントロールするため、渡り線上の絶縁ジョイナーで両者を電気的に独立させ、2カ所のターミナルユニジョイナーに個別にパワーパックを接続する。ヤード内の運転は内回り線用パワーパックで行う。渡り線を列車が渡る際には、2台のパワーパックの逆転スイッチおよび速度コントロール用ツマミの位置を揃えて運転する。

※無記入は電動ポイント4番の補助線路

使用線路部品リスト(KATOユニトラック)

略号	部品名	数量
S248	直線線路248mm	18
S124	直線線路124mm	4
S64	直線線路64mm (電動ポイント4番に付属)	9
S62	直線線路62mm	5
S62B-A	車止め線路A 62mm	4
R282-45	曲線線路R282-45°	8

略号	部品名	数量
R315-45	曲線線路R315-45°	8
R481-15	曲線線路R481-15° (電動ポイント4番に付属)	1
EP481-15L	電動ポイント4番(左)	4
EP481-15R	電動ポイント4番(右)	4
	ターミナルユニジョイナー	2組
	絶縁ジョイナー	4(2組)

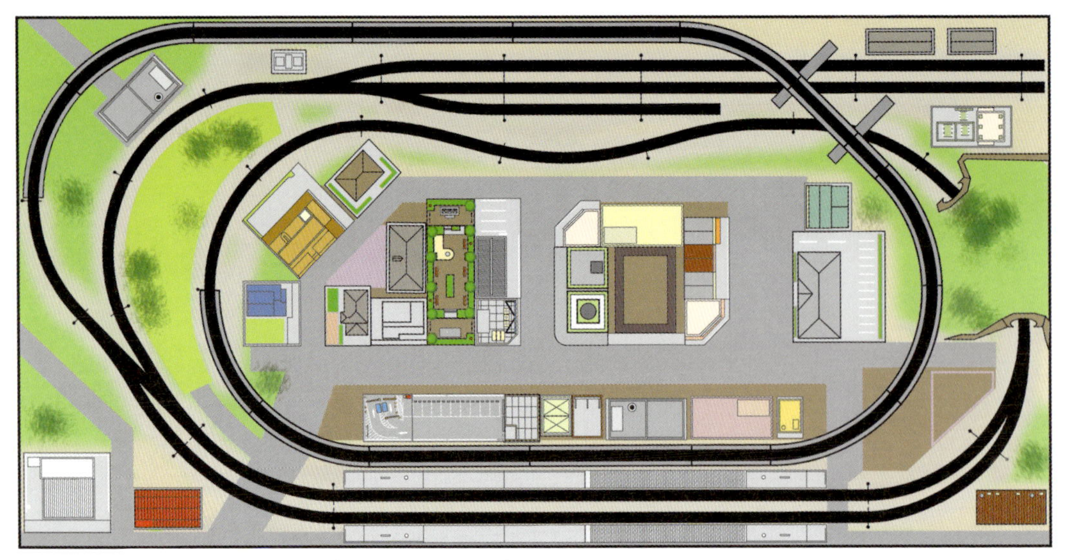

地方の新興都市を通る現代の亜幹線をイメージ。勾配部分も含めレールはすべてTOMIX純正部品で構成、ストラクチャーはすべて完成品で、短期間で完成させられることを主眼に置いている。

ビギナーにも好適な定尺サイズのプラン

メーカー純正部品だけで構成し、そのまま床の上で組み立てることもできる線路配置で、レイアウト着工初日から運転可能。シーナリーにも完成品ストラクチャーを多用したビギナー向けプラン。

大きさ ▸▸▸ 1800×900ミリ
使用レール ▸▸▸ TOMIXファイントラック

- 曲線半径：最小R280
- 使用ポイント：電動ポイントN-PR541-15、
  電動ポイントN-PL541-15、
  電動カーブポイントN-CPR317/280-45
- 勾配：４％相当
- 停車場有効長：20m級車両６両編成に対応
- テーマ：新興地方都市の駅とヤード
- 時代設定：現代
- 季節設定：春
- 想定走行車両：JRの客貨各種車両
- 特記事項：シーナリーも含め速成向き構造

Layout Plan

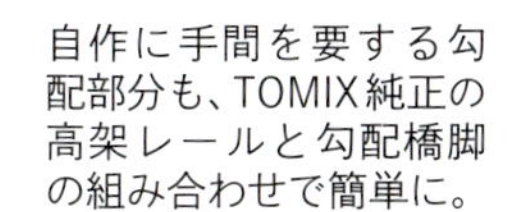
自作に手間を要する勾配部分も、TOMIX純正の高架レールと勾配橋脚の組み合わせで簡単に。

ヤードをまたぐ部分には高架ビームを使い、近代的ムードの門形橋脚を構成。

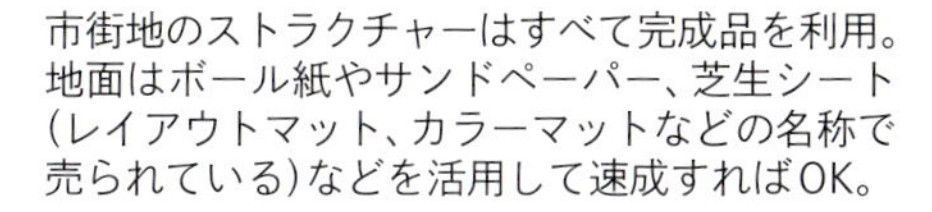
市街地のストラクチャーはすべて完成品を利用。地面はボール紙やサンドペーパー、芝生シート（レイアウトマット、カラーマットなどの名称で売られている）などを活用して速成すればOK。

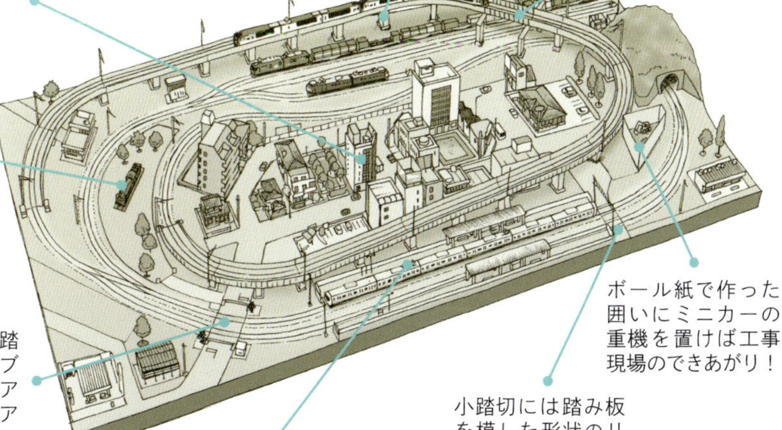

古い蒸気機関車が飾られている公園。コレクションを飾るのもよし、Nゲージサイズの非可動玩具を使う手もあり。

ボール紙で作った囲いにミニカーの重機を置けば工事現場のできあがり！

この踏切にはTOMIXの自動踏切セットの使用を想定。カーブ上にも設置できる。リアルなアクションとサウンドで、レイアウトに活気を与えてくれる。

小踏切には踏み板を模した形状のリレーラーレールを使い工作を簡素化。

近代的な対向式ホーム２面を有する駅には６両編成が停車可能。駅舎は高架の反対側にあるビルで、地元デパートも入居している。ホームとは地下道で結ばれている設定。

既製品を最大限活用し、作成中でも走らせることができる！ ６両編成が楽しめる入門レイアウト

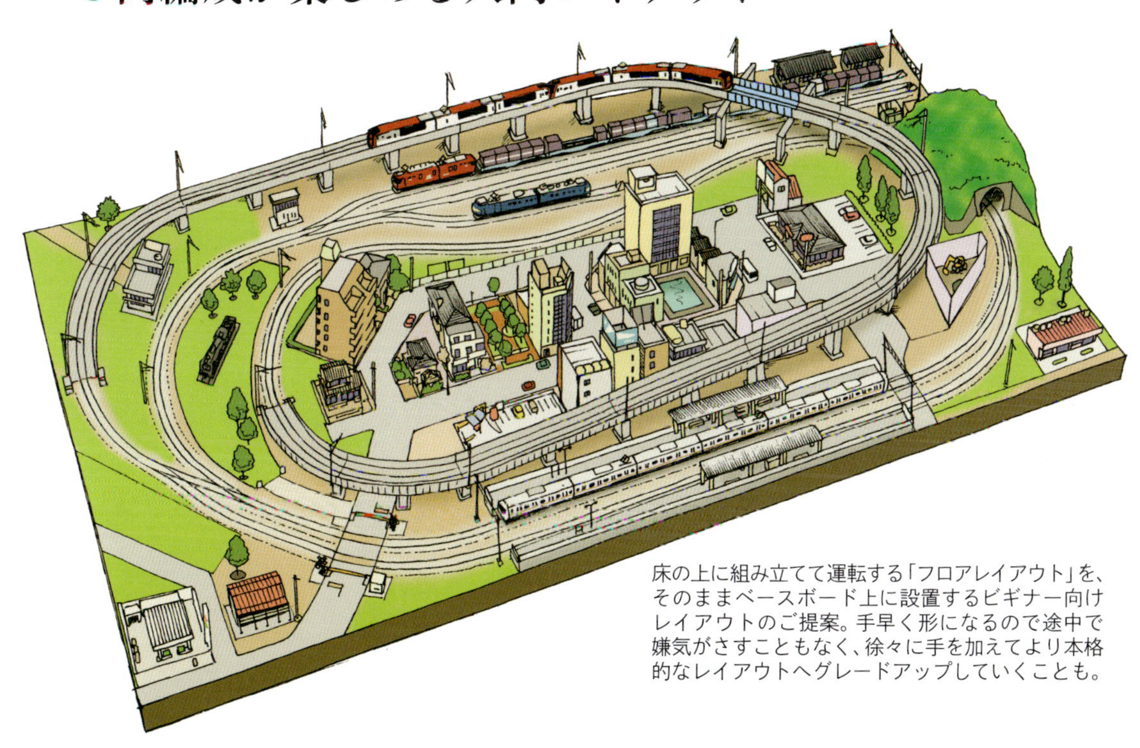

床の上に組み立てて運転する「フロアレイアウト」を、そのままベースボード上に設置するビギナー向けレイアウトのご提案。手早く形になるので途中で嫌気がさすこともなく、徐々に手を加えてより本格的なレイアウトへグレードアップしていくことも。

着工初日から運転を楽しめる！

ここからはNゲージレイアウトの標準的サイズと目されるタタミ1畳分、いわゆる定尺サイズのプランを紹介していきましょう。ホームセンターなど売っているベニヤ板に補強材をつければ簡単にベースボードが用意できますし、模型用のパネル（900×600ミリ）3枚を組み合わせてもいいでしょう。Nゲージではこのスペースで結構いろいろなことができますが、まずは鉄道模型入門まもないビギナーの方にも無理なく完成させられるプランを考えてみました。

ビギナー向きでも欲しい要素は全部入り

ご覧のとおり、ひとひねりして走行距離をかせいだ本線エンドレスに、列車交換のできる駅、列車を留置しておくための小ヤードと、ひととおりのものを定尺のベースボード内に収めています。

これまでも何度か触れましたが、このプランでもヤードと駅の関係に留意しています。本線上で停止してヤードへとバックするという不自然な運転を避け、ヤードから駅に回送され、本線上を営業列車として走り、また駅からヤードへと回送されるという、実物の鉄道同様の列車の動きが再現できる点にご注目を。

勾配部分を含む高架には既製品の高架レールと橋脚を使い、このまま床の上で組み立てることもできる構造となっています。したがってベースボードを据え付けた着工当日から列車を走らせることができます。運転を楽しみながら少しずつシーナリーを充実させていけばよいでしょう。

速成シーナリーのすすめ

そのシーナリーも、容易に楽しく製作できるように考えました。自作に手間を要する踏切も既製品を利用することを想定。ベースボードを掘り下げる必要のある川や湖は潔く捨て、地面の起伏としてはわずかに丘を作って短いトンネルを設けましたが、面倒であればなくてもかまいません。立体交差や建物で十分に立体感は出せますし、走る列車が見え隠れする面白さも味わえます。

とにかく、ベースボードの平面を生かして地面を速成することを考えましょう。ボール紙を裏返しに貼ってアスファルトの道路に見立てたり、芝生シートを貼って緑地にしたりして、そこに完成品のストラクチャーや樹木を並べるだけでも十分に楽しめます。

水面が欲しければ、百円ショップで売られている木枠付きのフォトフレームを、ビル前庭の人工池に見立てて置けば雰囲気は出ます。フロアレイアウトのように片付けなくてもいいわけですから、各種アイテムを気軽に配置してみればいいと思います。レイアウトの楽しみの原点はそもそもこういうものだと思うのです。

本格的なシーナリーへの発展も

より凝ったシーナリーが欲しくなったら、徐々に作り直していけばいいのです。殺風景なベースボードから出発するより、簡単でもシーナリーがあって、建物も並んでいれば、風景のイメージも湧きやすいというものです。

レイアウト作りに挑戦する方が少しでも増えればうれしいですね！

Layout Plan 16 ビギナーにも好適な定尺サイズのプラン

プラン図

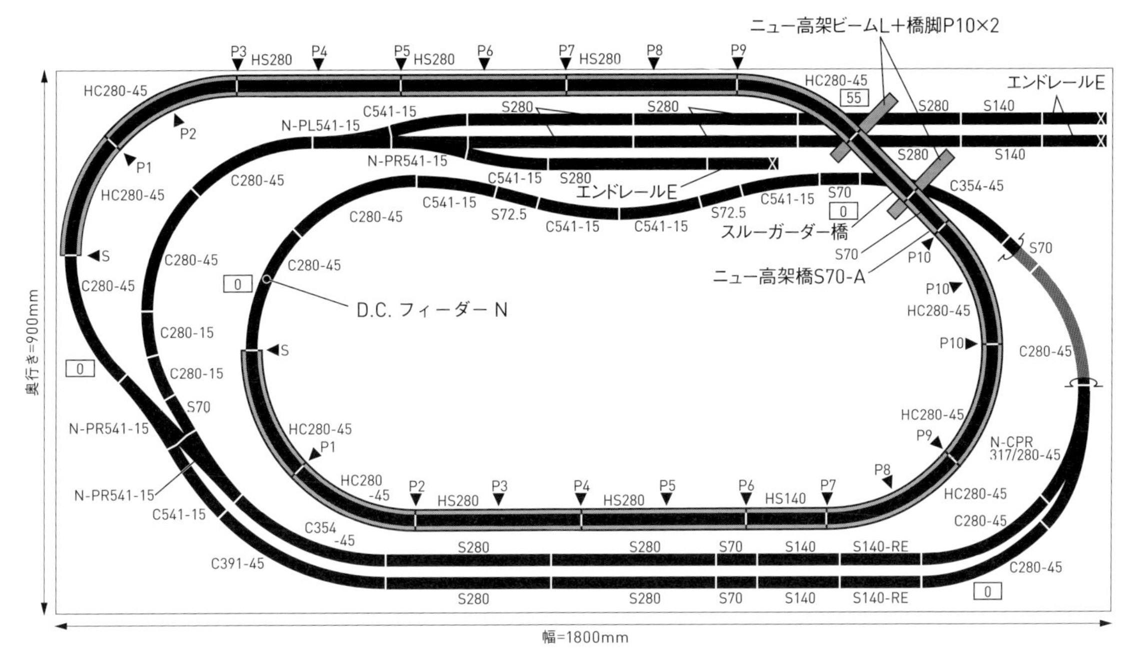

ひとひねりした本線エンドレスに駅とヤードを加えたオーソドックスな線路配置で、タタミ１畳分に相当する定尺サイズにピッタリ収まる。このまま床の上に組み立ててフロアレイアウトとしても楽しめる構成だ。

※□内はベースボード表面からの線路高
※◀は高架橋脚の位置を示し、数字記号はその高さを示す

使用線路部品リスト（TOMIXファイントラック）

略号	部品名	数量
S280	ストレートレールS280 (F)	11
S140	ストレートレールS140 (F) (うち2本はリレーラーレールに付属)	4
S140-RE	リレーラーレールS140 (F)	2
S72.5	ストレートレールS72.5 (F)	2
S70	ストレートレールS70 (F)	6
C280-45	カーブレールC280-45 (F)	8
C280-15	カーブレールC280-15 (F)	2
C354-45	カーブレールC354-45 (F)	2
C391-45	カーブレールC391-45 (F)	1
C541-15	カーブレールC541-15 (F)	7
N-PR541-15	電動ポイントN-PR541-15 (F)	3
N-PL541-15	電動ポイントN-PL541-15 (F)	1
N-CPR317/280-45	電動カーブポイント N-CPR317/280-45 (F)	1
	エンドレールE (F)	3
HS280	高架橋付レールHS280 (F)	5
HS140	高架橋付レールHS140 (F)	1
HC280-45	高架橋付レールHC280-45 (F)	8
	スルーガーダー橋 (F) (青)	1
3016	PC勾配橋脚 (10本1組)	2セット
3017	PC水平橋脚 (5本セット)	1セット
S	ステップ	2
	ニュー高架ビーム・L	2
	ニュー高架橋S70-A	1
	D.C.フィーダーN	1

大きさ ▸▸▸ 1800×900ミリ
使用レール ▸▸▸ KATOユニトラック

Layout Plan 17

- 曲線半径：標準R282およびR315
- 使用ポイント：ユニトラック４番
- 勾配：４％相当
- 停車場有効長：本線は６両編成、支線は４両編成に対応（いずれも20m級車両）
- テーマ：近代的な都市郊外路線
- 時代設定：現代
- 季節設定：春
- 想定走行車両：近郊形車両および特急形車両
- 特記事項：シーナリーも含め速成向き構造

2種類の運転が楽しめるビギナー向け定尺プラン

変形オーバルの本線に高架の支線を組み合わせ変化に富んだ運転が楽しめるビギナー向けプラン。シーナリーの工作が容易なデザインも特徴。

大都市のベッドタウンとして発展した郊外の風景がテーマ。ゆったりとした川の流れや丘陵の緩やかな斜面が郊外らしいのどかな風景を形作る。中間駅から分岐し高架で小さなターミナル駅へ向かう支線には運転の面白みとともに風景に変化を与える役目も。

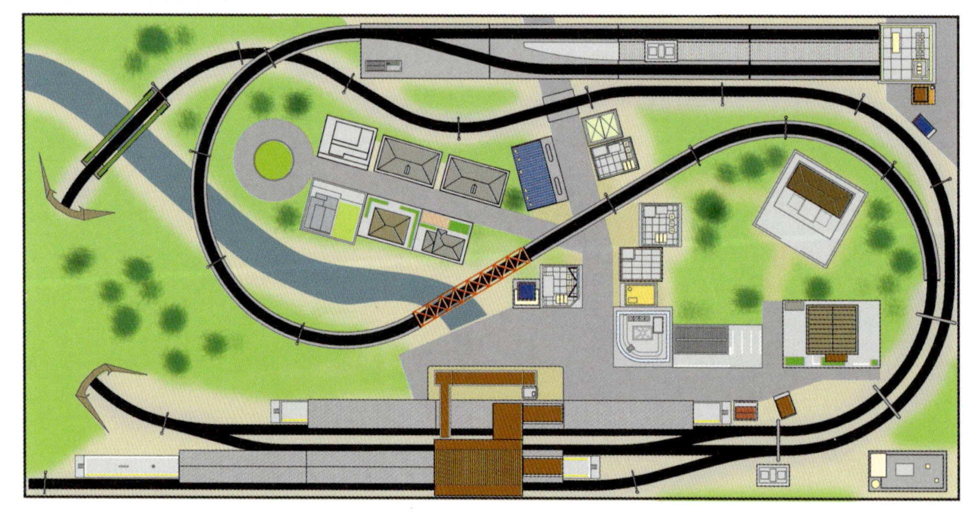

高架部分にはKATO純正の橋脚を使用し、ビギナーにも容易に製作できることを主眼にデザイン。Plan16と同様に、短期間で完成させることが可能で、運転を楽しみながらじっくりと細部に手を加えていくことができる。

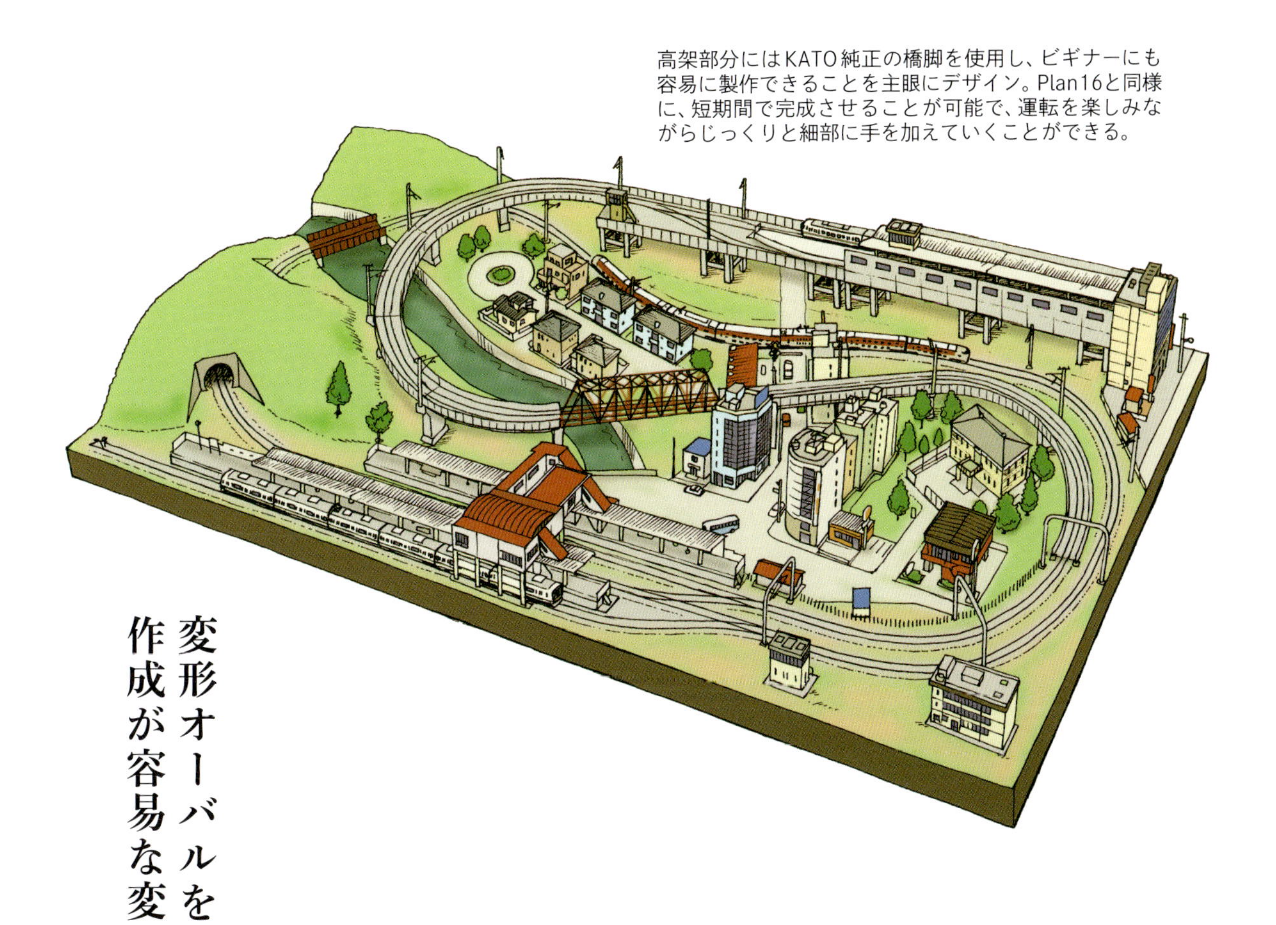

変形オーバルを6両編成が走る、作成が容易な変化に富んだプラン。

ゆったりと流れる川の周囲は丘陵地帯。新しく開発された住宅地の道路は小さなロータリーで行き止まりになっているが、今後はこの周囲に家々が建てられるだろう。

駅前から伸びる通りには比較的新しいビルが並び、新興の町らしい風景を形作っている。

支線の終点である高架ターミナルは純正部品だけで構成されているので作成が容易。駅舎はショッピングビルと一体化した近代的なもの。

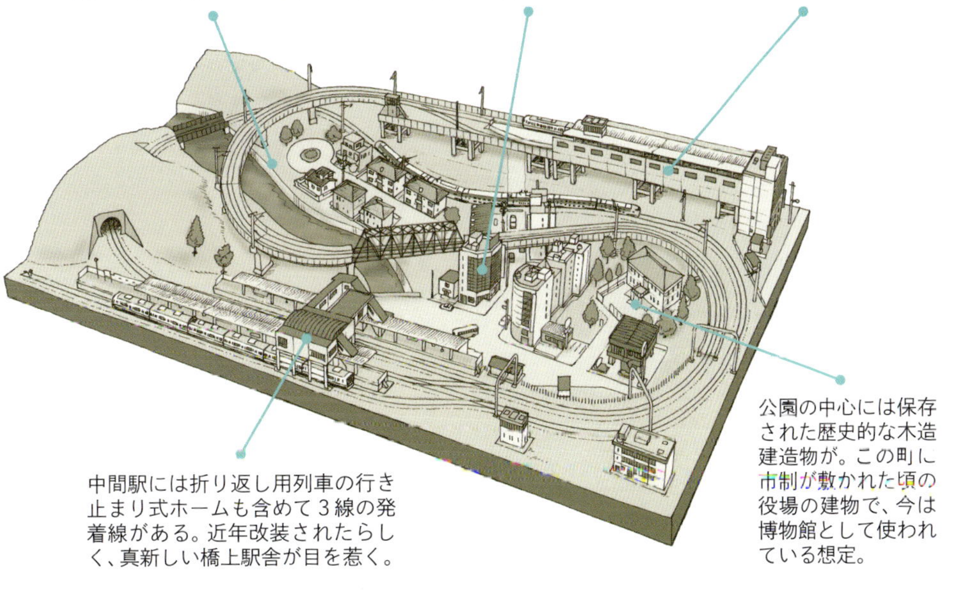

中間駅には折り返し用列車の行き止まり式ホームも含めて3線の発着線がある。近年改装されたらしく、真新しい橋上駅舎が目を惹く。

公園の中心には保存された歴史的な木造建造物が。この町に市制が敷かれた頃の役場の建物で、今は博物館として使われている想定。

純正部品を活用して工作を容易に

ビギナーにも好適なプランをもう一例お目にかけます。こちらはKATOユニトラックを使っていますが、勾配区間や高架駅部分も含めて純正部品のみで構成しているので、ベースボードの平らな表面上に組み立ててすぐに運転を楽しむことができるのは前プランと同様です。

シーナリーも、ボール紙や草地シートで地面を簡単に作った上に完成品のストラクチャーを配置する速成技法で、手早く形になる点は共通しています。

少しだけ上級テクニックを取り入れ、トンネルのある丘陵の面積を増やすとともに、ベースを一段掘り下げた川を設けました。川と交わる箇所の線路は必ず直線として、ユニトラック純正のトラス鉄橋やスルーガーダー橋が使えるように配慮しています。

支線と本線の組合せ

このプランでは単線エンドレスの本線と、本線上の駅と高架のターミナル駅とを結ぶ支線を組み合わせています。本線エンドレスの周回運転、支線の往復運転の2種類が楽しめます。また、高架ターミナルを発車して列車がそのまま本線に乗り入れ、何周かした後に、駅の行き止まり線に入り、折り返して再び高架ターミナルへ向かう……といった、両者の複合運転も可能で、その間には列車交換や追い抜きなどのシーンも満喫できます。

レイアウト手前に位置する本線上の駅構内には、絶縁ジョイナーで線路同士を電気的に絶縁した箇所があり、これにより本線の列車と支線の列車を個別のパワーパックでコントロールできるようになります。本線上で列車を周回させながら、支線を運転し、駅で接続や、直通運転など、さまざまな運転パターンを編み出すのも楽しいでしょう。

2列車運転対応のコントロール法

2列車同時運転が可能なレイアウトのコントロール法については、これまでも簡単に触れてきましたが、ここで少し詳しく説明しておきましょう。

本線と支線で別々に列車を運転する場合、両者の線路がつながっていなければ簡単で、それぞれにパワーパックを接続すれば用は足ります。このレイアウトのように両者がポイントでつながっている場合は、その部分を絶縁ジョイナーで電気的に絶縁しなければなりません。そして、この箇所を列車が渡る場合、2台のパワーパックの前後進スイッチおよび速度調節ツマミを同じ位置に揃えて運転します。

このように、電気的に分離したセクションそれぞれにパワーパックを接続する方法を「セクションコントロール法」といいます。

これに対し、各セクションに給電するフィーダーと複数のパワーパックの間に切り換えスイッチを付け、セクションごとにどのパワーパックで運転するかを選択できるようにしたのが、より本格的な「キャブコントロール法」です。このレイアウトには2つのパワーパックを用いる「デュアル・キャブ・コントロール」が適し、本線と支線の直通運転の場合も、ひとつのパワーパックでスルー走行が可能になります。現状では、スイッチ類を配したコントロールパネルを自作する必要があります。

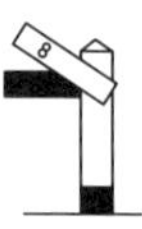

Layout Plan 17 2種類の運転が楽しめるビギナー向け定尺プラン

プラン図

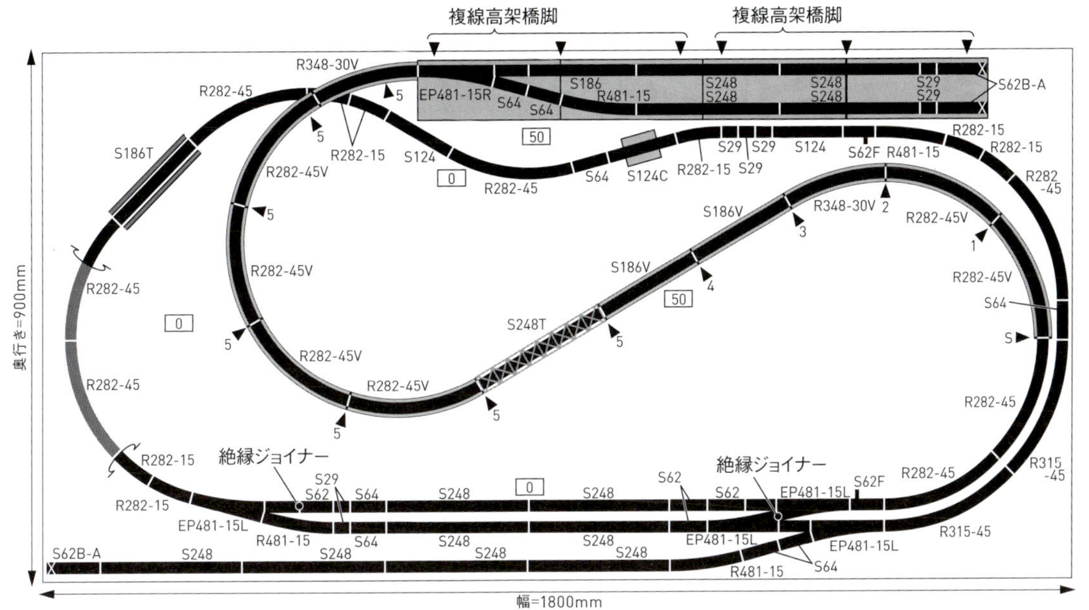

2カ所の絶縁ジョイナーで本線と支線を電気的に分け、それぞれの専用パワーパックで別個に運転することを想定している。もちろん両者の直通運転も可能だが、その場合はデュアル・キャブ・コントロールと呼ばれる方式を用いるのが理想的(本文参照)。

※□内はベースボード表面からの線路高
※無印の線路は4番ポイント付属の補助線路(S60)
※◀は高架橋脚の位置を示し、数字記号はその高さを示す

使用線路部品リスト(KATOユニトラック)

略号	部品名	数量
S248	直線線路248mm	12
S186	直線線路186mm	1
S124	直線線路124mm	2
S124C	踏切線路124mm	1
S64	直線線路64mm (電動ポイント4番に付属)	8
S62	直線線路62mm	4
S62F	フィーダ 線路62mm	2
S62B-A	車止め線路A 62mm	3
S29	端数線路29mm	7
R282-45	曲線線路R282-45°	7
R282-15	曲線線路R282-15°	7
R315-45	曲線線路R315-45°	2

略号	部品名	数量
R481-15	曲線線路R481-15° (電動ポイント4番に付属)	4
EP481-15L	電動ポイント4番(左)	4
EP481-15R	電動ポイント4番(右)	1
S186V	単線高架直線線路186mm	2
R282-45V	単線高架曲線線路R282-45°	6
R348-30V	単線高架曲線線路R348-30°	2
S248T	単線トラス鉄橋(朱)	1
S186T	単線プレートガーダー鉄橋(緑)	1
	絶縁ジョイナー	4(2組)
◀S・1〜5	勾配橋脚基本セット	1セット
◀5	橋脚No.5(上記セット分のぞく)	4
	複線高架橋脚	6
	高架駅延長プレート	4

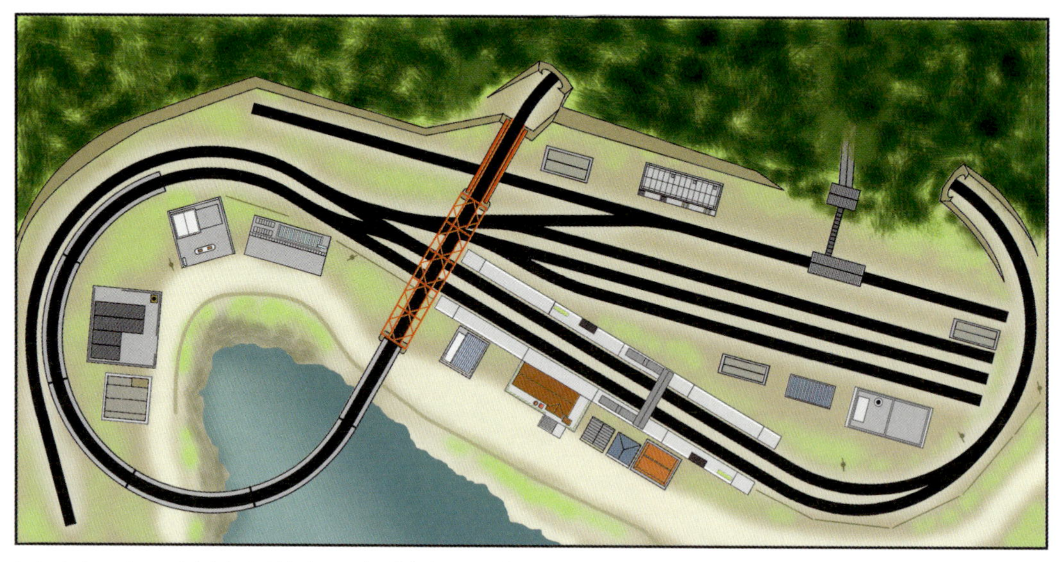

とかくオモチャっぽくなりがちな8の字形線路配置を採用しながら、交差部を中心からオフセットさせ、トンネルを効果的に使うことなどでリアルかつ雄大な情景を目指している。

大人のための8の字プラン

オモチャっぽい印象になりがちな8の字形の線路配置を、その特徴である雄大な立体交差を生かしながら、シーナリーの工夫で大人も楽しめるリアルさを付加したプラン。

大きさ ▸▸▸ 1800×900ミリ
使用レール ▸▸▸ TOMIXファイントラック

- 曲線半径：最小R280
- 使用ポイント：電動ポイントN-PR541-15、電動ポイントN-PL541-15、電動カーブポイントN-CPR317/280-45
- 勾配：４％相当
- 停車場有効長：20m級車両４両編成に対応
- テーマ：入り江沿いを走る国鉄地方路線
- 時代設定：昭和30年代
- 季節設定：春
- 想定走行車両：国鉄気動車、鉱石輸送列車
- 特記事項：８の字形線路配置を採用し雄大な立体交差シーンを

Layout Plan

レイアウトの背面は緑したたる山々。舞台における背景の役割を果たし、見る人に風景の雄大さを印象づけてくれる。

山中の鉱山からコンベヤで運ばれてきた鉱石が、このホッパーから貨車積みされる。ホッパーの真下に貨車を順繰りに停止させるため、機関車は先頭をスイッチバック式の側線に突っ込んで少しずつ前進する。

入り江をめぐる道路は未舗装。古びた工場や民家、昭和の香りただようドライブインやガソリンスタンドが並ぶ。

中央を横切る橋梁はこのレイアウト随一の絶景。トンネルから姿を現し、ここを渡る列車の姿は、ケースに飾ってあるだけの車両の数倍、魅力的に見えること、請け合い！

このあたりは海岸近くまで山が迫り、鉄道も道路もわずかに開かれた土地に建設されている。駅前広場もごく狭く、道路の向こうには入り江が広がっている。

駅に隣接したヤードには気動車の留置線が３本あり、夜間や日中の閑散時には国鉄色をまとった気動車各形式が休む姿が見られる。

橋梁の位置設定が絶妙な、
山間を行く雄大な８の字路線

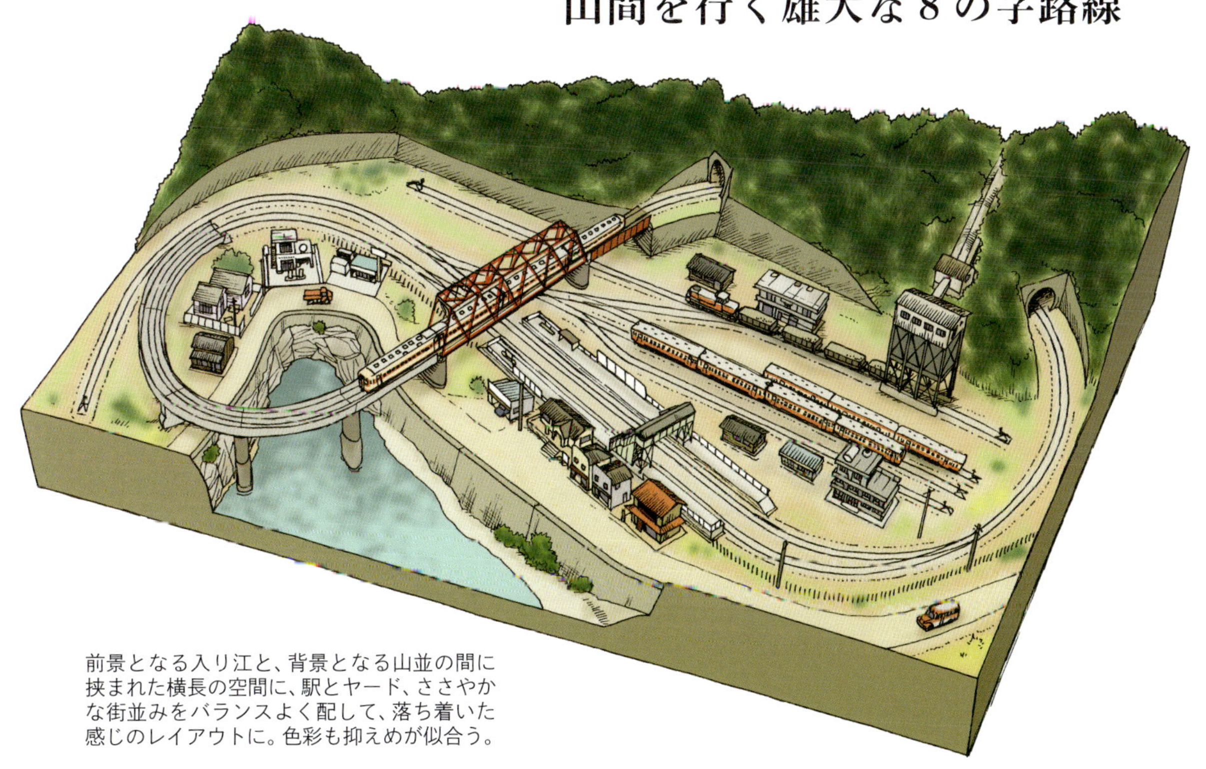

前景となる入り江と、背景となる山並の間に挟まれた横長の空間に、駅とヤード、ささやかな街並みをバランスよく配して、落ち着いた感じのレイアウトに。色彩も抑えめが似合う。

8の字プランの光と陰

ずいぶん大袈裟な見出しですが、レイアウトプランの一典型ともいえる「8の字」形の線路配置には考えるべき点が多いのです。

その名の通りエンドレスが8の形をしていて、中央部で本線同士が交差します。日本では平面交差の実例が少ないため、立体交差にする場合が多くなります。いちばん目立つ場所に鉄橋と立体交差という豪華な鉄道シーンが出現するのが魅力です。また、ベースボードの対角線上に直線区間を長くとれるので、駅やヤードの有効長を確保する上でも有利です。

反面、小さなレイアウトでは本線のほとんど全部が勾配になってしまい、落ち着いて運転できないきらいもあります。しかし、タタミ1畳程度のスペースがあればどうにかクリアできるでしょう。

オモチャっぽいのが欠点

最大の欠点は、どこかオモチャっぽく感じられる点でしょうか。実際、子ども向けのオモチャの鉄道で、8の字は好んで使われますね。前述のように、立体交差が面白いためでしょうが、そのためだけに線路を持ち上げている感じに見えるのに加え、左右対称形であるのがリアルでない印象を与えるのかもしれません。

こうした印象を払拭すべく、大人のための8の字プランを考えてみました。

交差部をオフセットさせて変化を

デザインの要点は2つ。交差部分を中央からややずらして、8の字を変形させること。もうひとつは2つある勾配区間の片方をトンネルで隠すこと。これにより8の字の長所を生かしながら、「いかにも」な感じを薄めることができます。

基本的な線路配置は、本線が8の字であることを除けば、単線のエンドレス上に列車交換のできる駅を設け、すでに何度か登場している引き上げ線付きヤードを加えたものです。さほど複雑な運転ができるわけではありませんが、レイアウトの中央部を横切って走る列車の姿は、まさに風景の中を走る感じで楽しいものです。

しっとりとしたシーナリーを

シーナリーの面でもぐっと大人っぽくいきましょう。昭和30年代の国鉄の非電化地方路線をモチーフに、美しい入り江と、それを見下ろす駅、背後に迫る緑の山々などで風景を構成します。猫の額ほどの駅前広場に続いて入り江をぐるりとまわる未舗装道路が通り、古びたガソリンスタンドやタクシー営業所、旅館などが並びます。ボンネットバスがよく似合いそうな光景です。

駅の向こうにあるヤードは主としてディーゼルカーを留置しておくためのものですが、いちばん奥の線には、山の中にある鉱山からホイストで運ばれてきた鉱石を貨車積みするホッパーがそびえており、風景のアクセントになるとともに運転の面白みを増してくれます。

駅から左側手前にカーブして鉄橋に向かう勾配区間は、TOMIX純正の高架線路で構成しています。コンクリート製の高架線が山間を行く光景は、土讃本線や高千穂線を彷彿とさせますね。

Layout Plan 18 大人のための8の字プラン

プラン図

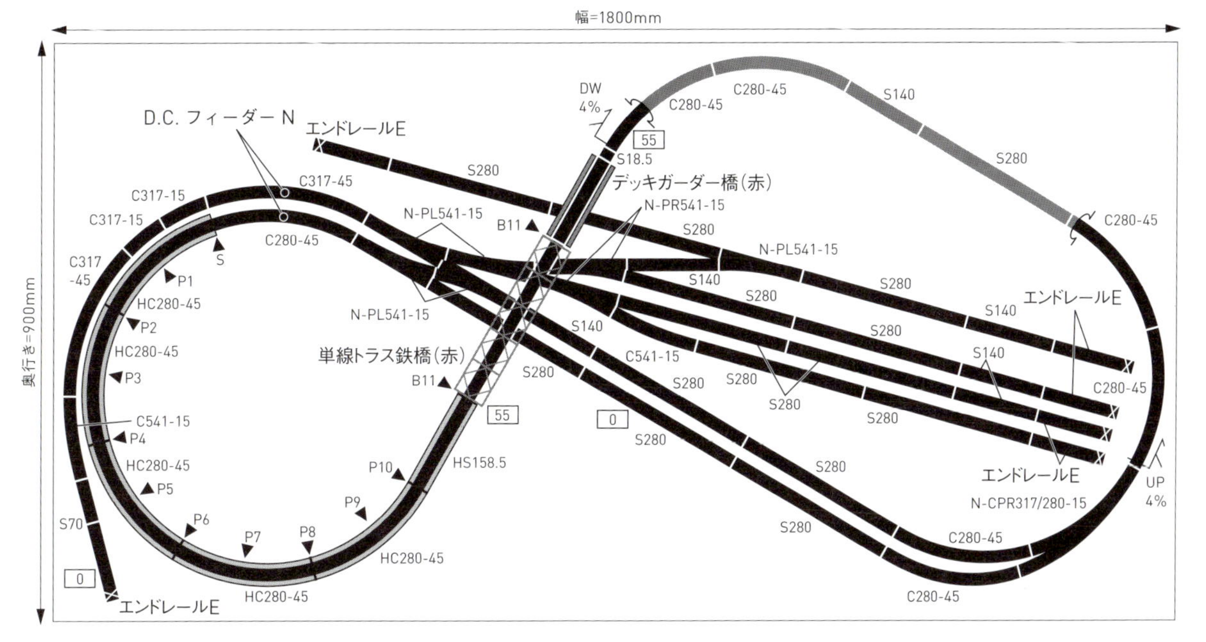

8の字形をした本線エンドレスの立体交差部を左にオフセットさせ、駅とヤードの真上を本線が通らないように配慮。見た目のオモチャっぽさを解消する効果もある。左手前の行き止まりの線路は、ヤードを出入りする列車が本線をふさがないようにするための引き上げ線。2カ所のフィーダーはまとめてひとつのパワーパックに接続する。

※□内はベースボード表面からの線路高
※◀は高架橋脚の位置を示し、数字記号はその高さを示す

使用線路部品リスト（TOMIXファイントラック）

略号	部品名	数量
S280	ストレートレールS280 (F)	15
S140	ストレートレールS140 (F)	6
S70	ストレートレールS70 (F)	1
S18.5	端数レールS18.5 (F)	1
C280-45	カーブレールC280-45 (F)	7
C317-45	カーブレールC317-45 (F)	2
C317-15	カーブレールC317-15 (F)	2
C541-15	カーブレールC541-15 (F)	2
	エンドレールE (F)	6
N-PR541-15	電動ポイントN-PR541-15 (F)	2
N-PL541-15	電動ポイントN-PL541-15 (F)	5

略号	部品名	数量
N-CPR317/280-45	電動カーブポイント N-CPR317/280-45 (F)	1
HS158.5	高架橋付レールHS158.5 (F)	1
HC280-45	高架橋付レールHC280-45 (F)	5
	単線トラス鉄橋 (F) (赤)	1
	デッキガーダー橋 (F) (赤)	1
◀P1～5	PC勾配橋脚（10本1組）	1セット
◀B11	れんが積み橋脚55mm (単線トラス鉄橋に付属)	2
S	ステップ	2
	D.C.フィーダーN	2

Layout Plan 19

大きさ ▸▸▸ 1800×900ミリ
使用レール ▸▸▸ KATOユニトラック

- 曲線半径：標準R282およびR315
- 使用ポイント：ユニトラック4番および2番Y
- 勾配：ナシ
- 停車場有効長：機関車＋20m級客車6両編成に対応
- テーマ：直流電化された幹線の支線と地方都市の駅
- 時代設定：昭和30年代
- 季節設定：春
- 想定走行車両：旧型F級電気機関車と旧型客車
- 特記事項：リバースにより機関車牽引列車の方向転換が可能

リバース運転を取り入れたベーシックプラン

オーバルの本線に機関車牽引列車の方向転換ができるリバースループを付加し、シンプルながら奥深い運転が楽しめる定尺プラン。運河のある古い街並みを背景に、シックな装いの客車列車が走る姿も乙なもの。

製作難易度 ★★★★★

バック運転の回送列車が走る背景としておかしくなく、かつ魅力的な情景として、運河沿いにクラシックな倉庫が並ぶ歴史ある街並みをシーナリーのテーマとした。3カ所ある鉄橋はいずれもデッキガーダーとしたが、トラス鉄橋などに置き換えることもできる。

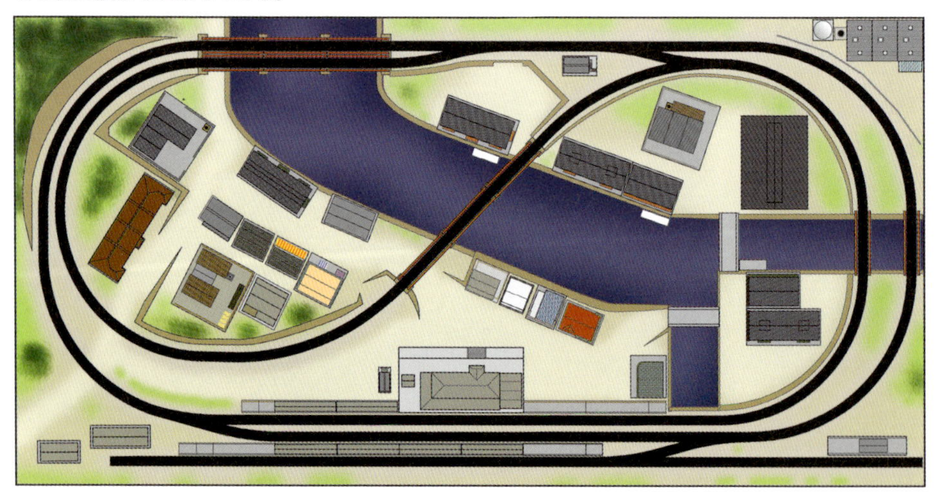

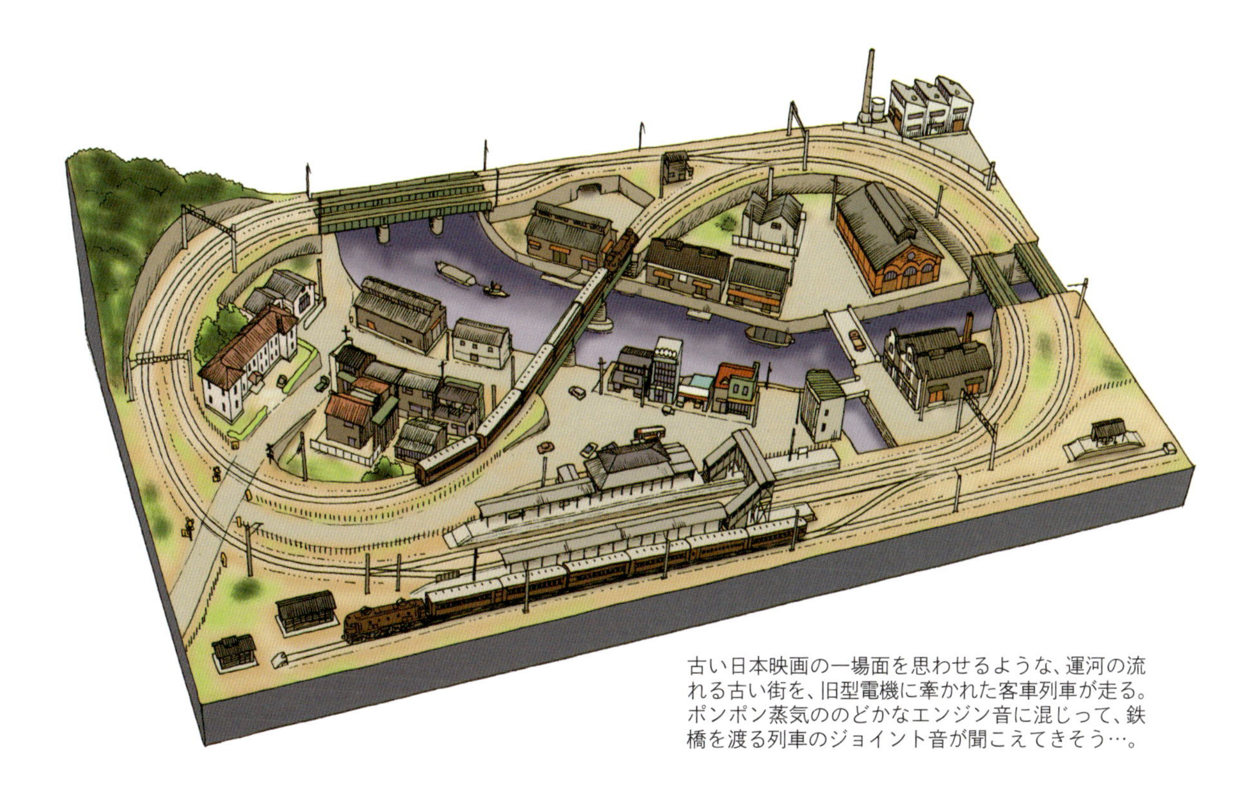

古い日本映画の一場面を思わせるような、運河の流れる古い街を、旧型電機に牽かれた客車列車が走る。ポンポン蒸気ののどかなエンジン音に混じって、鉄橋を渡る列車のジョイント音が聞こえてきそう…。

ちょっと面倒なリバース運転に、リアリティーを与える

運河周辺は駅や線路より低くなっていて、小さな商店や小工場が並ぶ。車窓からは黒光りする瓦屋根が幾重にも連なっているのが見える。

情景の中心となる運河沿いには、歴史を感じさせる倉庫街がひろがる。市販の酒蔵や味噌蔵、レンガ倉庫や農業倉庫などを総動員すれば容易に雰囲気が出せるはず。

古くから水運が盛んな地の利を生かし、さまざまな産業が発達、倉庫とともに大小の工場が点在する。

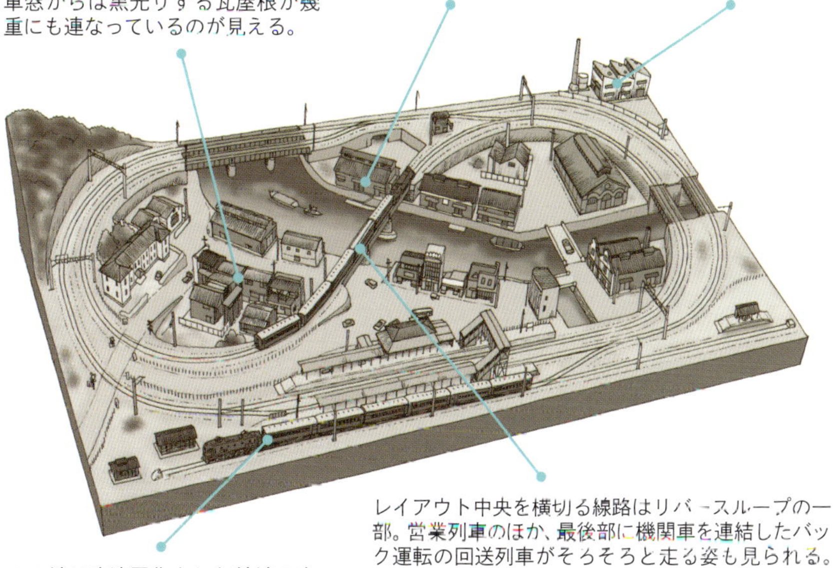

この線は直流電化された幹線の支線という想定で、駅には大型電気機関車の牽く客車列車が発着する。

レイアウト中央を横切る線路はリバースループの一部。営業列車のほか、最後部に機関車を連結したバック運転の回送列車がそろそろと走る姿も見られる。古い街並みと旧型客車の組合せが趣きを感じさせる。

その名はリバースループ

リバースは正式には「リバースループ」といい、走行中の列車がグルリと向きを変え、もとのところへ戻ってくる線路配置のこと。投げ縄の輪のような形が基本です。有用なのですが、レイアウトではあまり好まれていないのが実情です。

2本のレールにプラスとマイナスの電気を流すNゲージでは、リバース区間を絶縁し、列車がここを走っている間に本線の前後進スイッチを切り換える必要があります。このためパワーパックを2台もしくは前後進スイッチを2組持つパワーパックが必要で、操作も煩雑な感じがして敬遠されるのかも。それでも、機関車牽引列車を走らせるレイアウトでは見直されてもいい気がします。単線エンドレスの本線にリバースを加えた定尺プランを考えてみました。

ひとつのリバースに2つの役目を

リバース付きレイアウトを真剣に考えると突き当たる壁。それは、ひとつのリバースで列車が方向転換できるのは1回だけ、ということです。

本線エンドレスを走っていた機関車牽引列車がリバースを通り、反対向きに走り始めたとします。この列車を再び元の向きに走らせるには、もうひとつリバースが必要になります。でも一般的なレイアウトにリバースをふたつ設けたら、線路の長さの半分以上を占めることになりかねず、列車の走る姿を楽しむ本来の目的から逸脱してしまいますね。

つまるところ、リバースを1回通った列車を再度、方向転換させるには、バック運転でもう1度リバースを通すしかありません。しかし、これをリアルでないと思うのは早計です。このような運転に真実味を与えてやればよいのです。

リアルなバック運転設定を

駅に到着した列車が、車両基地へバックで回送されるのは珍しくありません。

かつての上野駅では、尾久客車区との間で延々5キロ近くに渡るバック運転(推進運転)が頻繁に行われていたのは有名ですね。このエッセンスをレイアウトに取り入れましょう。

外側の本線エンドレスを反時計回りに走る列車は、適当なタイミングでリバース線を通り、進行方向が時計回りに変わります。この状態で何周か走った後に駅に到着。お客を(想像上で)降ろしたら、機関車を最後部にした推進運転で、直接リバース線へ入線します。ゆっくりと進み(国鉄の規定では時速25キロ以下)、客車を先頭にして再び駅のホームへ。お客を乗せて反時計回りに出発します。

風景は古い市街地を中心に

このように、本線の周回運転の合間だけでなく、駅から直接リバースに入線できるようにしたのが本プランのミソ。バック運転の回送列車が山の中を走ってはおかしいので、市街地を中心としたシーナリーを用意しましょう。歴史ある地方都市の風景をイメージしてイラストを描きました。デッキ付き電機に押された旧型客車の列が、運河にかかる鉄橋をゆっくり渡り……なんて、想像しただけでも筆者はワクワクしてくるのですが、貴方はどうですか?

プラン図

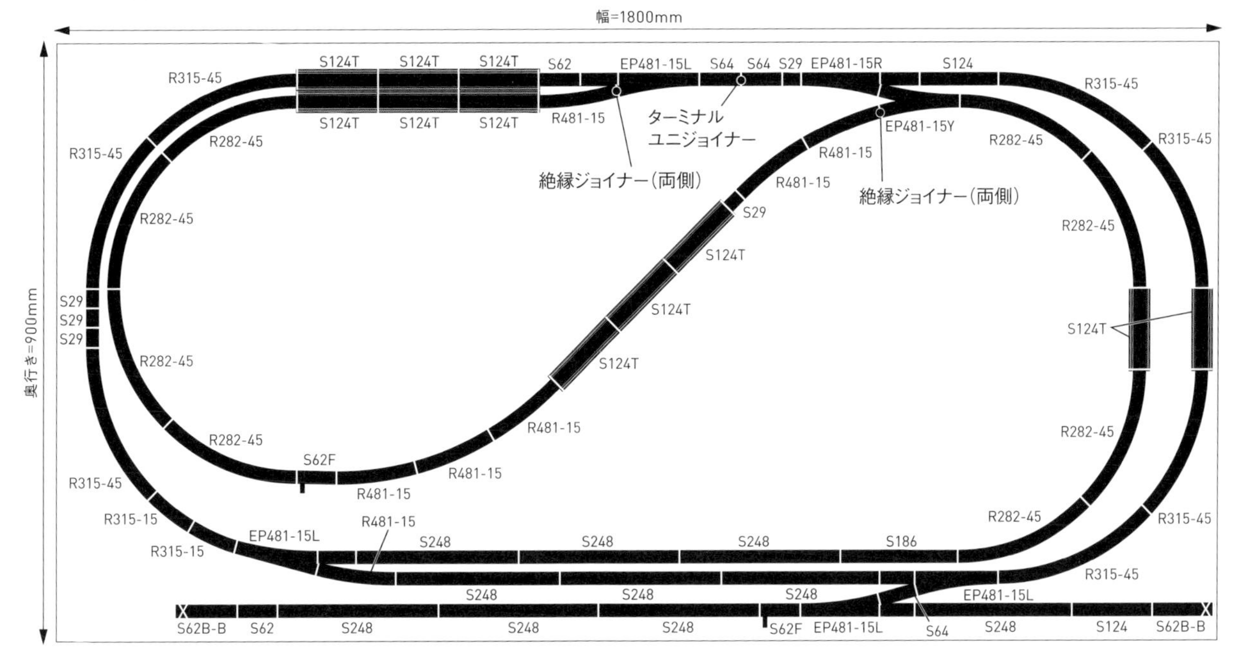

2カ所の絶縁ジョイナーで本線とリバース区間を電気的に分けることはショート防止のために不可欠。奥のターミナルユニジョイナーと、手前のフィーダー線路(S62F)のフィーダーコードはまとめて可。これと、リバース区間内のフィーダー線路のコードは、前後進スイッチおよび出力端子が2組あるパワーパック(KATOハイパーDXなど)に接続する。

使用線路部品リスト(KATOユニトラック)

略号	部品名	数量
S248	直線線路248mm	10
S186	直線線路186mm	1
S124	直線線路124mm	2
S64	直線線路64mm (電動ポイント4番に付属)	3
S62	直線線路62mm	2
S62F	フィーダー線路62mm	2
S62B-B	車止め線路B 62mm	2
S29	端数線路29mm	5
R282-45	曲線線路R282-45°	8

略号	部品名	数量
R315-45	曲線線路R315-45°	7
R315-15	曲線線路R315-15°	2
R481-15	曲線線路R481-15° (電動ポイント4番に付属)	7
EP481-15L	電動ポイント4番(左)	4
EP481-15R	電動ポイント4番(右)	1
EP481-15Y	電動Y字ポイント2番	1
S124T	単線デッキガーダー鉄橋(緑)	11
	絶縁ジョイナー	4(2組)
	ターミナルユニジョイナー	1組

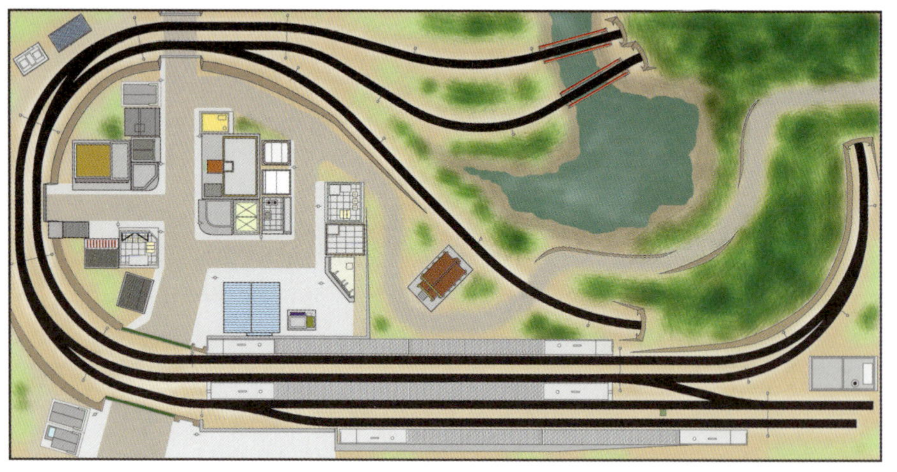

風光明媚な海岸沿いを走る旧長崎本線のイメージで、本線エンドレス、リバースともにゆるやかなS字カーブを描く。手前の駅は機回し線や車両留置線を持ち、頻繁に列車の出入りする主要駅らしい規模。

「機回し」のアクションを楽しむリバース付きプラン

自動解放機構付きカプラーを使い、駅で機関車を列車の前から後ろに付け替える「機回し」を再現。リバースによる方向転換と組み合わせ、実物さながらのアクションが楽しめるプラン。

大きさ ▸▸▸ 1800×900ミリ
使用レール ▸▸▸ TOMIXファイントラック

- 曲線半径：最小R280
- 使用ポイント：電動ポイントN-PR541-15、電動カーブポイントN-CPR317/280-45、電動カーブポイントN-CPL317/280-45
- 勾配：ナシ
- 停車場有効長：電気機関車＋20m級客車6両編成に対応
- テーマ：長崎本線をイメージした国鉄亜幹線
- 時代設定：昭和50年代
- 季節設定：春
- 想定走行車両：ED75牽引の客車列車、気動車列車
- 特記事項：カプラー解放ランプを設置し、手を触れることなく機関車と客車の切り離し、付け替えが可能

長崎本線をイメージした国鉄亜幹線。駅で機回しが楽しめる！

レイアウトの左半分は駅前に広がる市街地を中心とする風景。地方の産業集積地らしく街並みも整備されていて、小ギレイなビルディングが並んでいる。

入り江の海岸線に沿って本線が蛇行するあたりは、旧長崎本線を思わせる風景。

この山の下を抜けるトンネルにはリバース区間の線路が通っている。列車全体が隠れる長さがあり、この中にいったん列車を停めてポイントと前後進スイッチを切り換え、しばらくしてから発車させれば、ゆったり気分でリアルな運転を満喫できる。

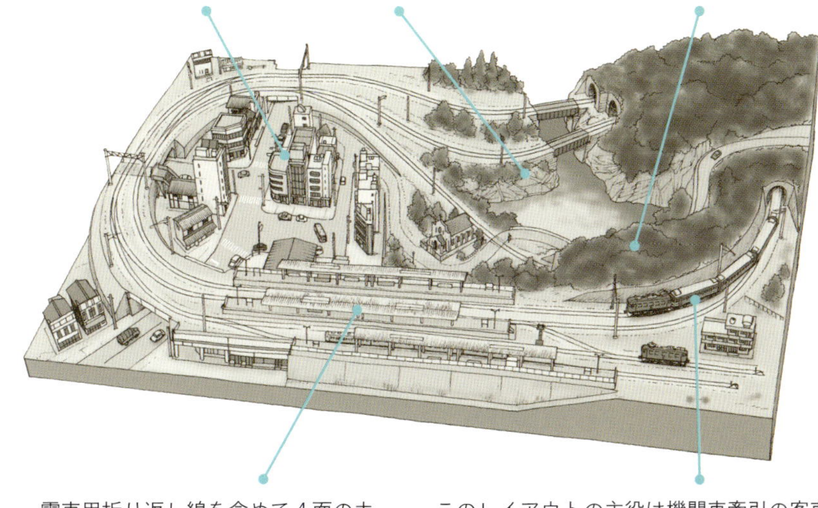

電車用折り返し線を含めて4面のホームのある広々とした駅構内は特急停車駅らしい活気を感じさせる。高架下にはホームに通じる地下道が通っている。

このレイアウトの主役は機関車牽引の客車列車。おりしもトンネルから「みずほ」の長崎編成を彷彿とさせる14系寝台車の編成がやってきた。駅ではカプラーの自動解放機構を活用し、編成の先頭から最後部へ機関車を付け替えて折り返し運転が可能。列車はリバースを通って向きを変え、再び駅に戻ってくる。

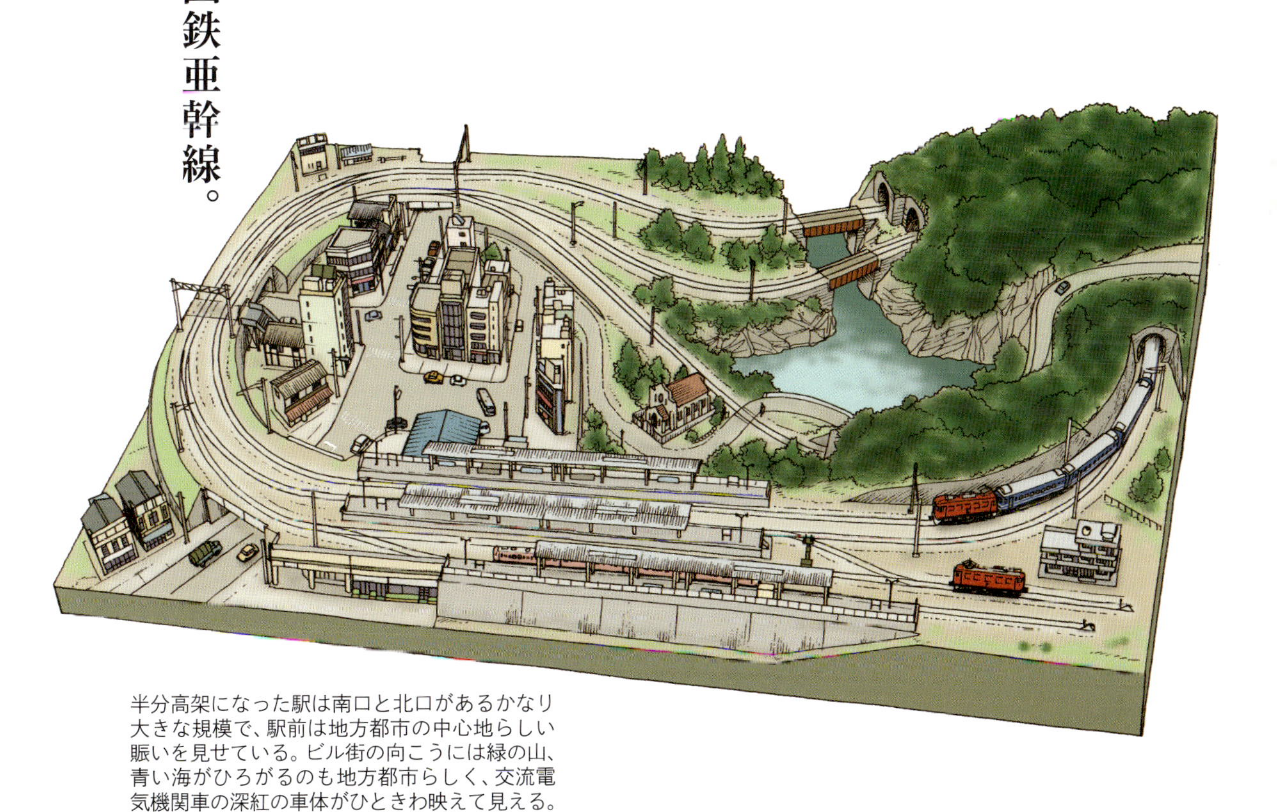

半分高架になった駅は南口と北口があるかなり大きな規模で、駅前は地方都市の中心地らしい賑いを見せている。ビル街の向こうには緑の山、青い海がひろがるのも地方都市らしく、交流電気機関車の深紅の車体がひときわ映えて見える。

機関車牽引列車の機回しと折り返し

リバース以外に機関車牽引列車を方向転換させる方法として、駅で機関車を列車の先頭から最後部へと付け替える「機回し」があります。もちろん、車両を手でつかんで連結を外すのでは興ざめ。何らかの自動解放機構が必要になります。

Mカプラーで車両を切り離す

ＴＯＭＩＸのＭカプラーはこの目的にピッタリ。一般的なアーノルトタイプカプラーに磁石による解放機構を付加したもので、解放ランプの上にくるとカプラーが跳ね上がり、手放しで解放できます。ＴＯＭＩＸの電気機関車やディーゼル機関車には標準装備されている……と思いきや、よりリアルな外観のカプラーが好まれるのか、２０１６年6月現在、新製品にはＭカプラー装備の文字がなくなりつつある様子。自動解放を使って遊ぶのは大変おもしろく、末永く存続してほしいもの。少なくとも昨年発売のＥＤ75形には装備されていますし、解放ランプ付きレールも発売中です。

Ｍカプラーを使った機回しの実際を見てみましょう。リバースで向きを変えた後、反時計回りに周回運転している列車を手前から2本目の線路に入れ、解放ランプ付きレール（Ｍ70）の上に機関車と客車をつなぐカプラーが来るように停めます。機関車側のカプラーが跳ね上がり、そのまま前進させれば客車は切り離されます。機関車は右方の車止め手前まで進み、今度はバックして渡り線ポイントを渡り、列車の反対側にまわって、これまで最後部だった客車に連結、時計回りに出発します。適当なタイミングでリバースに入れて向きを変え、反時計回りとなって駅に戻ってきます。

九州西部の亜幹線風に

前プランのようにリバース区間をバック運転の回送列車が通るわけではないので、風光明媚な風景の中を走らせましょう。

入り組んだ海岸線に沿った旧長崎本線をイメージし、エンドレス、リバースともに蛇行させて変化に富んだ走行シーンが楽しめるよう考えました。ちょうど九州向けのＥＤ75形３００番代（Ｍカプラー装備！）もＴＯＭＩＸから発売されました。旧客編成もいいし、長崎乗り入れ当時の「みずほ」をイメージした14系寝台車の6連も魅力的ですね！

リバース運転の裏ワザ

ＴＯＭＩＸはパワーパックに装着する「リバーススイッチボックス」を発売していますので、2カ所あるフィーダーはこれに接続すればＯＫ。

ただし「リバース区間内で列車をいったん停めてからスイッチを操作せよ」との注意が。どうやら切り換え時に一瞬、電気が断たれるためらしいのです。しかし駅でもないところで必ず列車を停めるのは面白くありません。そこで、リバース区間に列車全体が隠れる長さのトンネルを設けました。この中に列車を停めるか、あるいは走行中に列車の姿が見えなくなった瞬間にスイッチを切り換えれば、一瞬カクン！とするものの、見えないので気になりません。

いやほんと、レイアウトのデザインって考えることがいっぱいありますね。

プラン図

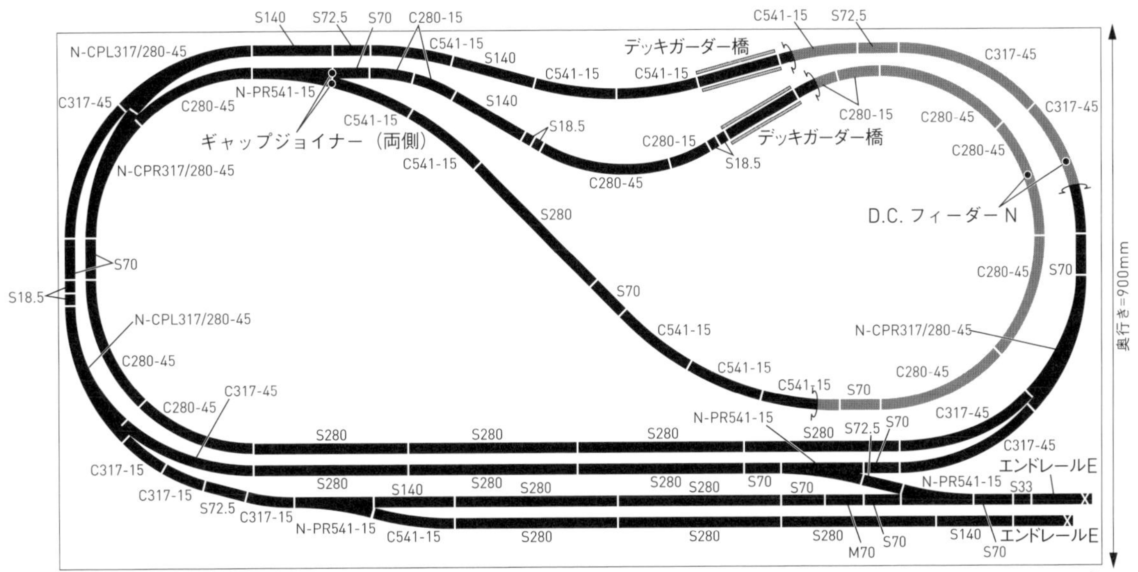

２カ所のD.C.フィーダーの線は、パワーパックに装着した「リバーススイッチ」の端子に接続。ギャップジョイナーで区切られたリバース区間を列車がいる間にスイッチを切り換える。駅構内の解放ランプ付きレール（M70）は、客車と機関車を切り離すためのもの。真上で停止したときだけ解放する構造だが、走行中もわずかな速度変化などで解放するケースもあるので、この線は折り返し列車専用として、運転続行の場合は別の線路を通す。

使用線路部品リスト（TOMIXファイントラック）

略号	部品名	数量
S280	ストレートレールS280 (F)	13
S140	ストレートレールS140 (F)	5
S72.5	ストレートレールS72.5 (F)	4
S70	ストレートレールS70 (F)	11
M70	解放ランプ付きレールM70 (F)	1
S33	端数レールS33 (F)	1
S18.5	端数レールS18.5 (F)	6
C280-45	カーブレールC280-45 (F)	8
C280-15	カーブレールC280-15 (F)	5
C317-45	カーブレールC317-45 (F)	6
C317-15	カーブレールC317-15 (F)	3

略号	部品名	数量
C541-15	カーブレールC541-15 (F)	10
N-PR541-15	電動ポイントN-PR541-15 (F)	4
N-CPR317/280-45	電動カーブポイント N-CPR317/280-45 (F)	2
N-CPL317/280-45	電動カーブポイント N-CPL317/280-45 (F)	2
	エンドレールE (F)	2
	デッキガーダー橋 (F)（赤）	2
	D.C.フィーダーN	2
	ギャップジョイナー	4（2組）

大きさ ▸▸▸ 1800×900ミリ
使用レール ▸▸▸ KATOユニトラック

Layout Plan 21

- 曲線半径：標準R282およびR315
- 使用ポイント：ユニトラック4番および2番Y
- 勾配：ナシ
- 停車場有効長：機関車＋20m級客車6両編成に対応
- テーマ：蒸気機関車全盛期の亜幹線と機関庫
- 時代設定：昭和30年代
- 季節設定：夏
- 想定走行車両：テンダ式蒸気機関車（C57など）牽引の客車列車
- 特記事項：ターンテーブルによる機関車の方向転換、マグネティック・ナックルカプラーによる機関車と客車の自動解放が可能

Nゲージで再現する蒸気機関車の楽園

リバース付きのプランにターンテーブルのある機関区を設け、機回しや方向転換など蒸気機関車のアクションを楽しめる定尺プラン。リバース線と本線が立体交差する線路配置も特徴。

中央を斜めに横切るリバース線の築堤で風景を二分、駅と機関区を中心とした活気あるエリアと、農家や畑の点在するのどかな田園のエリアが不自然でなく同居している。いずれも蒸気機関車全盛時代のロケーションにふさわしい情景。

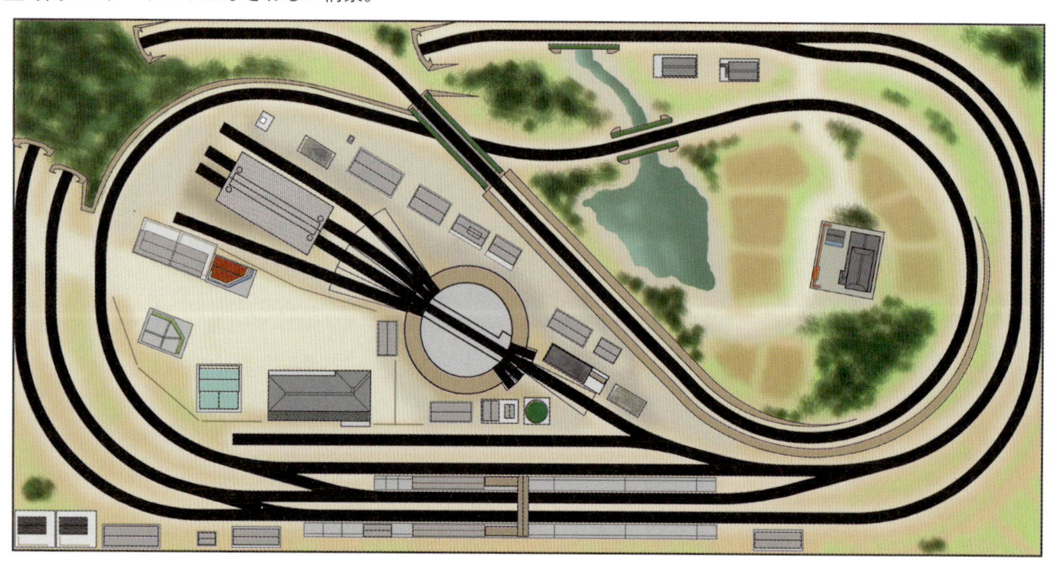

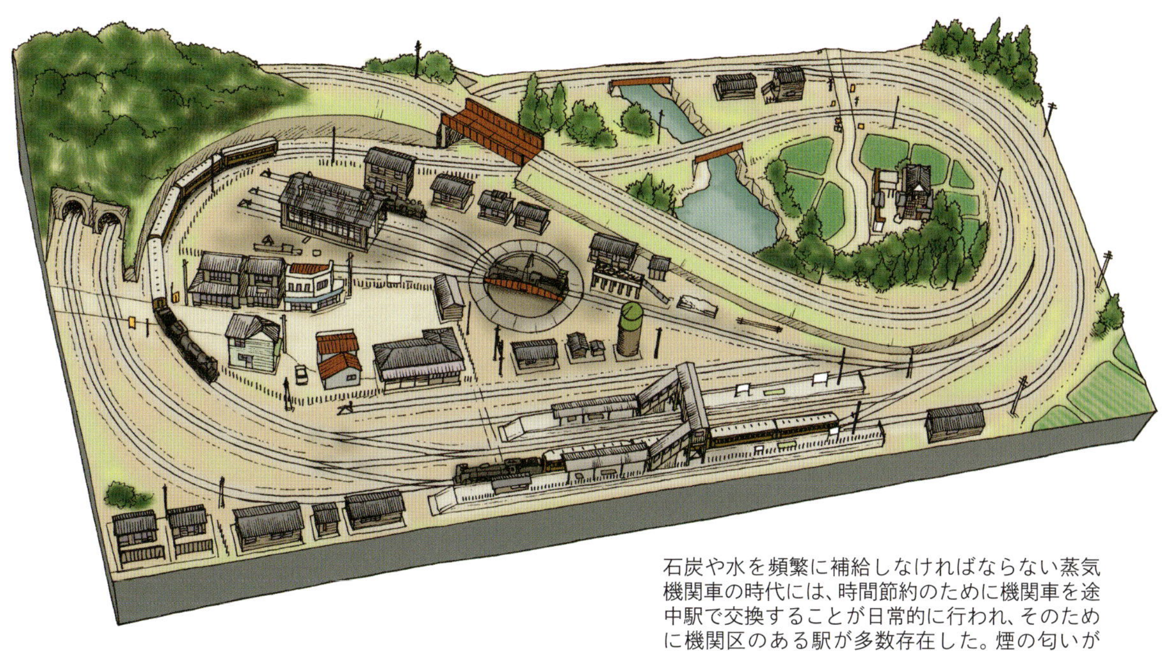

石炭や水を頻繁に補給しなければならない蒸気機関車の時代には、時間節約のために機関車を途中駅で交換することが日常的に行われ、そのために機関区のある駅が多数存在した。煙の匂いが漂ってきそうな往年の活気を再現したいもの。

ターンテーブル付き機関区も配置した、蒸気機関車用の本格派レイアウト

ターンテーブルを中心にした機関区は、蒸気機関車の時代には日本全国で見られた情景。石炭の粉で黒っぽくなった地面も再現したいところ。

レイアウト中央を横切るリバース線には長い築堤があり、駆け下りて来る列車の編成美が味わえるスポットになっている。

このポイントは駅構内の始まりだが、駅本屋から離れているので信号所の建家が設けられている。隣りには保線詰所も。

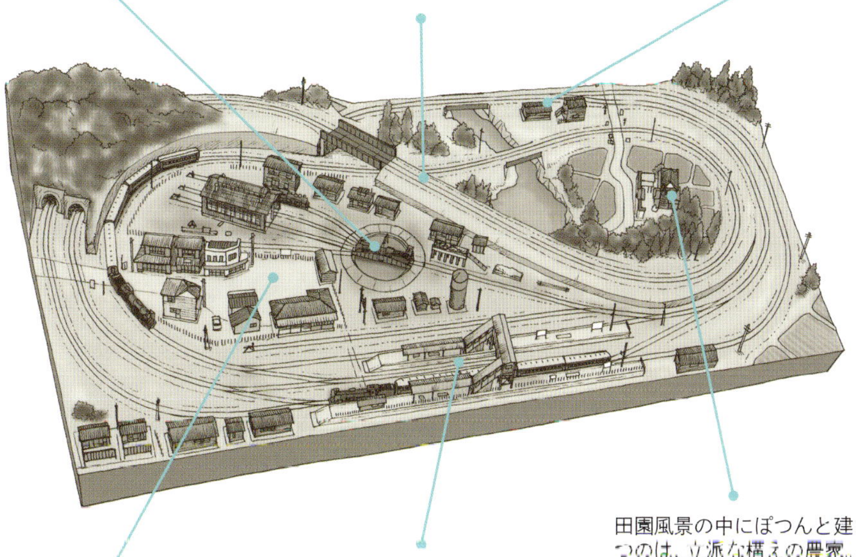

機関区と駅に挟まれたささやかな広場と商店街。街の中心は踏切を渡った先にあるのだろうか。

２本のホームが跨線橋で結ばれた駅は、折り返し列車も扱うのに適した規模。駅本屋とは地下道で結ばれている設定。周囲には各種の詰所や官舎などが建ち並んでいる。

田園風景の中にぽつんと建つのは、立派な構えの農家。周囲は防風林や畑、貯水池などが点在する田園風景で、蒸気機関車が走ればさぞ絵になることだろう。

蒸気機関車にアクションを

前プランで紹介した機回しのアクションを蒸気機関車（蒸機）で行いたい方も多いでしょう。機関車そのものの方向転換も必要で、レイアウトにターンテーブル（転車台）が必須になります。KATOからは本格的な電動ターンテーブルが発売されましたから、これを中心にした機関区を設けましょう。

機関区というと、ターンテーブルを囲むように建てられた扇形機関庫が思い浮かびますが、大規模な機関区は別として、ほとんどは矩形の庫が付属しており、機関支区や駐泊所では機関庫のない場合さえありました。機関車は露天で駐機するのが普通で、庫は修繕や大がかりな整備のための場所だったからです。一方、折り返し運用のある駅の近くにはほぼ必ずターンテーブルが設置されていました。

自動解放機能のあるカプラー

機回しを楽しむための自動解放には、KATO純正のマグネティック・ナックルカプラーを使います。実物の自連に似た外観と、優れた機能を合わせ持つカプラーです。KATOの車両の多くはこのカプラーに対応した設計で、比較的容易に交換できます。また、ユニトラックには磁石式の解放ランプ付き線路も用意されています。ここでは機関車のテンダー後部と、客車編成の両端のカプラーのみ交換すれば用が足ります。

転車台とリバースの組合せで

線路配置は本線オーバルにリバースと、転車台のある機関区および駅を加えたものです。リバース区間のはじまりと終わりはいずれも駅構内にあり、上りホームからリバース区間に進んだ列車は途中で本線をオーバークロスし、方向転換を終えて下りホームに着くようになっています。このように本線の運転とリバース運転が完全に分離されているのが当プランの特徴です。

レイアウト中央を斜めに横切るリバース線は風景を区切る役目も果たし、左側は駅と機関区、それに付随する各種施設やささやかな商店街などで占められています。右側は畑や川、貯水池、ぽつんと建つ農家などで、のどかな田園風景を形作ります。蒸機牽引の旧客編成が走るのに恰好のロケーションというわけです。

鋼鉄の馬たちの楽園

運転の実際を見てみましょう。本線エンドレスを時計回りに走る列車は、あるタイミングで駅構内はずれのポイント（図の手前左）を直進しリバース線に入ります。トンネルを抜けて中央の築堤上を走り、機関区裏のカーブを通って駅に戻ってきます。列車はこのまま、今度は反時計回りにエンドレスを周回することもできます。折り返し運転をする際は駅の中線に進み、機関車と客車の間のカプラーが解放ランプ上にくるように停止、機関車を解放して前進させ、ポイントを切り換え、バックで機関区に入れます。ターンテーブルで向きを変え、次の仕業にかかる……という案配です。

蒸気機関車全盛時代には、日本各地で日々繰り返されていた営みを、モデルで再現するのもまた楽しいことでしょう。

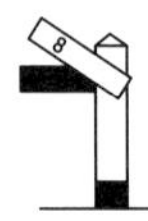

プラン図

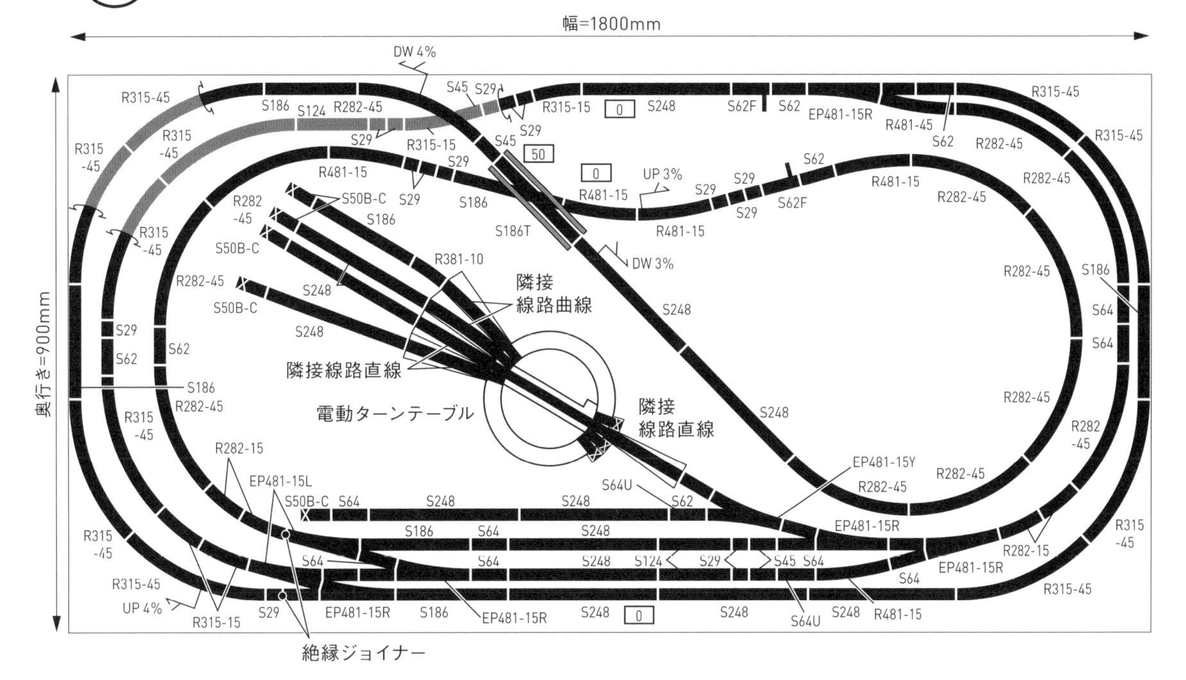

2カ所のフィーダー線路（S62F）のフィーダー線は、前後進スイッチが2組あるパワーパック（KATOハイパーDXなど）に接続する。ターンテーブルの駆動は製品付属のコントローラーで行う。ターンテーブルは回転とともに、自動的に前後の線路に通電する仕組みだが、機関区内に多数の機関車を駐機するために適宜、ギャップと通電のオン・オフを行うスイッチが必要なケースもある。

※□内はベースボード表面からの線路高
※無印の線路は4番ポイント付属の補助線路（S60）

 使用線路部品リスト（KATOユニトラック）

略号	部品名	数量
S248	直線線路248mm	13
S186	直線線路186mm	7
S124	直線線路124mm	3
S64	直線線路64mm（電動ポイント4番に付属）	8
S64U	アンカプラー線路64mm	2
S62	直線線路62mm	6
S62F	フィーダー線路62mm	2
S50B-C	車止め線路C 50mm	5
S45	端数線路45.5mm	4
S29	端数線路29mm	15
R282-45	曲線線路R282-45°	12
R282-15	曲線線路R282-15°	4
R315-45	曲線線路R315-45°	11
R315-15	曲線線路R315-15°	4
R381-10	曲線線路R381-10°（ターンテーブル拡張線路セット（曲線）に含む）	1

略号	部品名	数量
R481-15	曲線線路R481-15°（電動ポイント4番に付属）	6
EP481-15L	電動ポイント4番（左）	2
EP481-15R	電動ポイント4番（右）	5
EP481-15Y	電動Y字ポイント2番	1
S186T	単線プレートガーダー鉄橋（朱）	1
	絶縁ジョイナー	4（2組）
	電動ターンテーブル	1
	隣接線路（直線）（電動ターンテーブルに付属）	3
	隣接線路（曲線）（ターンテーブル拡張線路セット（曲線）に含む）	2
	外周線路（3線分）（電動ターンテーブルおよびターンテーブル拡張線路セット（曲線）に含む）	4
	車止め（ターンテーブル用）（電動ターンテーブルに付属）	3

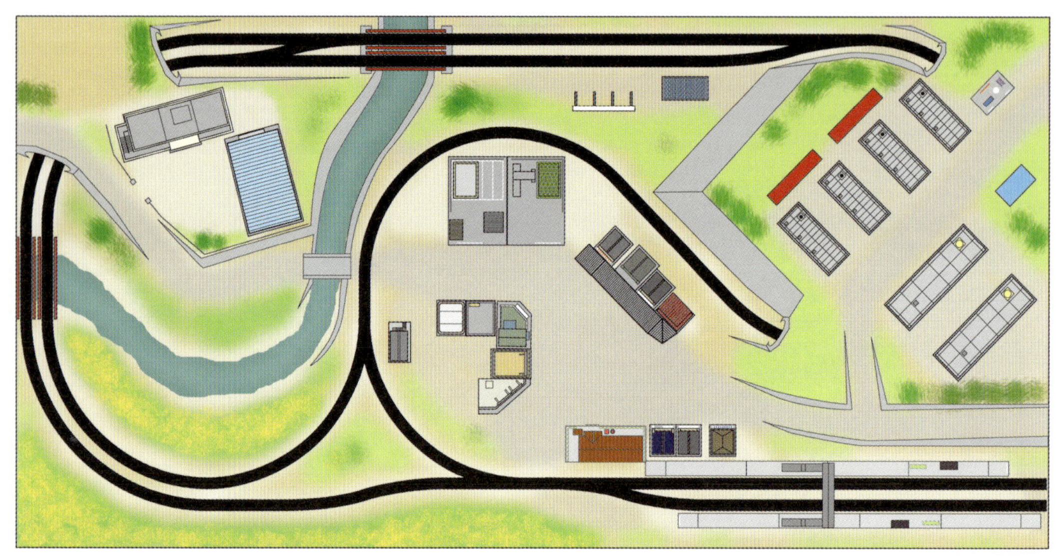

陽光あふれる春の房総半島をイメージしたシーナリー。時代は沿線の開発が急ピッチで進む昭和40年代で、真新しい団地や学校が建ち並び、通勤通学客を満載した気動車が活躍する。一方で菜の花畑や自然のままの小川もまだ残っている。

デルタ線の効用 その1

3つのポイントによって線路が三角形に結ばれたデルタ線を取り入れ、変化に富んだ運転を楽しめる定尺プラン。昭和30年代の房総半島をイメージした明るいシーナリーの中をバラエティー豊かな気動車が走る。

大きさ ››› 1800×900ミリ
使用レール ››› TOMIXファイントラック

- 曲線半径：最小R280
- 使用ポイント：電動ポイントN-PR541-15、電動ポイントN-PL541-15、電動ポイントN-PR280-30、電動Y字ポイントN-PY280-15
- 勾配：ナシ
- 停車場有効長：20m級気動車４両編成に対応
- テーマ：房総をイメージした国鉄近郊路線
- 時代設定：昭和40年代
- 季節設定：春
- 想定走行車両：気動車列車（キハ10、キハ20、キハ35各系列）、ディーゼル機関車牽引の貨物列車
- 特記事項：デルタ線により列車の方向転換および双方向への折り返し運転が可能

Layout Plan

デルタ線を使って自在な方向転換。昭和40年代、気動車の王国をイメージして

高台に建つのは中学校。朝には遅刻しそうになって坂を駆け上っていく生徒もチラホラ。沿線住民の急増で校舎の建て増しも計画されているとか。

本線上には列車交換のできる信号場があり、貨物列車が待避したり、準急列車が普通列車を追い抜いたりする光景が見られる。遠からず客扱いをする駅に昇格するらしく「新駅開業予定」の大看板が立っている。

丘の上に新しく建った団地には若い世代の家族が多く住む。この沿線から都会へ通勤する乗客は増える一方で、列車の増発が相次いでいる。

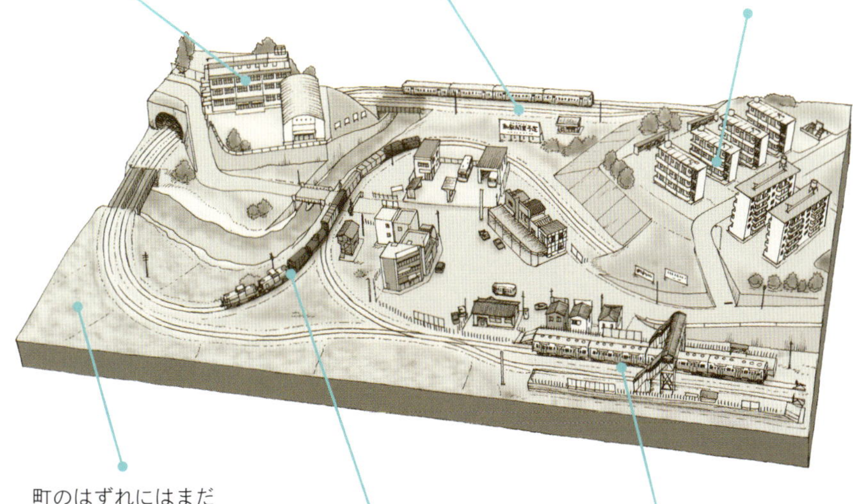

町のはずれにはまだ自然が残り、春には一面の菜の花を車窓から見ることができる。いつの日か、このあたりにも住宅が建ち並ぶのだろうか。

貨物列車など、駅に停車しない列車はホームと離れた場所に敷かれた新線を通過していく。

この駅はもともと終着駅だったが、路線延長の際に地形の関係でスイッチバック式の配線になったという、かつての房総西線大網駅と同様の設定。典型的なローカル駅だが、周囲の開発が進んで乗降客が急増、気動車がひっきりなしに出入りする。

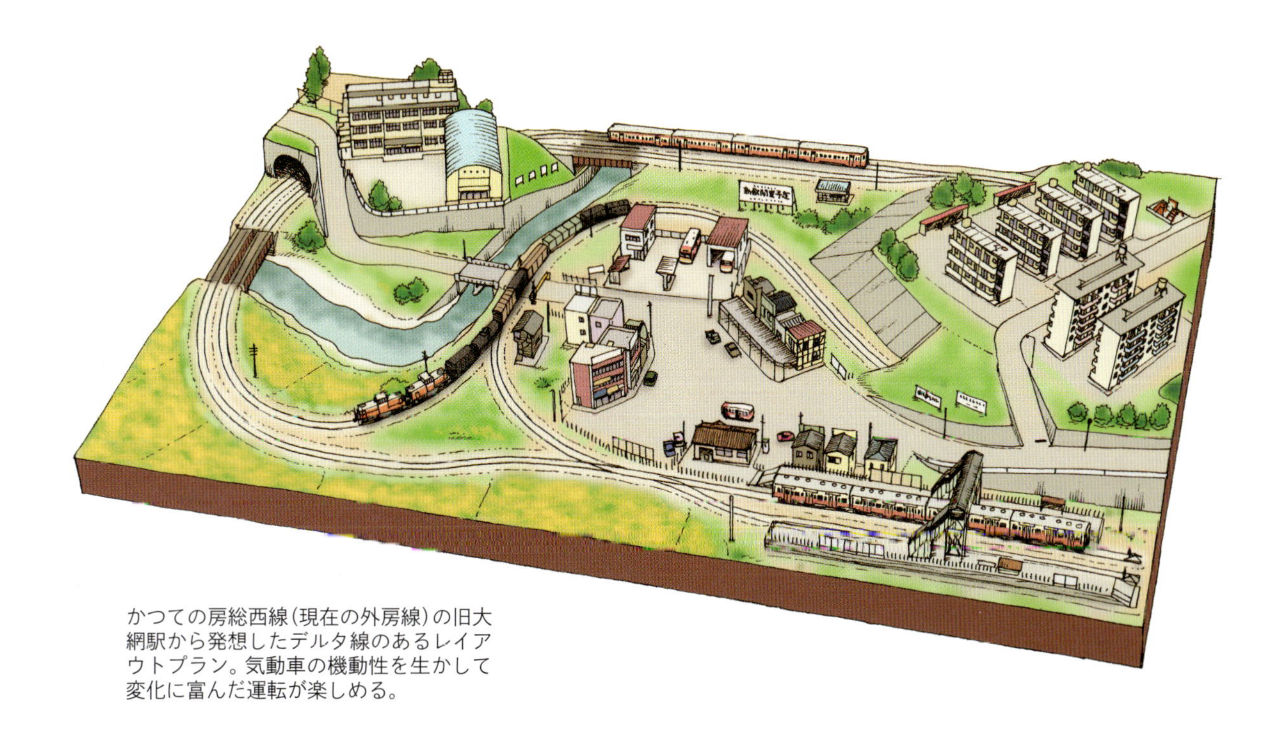

かつての房総西線（現在の外房線）の旧大網駅から発想したデルタ線のあるレイアウトプラン。気動車の機動性を生かして変化に富んだ運転が楽しめる。

なにかと便利なデルタ線

デルタ線は三角線ともいい、その名の通り三角形に結ばれた線路配置のこと。大型の機関車を多重連で運用するアメリカでは、方向転換用としてあちこちにデルタ線が設けられています。

日本でもかつて前向き固定シートのスハ44系を使った客車特急を、編成ごと方向転換するために、各地のデルタ線を使っていたことがありました。例えば「はつかり」は上野～尾久～墨田川貨物駅～上野というルートで回送して向きを変えていたのです。もちろん方向転換のために設けられたデルタ線ではなく、既存の路線がデルタ線を構成している場所を利用したわけですね。

もっと小規模なものでは、房総西線（現在の外房線）大網駅付近に、短期間ながらデルタ線がありました。もっともこれも新線を建設して大網駅が移動した結果、旧線も含めて結果的に三角形になっただけで、車両の方向転換を目的にしたものではありませんでした（現在は旧線は撤去）。それでもデルタ線が存在したのは事実で、探せば他にもあるかもしれません。

レイアウトの運転上、デルタ線はとても便利なものです。行き止まり式の終着駅をエンドレスの本線とデルタ線で結べば、出発した列車は本線をどちら向きにも走ることができ、また戻ってくることができます。

ということで、このデルタ線を取り入れた線路配置を基本に、定尺サイズのプランを考えてみました。

気動車の王国を再現

設定としては昭和40年ごろの房総の鉄道を念頭に置きました。まだ電化も複線化もされていませんが、周辺は住宅地として開発が進み、大都市圏への通勤客のために気動車が大活躍をしている路線です。キハ10やキハ20系列の一般型気動車に加え、通勤輸送を意識して製造されたピカピカのキハ35や、ときにはキハ17やキハ58などを連ねた快速、臨時列車も走る気動車の王国です。

本線エンドレス上には駅でなく、客扱いをせずに列車交換を行う信号場を設けました。模型での運転面では駅と変わりない一方、限られたスペースに2つ目の駅本屋や駅前広場を作る必要もなく便利なものです。

デルタ線運行の注意点

デルタ線ではルートの選択によって列車の進行方向が走行中に変わることがあるので、リバースと同様の配線と操作が必要になります。駅を出発した列車が本線を走って、また駅に戻って来る際には出発時とは進行方向が変わりますから、駅構内を本線とは電気的に切り離し、別個に前後進スイッチを付ける必要があります。TOMIXのシステムではプラン20でも紹介したように、リバーススイッチを使えば簡単です。本線上の中間駅に列車が停まっている間に操作するといいでしょう。

陽光あふれる房総半島がひときわ輝くのが春。花畑が広がるなかに、新しい団地や学校が建ち、駅のホームには制服姿も初々しい新入生が大勢、列車を待っています。車内に響く元気な声が聞こえそうな、生き生きとしたレイアウトを作りたいものですね！

Layout Plan 22 デルタ線の効用 その1

プラン図

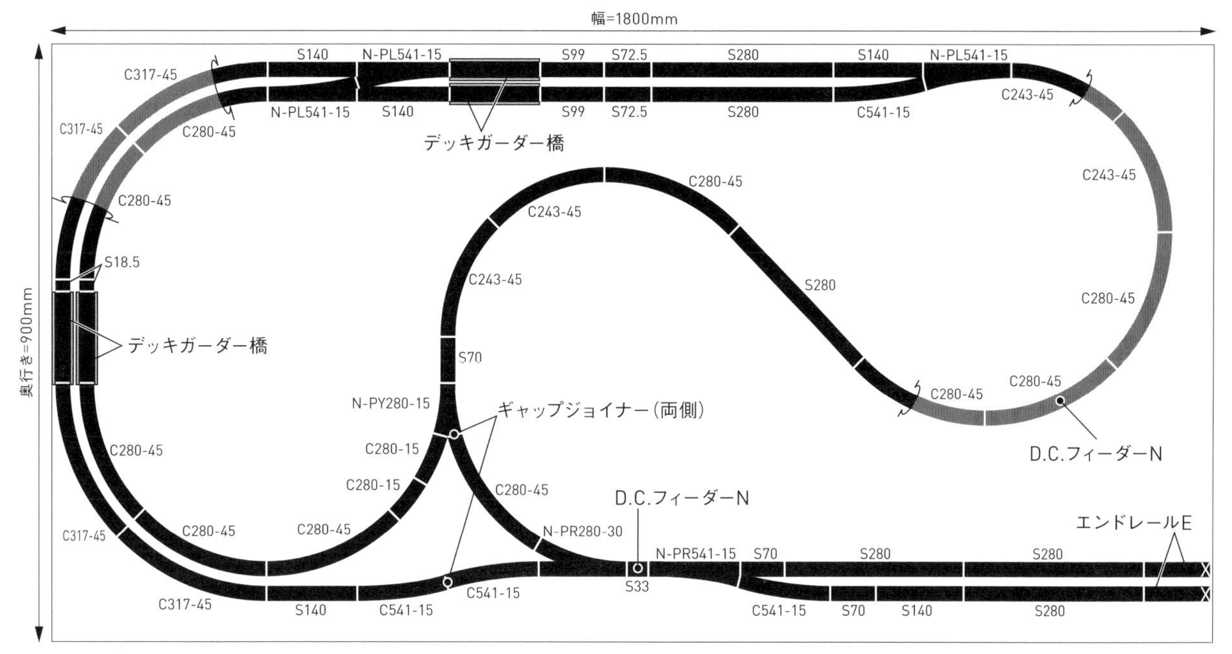

デルタ線の配線はリバース線と同様で、ギャップによる絶縁が不可欠。2カ所のD.C.フィーダーの線は、パワーパックに装着した「リバーススイッチ」の端子に接続する。図の手前の駅を出発した列車が、奥に位置する信号場に停車中にスイッチを切り換えれば、再び発車して手前の駅に進入できる。

使用線路部品リスト（TOMIXファイントラック）

略号	部品名	数量
S280	ストレートレールS280 (F)	6
S140	ストレートレールS140 (F)	5
S99	ストレートレールS99 (F)	2
S72.5	ストレートレールS72.5 (F)	2
S70	ストレートレールS70 (F)	3
S33	端数レールS33 (F)	1
S18.5	端数レールS18.5 (F)	2
C243-45	カーブレールC243-45 (F)	4
C280-45	カーブレールC280-45 (F)	10
C280-15	カーブレールC280-15 (F)	2

略号	部品名	数量
C317-45	カーブレールC317-45 (F)	4
C541-15	カーブレールC541-15 (F)	4
N-PR541-15	電動ポイントN-PR541-15 (F)	1
N-PL541-15	電動ポイントN-PL541-15 (F)	3
N-PR280-30	電動ポイントN-PR280-30 (F)	1
N-PY280-15	電動ポイントN-PY280-15 (F)	1
	エンドレールE (F)	2
	デッキガーダー橋 (F) (赤)	4
	D.C.フィーダーN	2
	ギャップジョイナー	4 (2組)

大きさ ››› 1800×900ミリ
使用レール ››› KATOユニトラック

Layout Plan

- 曲線半径：標準R315（本線）、最小R249（支線）
- 使用ポイント：ユニトラック４番
- 勾配：３％
- 停車場有効長：本線は20m級車両５両編成、支線は機関車＋20m級客車３両に対応
- テーマ：非電化の国鉄亜幹線およびローカル線
- 時代設定：昭和30年代
- 季節設定：夏
- 想定走行車両：支線向け機関車（C12、DE10など）牽引の客車列車、気動車列車
- 特記事項：マグネティック・ナックルカプラーによる自動解放が可能

デルタ線の効用 その2

高台の終着駅に発着する支線と本線エンドレスをトンネル内に隠したデルタ線で結んだ、運転の面白さ増量プラン。マグネティック・ナックルカプラーによる機回しや気動車列車の分割併合も楽しめる。

レイアウト奥に位置する支線の終着駅と、手前の中間駅とを視覚的に隔てるために、中央を長手方向に横断する街道を設け、これに沿って家並や木立などを配している。また地面を手前から奥に向かって段階的に嵩挙げすることで距離感を演出する作戦。

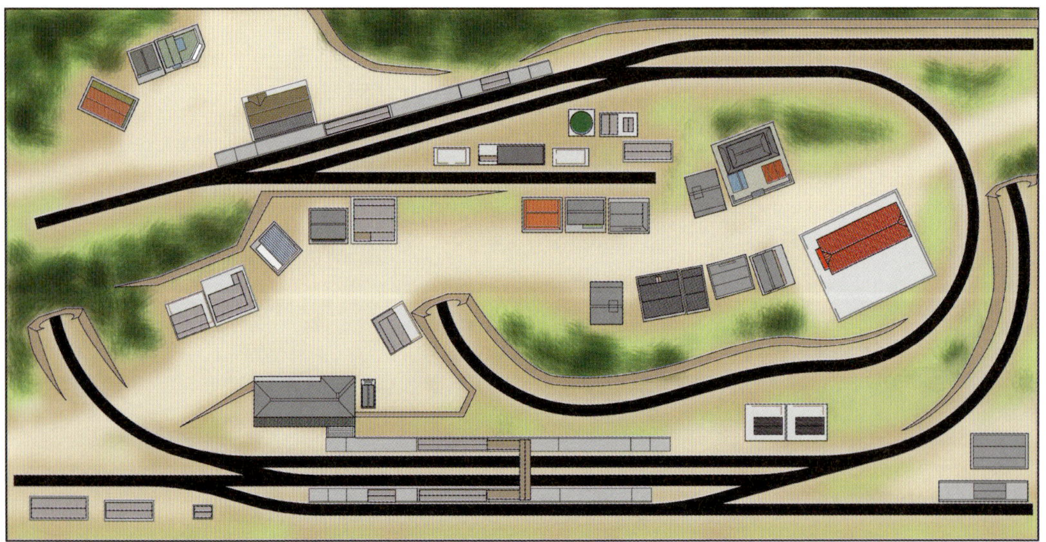

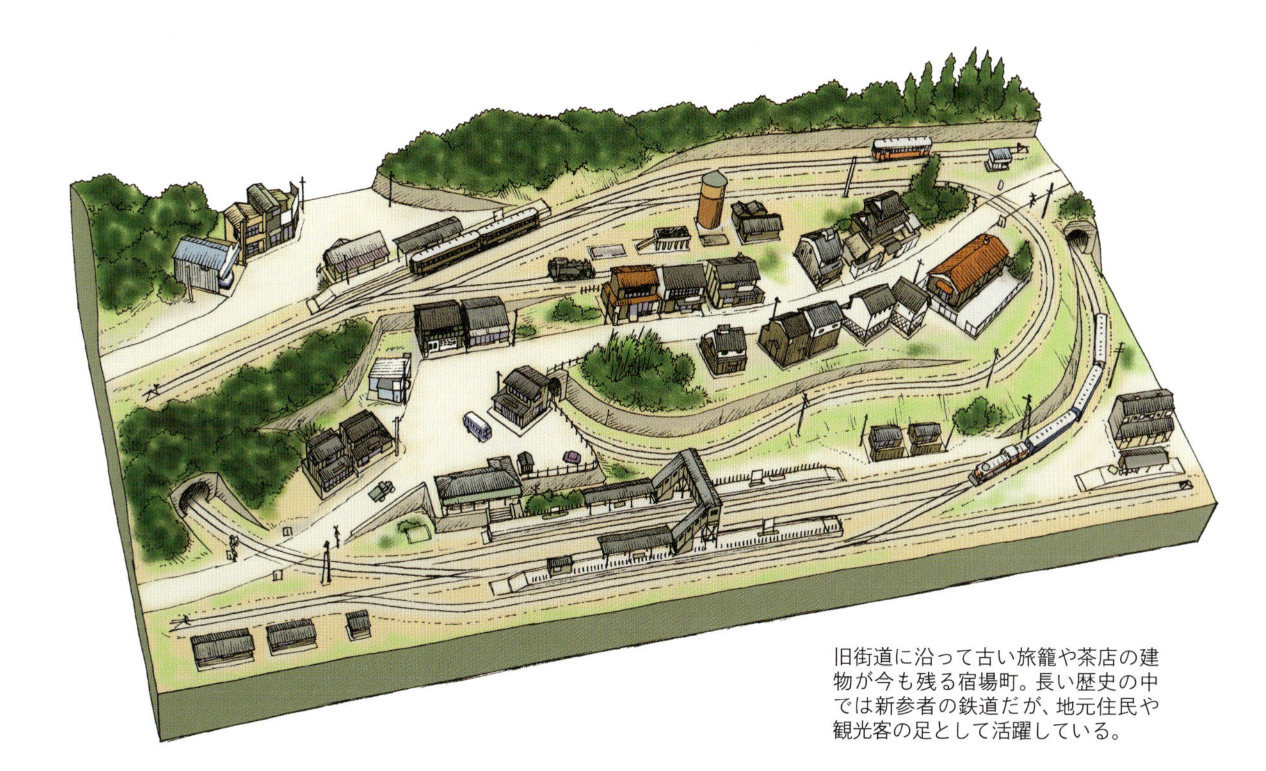

旧街道に沿って古い旅籠や茶店の建物が今も残る宿場町。長い歴史の中では新参者の鉄道だが、地元住民や観光客の足として活躍している。

あえてデルタ線を隠して自然な方向転換を実現

高台にある支線の終着駅。ホームは一面のみで機回し線と機関車駐泊所と気動車の留置線を持つ、国鉄時代のローカル線の終点に多かった配置。

終着駅を出発したローカル線の列車はやがてこのトンネルへ。この奥にはデルタ線が隠されていて、本線エンドレスにどちら向きにも入線することが可能。また戻ってくることもできる。

レイアウト中央を横切る道路は古くからの街道で、緩やかな坂に沿って旅籠や茶店などが並び、風情ある街並みを形作っている。

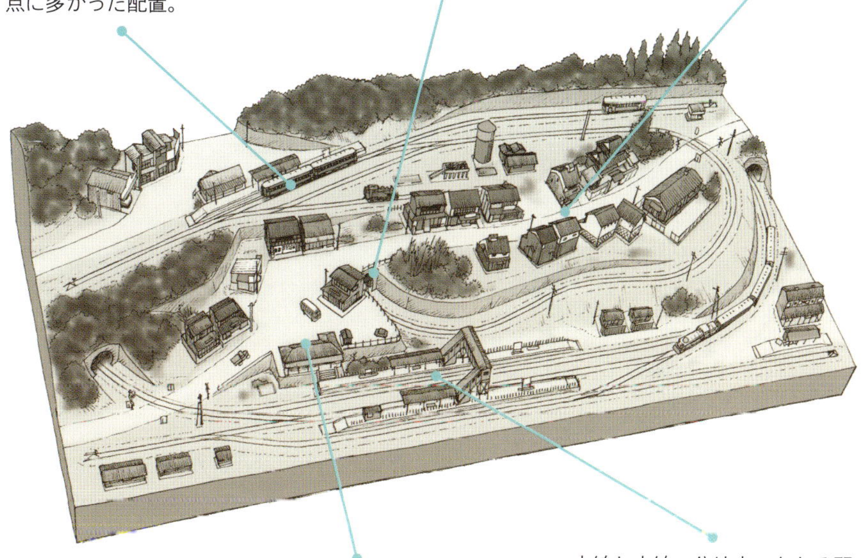

駅本屋は高い位置にあり、ホームには階段で降りる構造。駅前広場も緩やかに傾斜し、山越えの街道へと続いている。

本線と支線の分岐点でもある駅。気動車列車の分割併合も行われ、なかなかの活気を見せる。いちばん手前の線は支線の発着線で、列車がスルーできない線路配置になっている。

デルタ線を隠すのも面白い

前プランでは実在したデルタ線のエッセンスをレイアウトに取り入れましたが、日本の鉄道では実例が少ないこともあり、むしろトンネル内などにデルタ線を隠し、運転上の一種のトリックとして使った方が、応用範囲が広いかもしれません。

完成予想イラストをご覧ください。一見するとどこにデルタ線があるのかは分からず、トンネルに入った列車が次にどこから出てくるか分からない面白さがあります。

高台にある支線の終着駅を出発した列車は勾配を下り、レイアウト中央のトンネルに入ります。それから地平エンドレスに進むわけですが、トンネル内に隠されたポイントをどちらに切り換えるかにより、時計回りにも反時計回りにも走ることができます。地平駅に停車しながら何周か走り、またトンネル内のポイントを渡って高台の終着駅へと戻っていきます。

機回しアクションとの組合せ

このようにデルタ線にはリバースとしての機能もありますから、機関車牽引列車を走らせ、終着駅で列車の反対側に機関車を付け替える「機回し」のアクションと組み合わせて運転を楽しむことを考えてみました。

終着駅構内には機回し用の側線が設けられています。かつてのローカル線の終着駅によく見られたようにホームは一面のみとして、側線の用途は機回しと限定しましょう。ホームに面した線路にはマグネティック・ナックルカプラーの解放ランプ(アンカプラー線路)を設置し、機関車が客車から離れて編成の最後部にまわって再び連結、向きを変えて出発することができます。ターンテーブルはありませんので、蒸気機関車の中でもバック運転に適したタンク式機関車が似合います。構内には給炭台や給水タンクのある機関車駐泊所と、気動車などを停めておく留置線も併設されてます。

イラストにはC12らしき機関車が描いてありますが、ちょっと困るのは、KATO製車両の多くはマグネティック・ナックルカプラーへの交換に対応しているものの、C12に関してはかなりの加工(特に前部)が必要らしいこと。無理せずにDE10やDD13あたりのディーゼル機関車で楽しむ方がいいかもしれません。

地平駅構内にも解放ランプを2カ所設け、中間駅での折り返し運転もできるようになっています。ランプの位置を移して、気動車列車の分割を模すのも面白そうです。5両ほどの編成でエンドレスを周回、うち2両を切り離して支線に入線、残る3両は再周回運転を続け、やがて支線から戻ってきた2両と連結し……という運転です。

2つの駅を視覚的に隔てる工夫を

このレイアウトには駅が2つあるので、それぞれがあまり目立ちすぎないよう、また適度な距離感を感じさせるようにシーナリーを工夫したいところ。

長手方向にレイアウトを横切る街道と、その周囲に配した家並みや木立で駅同士を視覚的に隔てるように考えました。

プラン図

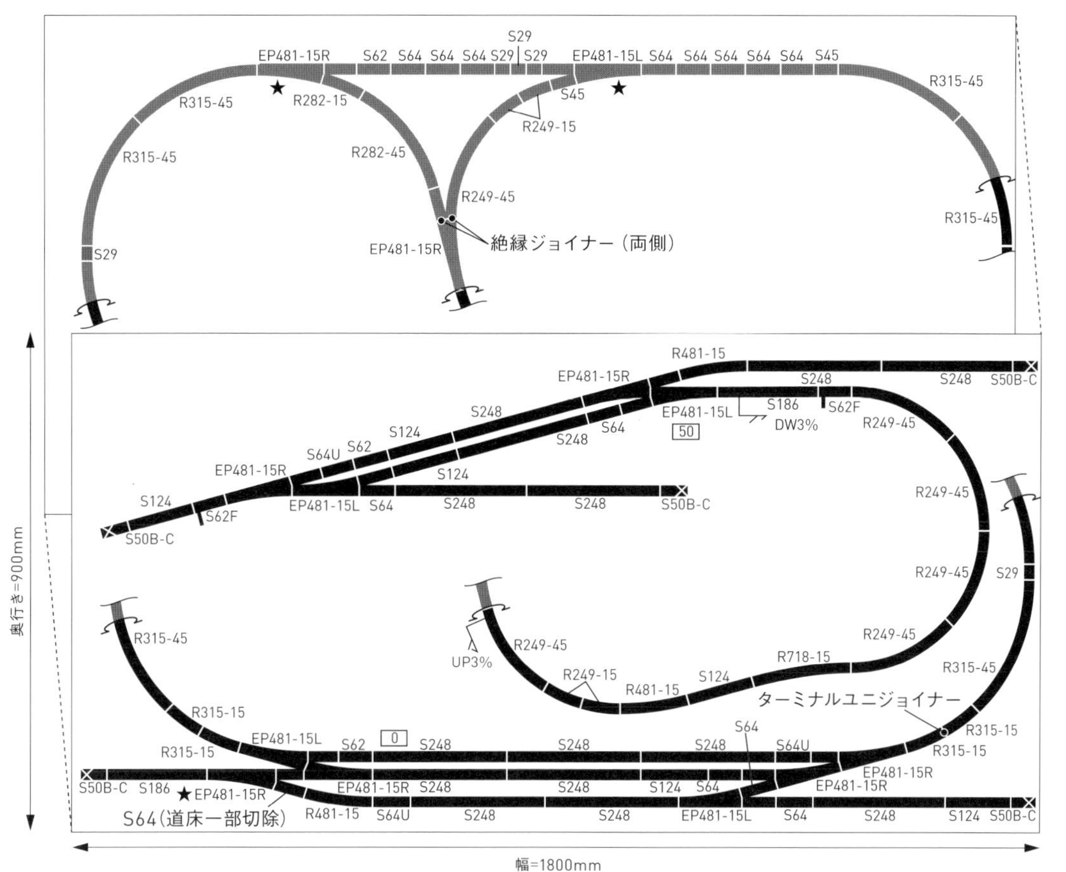

２カ所のフィーダー線路（S62F）のフィーダー線はひとつにまとめた上で、ターミナルユニジョイナーからのフィーダー線と前後進スイッチが２組あるパワーパック（KATOハイパーDXなど）に接続する。トンネル内に隠されたデルタ線のポイントには、レイアウトの背面から手が届くようにアクセス用の開口部を必ず設けること。★印のポイントを非選択式に設定するのは、ポイントの切り換え方向により一部の線路に通電せず、運転不能になるのを防ぐため。

※□内はベースボード表面からの線路高
※無印の線路は４番ポイント付属の補助線路（S60）
※★印のポイントはいずれも直線側を「非選択式」に設定

使用線路部品リスト（KATOユニトラック）

略号	部品名	数量
S248	直線線路248mm	14
S186	直線線路186mm	2
S124	直線線路124mm	6
S64	直線線路64mm（電動ポイント4番に付属）	13
S64U	アンカプラー線路64mm	3
S62	直線線路62mm	3
S62F	フィーダー線路62mm	2
S50B-C	車止め線路C 50mm	5
S45	端数線路45.5mm	2
S29	端数線路29mm	5
R249-45	曲線線路R249-45°	6

略号	部品名	数量
R249-15	曲線線路R249-15°	4
R282-45	曲線線路R282-45°	1
R282-15	曲線線路R282-15°	1
R315-45	曲線線路R315-45°	6
R315-15	曲線線路R315-15°	4
R481-15	曲線線路R481-15°（電動ポイント4番に付属）	3
R718-15	曲線線路R718-15°	1
EP481-15L	電動ポイント4番（左）	5
EP481-15R	電動ポイント4番（右）	8
	絶縁ジョイナー	4（2組）
	ターミナルユニジョイナー	1組

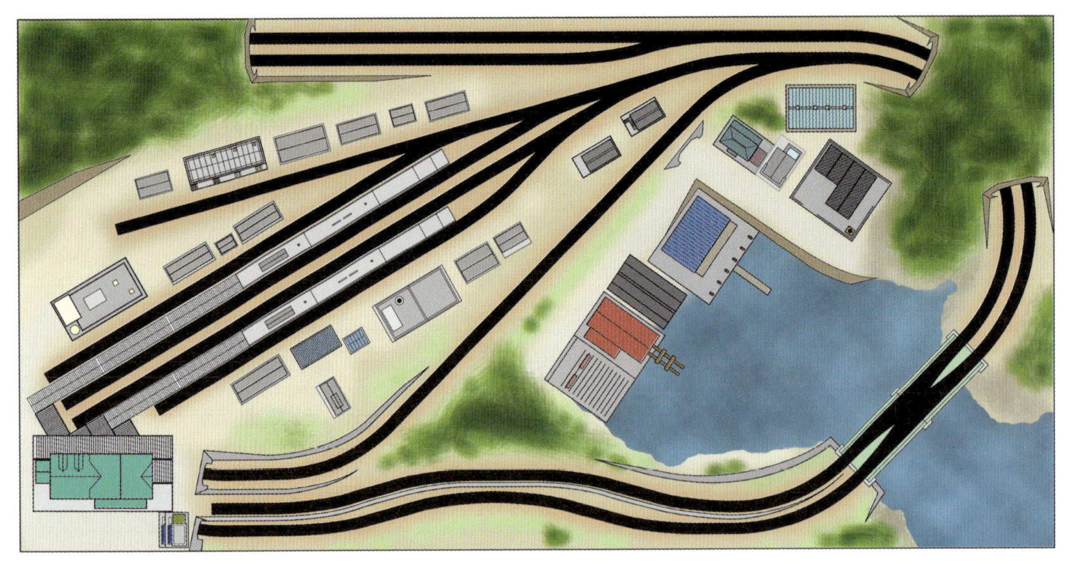

レイアウト左半分は頭端式ホームを持つ終着駅の構内が風景の中心。緑の山を背にして各種の列車が停まっているところは門司港あたりのイメージ。右半分は思い切って入り江の海面を大きくとり、その上を築堤と鉄橋で渡る線路と漁港の風景が中心となる。

旅情あふれる終着駅を

「頭端式（とうたんしき）」ホームを持つ終着駅をテーマに、風情ある情景と、多くの列車が出入りするアクションが楽しめる定尺プラン。エンドレスを周回する「営業運転」と、リバース線で方向転換する「回送運転」の区別を意識して走らせたい。

大きさ ››› 1800×900ミリ
使用レール ››› TOMIXファイントラック

- 曲線半径：最小R280
- 使用ポイント：電動ポイントN-PL541-15、電動ポイントN-PX280
- 勾配：4％
- 停車場有効長：20m級車両6両編成に対応
- テーマ：地方の港町にある国鉄非電化亜幹線の終着駅
- 時代設定：昭和40年代
- 季節設定：春
- 想定走行車両：気動車列車（一般形、急行形）、ディーゼル機関車牽引の客車列車
- 特記事項：リバース線により機関車牽引列車の方向転換が可能

風情ある頭端式ホーム
終着駅ならではの運転を味わう

蒸気機関車の時代にあった給炭、給水設備が撤去されたため、構内は広々した感じ。時代を遡らせて、蒸機全盛の頃を再現するのも楽しいだろう。

駅の近くまで海面が迫る入り江は、天然の良港として古くから栄え、今も漁船用の桟橋や水揚げ場、小規模な造船所などが軒を連ねている。

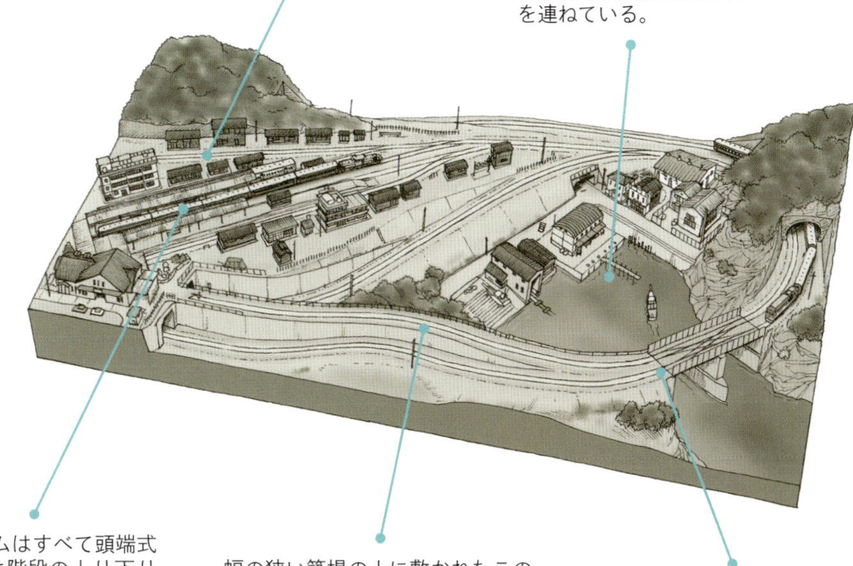

駅のホームはすべて頭端式で、乗客は階段の上り下りをせずに列車に到達できる。三角屋根の駅本屋が斜めに配置されているのは旧高松駅を彷彿とさせる情景。

幅の狭い築堤の上に敷かれたこの線路は引き上げ線。行き止まり式の駅には欠かせない設備。駅をバックで発車し、いったんここに入ってから本線に出て行く列車や、到着時にここに突っ込んでからバックで駅に進入する列車など、さまざまなアクションが見られる。

港の外側に築かれた築堤上を線路が通っているのはかつて各地で見られた光景。この港では鉄橋の下を漁船が通るのに十分なクリアランスがあるが、船を通すために可動橋を設けるケースも多く、これを再現するのもまた一興かも。

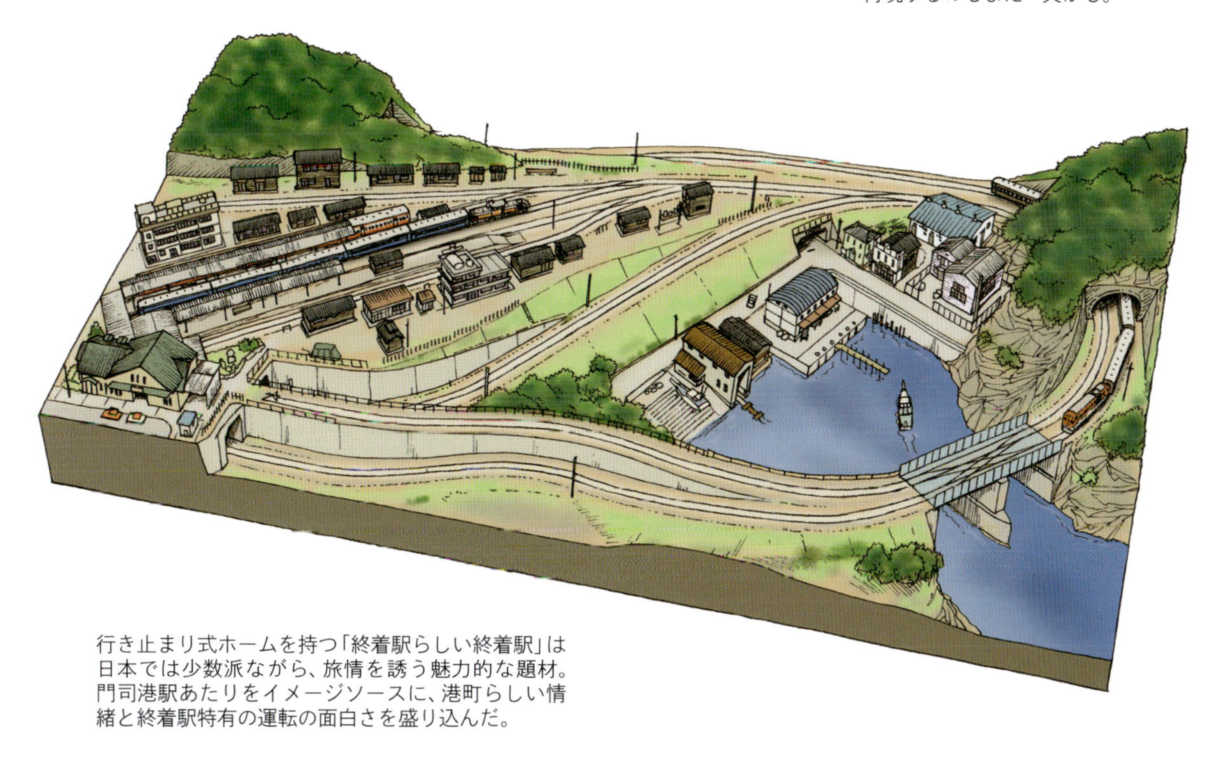

行き止まり式ホームを持つ「終着駅らしい終着駅」は日本では少数派ながら、旅情を誘う魅力的な題材。門司港駅あたりをイメージソースに、港町らしい情緒と終着駅特有の運転の面白さを盛り込んだ。

終着駅らしい終着駅を再現

駅の中でも特に、終着駅は旅情をかきたてるもの。でも日本では終着駅らしい終着駅、すなわち、行き止まり式のホーム（頭端式といいます）に線路が突っ込んで途切れ、車止めが設けてあるような駅、というと意外に少ないものです。

民鉄のターミナルには比較的多いのですが、長距離列車が発着する国鉄・JRの駅では、函館、上野の地平ホーム、高松、門司港などが思い浮かぶ程度です。かつて船便と連絡していた駅に多いのは興味深いですね。

この、旅情あふれる終着駅の風情を定尺サイズのレイアウトで再現しようというのがこのプラン。非電化の亜幹線をテーマとし、本線はシンプルな単線エンドレスですが、頭端式ホームへの列車の出入り、方向転換などのアクションが運転に花を添えます。

リバース線は回送運転専用

運転面で終着駅はリバースと相性がよく、このプランでもリバースが設けられています。が、本線を走る列車がぐるりと向きを変えて終着駅に戻って来る線路配置にはなっていません。

駅を発車した列車は右手前の鉄橋上に設けられた両渡り線を渡って本線エンドレスに入ります。時計回りで何度か周回した後、再び両渡り線を渡り、駅の頭端式ホームと向かい合う形で設けられている、やはり行き止まり式の引き上げ線に入ります。ポイントを切り換え、列車は低速でバックし、駅へ進入します。最初に引き上げ線に入れてからエンドレスに出れば、反時計回りの周回運転も可能で、この場合は引き上げ線を使わずに駅に直接進入します。

気動車列車の場合はそのままどちら向きにも運転可能ですが、機関車列車の場合は周回運転の向きが限られてしまいますので、方向転換のためにリバース線が設けられています。駅からいったん引き上げ線に突っ込んで停止、両渡り線を渡って本線を進み、レイアウト奥のポイントを渡ってリバース線に進入、駅の周囲をぐるりと回る形で走って再び引き上げ線に入ります。ここから駅のホームに入れば方向転換は完了です。

このように、リバース線を回送列車専用としたことが特徴で、駅からは機関車を最後部に付けた推進運転も含め、さまざまな列車が出入りします。

頭端式ホームを持つ実物の駅でも、推進運転が多く見られたのは当然で、モデルでも終着駅らしい風情と運転の面白みが得られると思います。

港町の情緒をたっぷり

実物にならってこの終着駅プランでも港町らしいシーナリーを展開してみました。

広い駅構内が中心となるレイアウト左半分に対し、残る右半分には海面が大きく迫り、線路は築堤と鉄橋でその外側を走ります。腕に自信のある方は船舶を出入りさせるための可動橋を自作してもいいでしょう。岸辺には漁船の接岸する桟橋や小さな造船所、水揚げされた魚を加工する食品工場などが並びます。

限られたスペースでも、潮の香りが感じられるような情景を目指したいですね。

Layout Plan 24 旅情あふれる終着駅を

プラン図

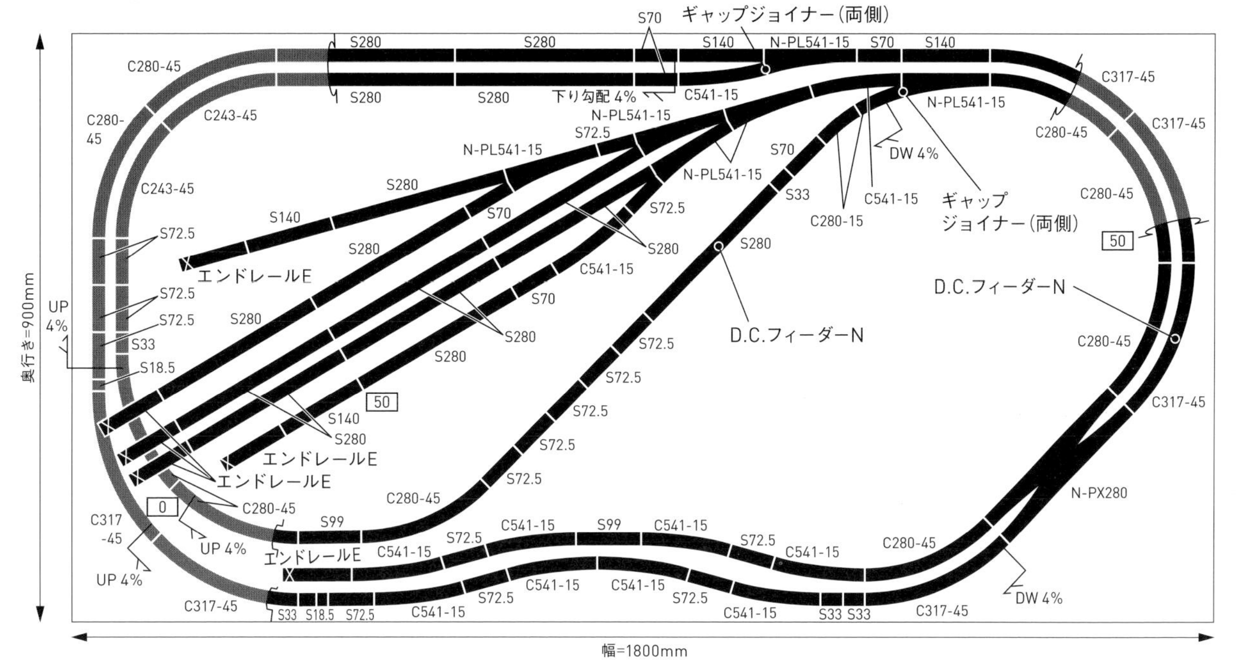

２カ所のD.C.フィーダーＮのフィーダー線は、パワーパックに装着したリバーススイッチに接続する。列車をリバース線内でいったん停止させてからスイッチを切り換えること。リバース線は方向転換のための「回送運転」専用なので、ポイントの手前などで停止させれば不自然には感じられない。

※［　　］内はベースボード表面からの線路高

使用線路部品リスト（TOMIXファイントラック）

略号	部品名	数量
S280	ストレートレールS280 (F)	15
S140	ストレートレールS140 (F)	4
S99	ストレートレールS99 (F)	2
S72.5	ストレートレールS72.5 (F)	17
S70	ストレートレールS70 (F)	6
S33	端数レールS33 (F)	5
S18.5	端数レールS18.5 (F)	2
C243-45	カーブレールC243-45 (F)	2
C280-45	カーブレールC280-45 (F)	9

略号	部品名	数量
C280-15	カーブレールC280-15 (F)	2
C317-45	カーブレールC317-45 (F)	6
C541-15	カーブレールC541-15 (F)	11
N-PL541-15	電動ポイントN-PL541-15 (F)	6
N-PX280	電動ポイントN-PX280 (F)	1
	エンドレールE (F)	6
	D.C.フィーダーN	2
	ギャップジョイナー	4（2組）

大きさ ▸▸▸ 1800×900ミリ
使用レール ▸▸▸ KATOユニトラック

Layout Plan 25

- 曲線半径：R348、R315、R282
- 使用ポイント：ユニトラック６番および４番
- 勾配：ナシ
- 停車場有効長：20m級車両５両編成に対応
- テーマ：電化された都市近郊路線
- 時代設定：現代
- 季節設定：夏
- 想定走行車両：近郊形を中心として電車
- 特記事項：自動踏切を組み込み警報音および遮断機の上下アクションが楽しめる

カタログプランもまた楽し

オーソドックスな複線エンドレスを中心にヤードと終着駅を加えたプラン。もともとメーカーの出版物向けにデザインしたプランで、自動踏切を組み込んでいることをはじめ、いわゆる「カタログプラン」独特の楽しさと利点がある。

製作難易度
★★★★★

大都市近郊の衛星都市風景がテーマ。市街地部分にはKATO「ジオタウン」のプレートを利用し、ビルの並ぶ繁華街を再現。２つの駅のうち複線エンドレス上の中間駅は繁華街に隣接した小さいながらも活気ある駅、終着駅はヤードを併設している一方で乗降客は少なく、比較的閑散とした駅前風景として印象に差をつけたい。

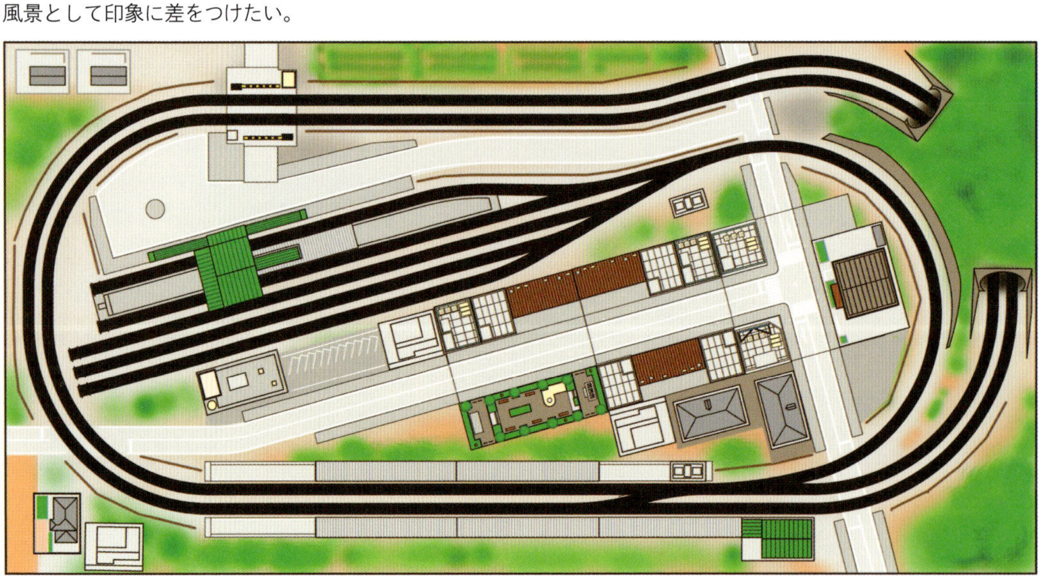

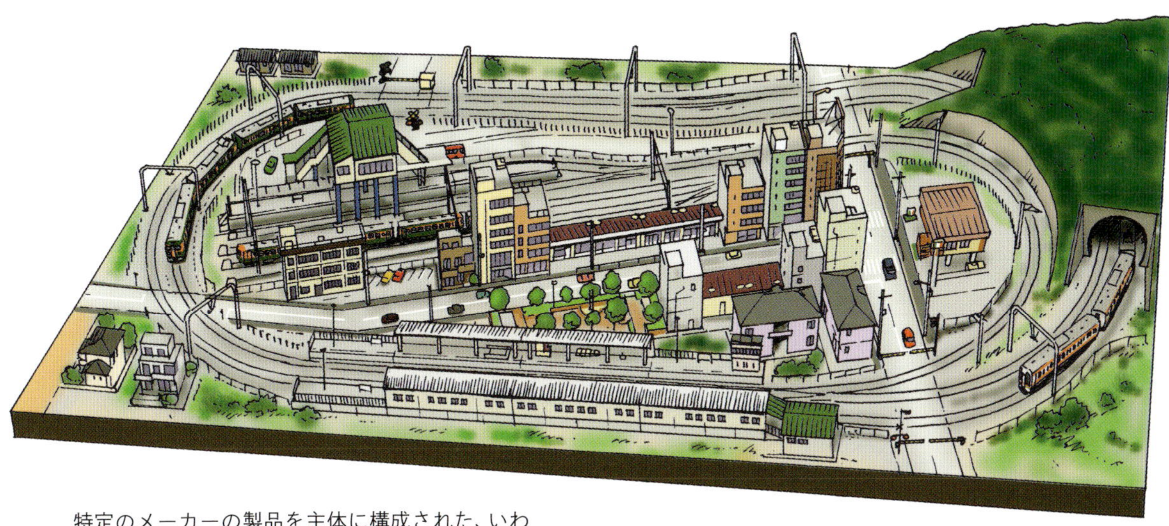

特定のメーカーの製品を主体に構成された、いわゆるカタログプランにも独特の楽しさがある。完成が容易で、快適な運転が楽しめるので、ビギナーの方にもひろくおすすめできるプラン。

ジオタウンを活用して簡単かつ完成度の高いプランを作る

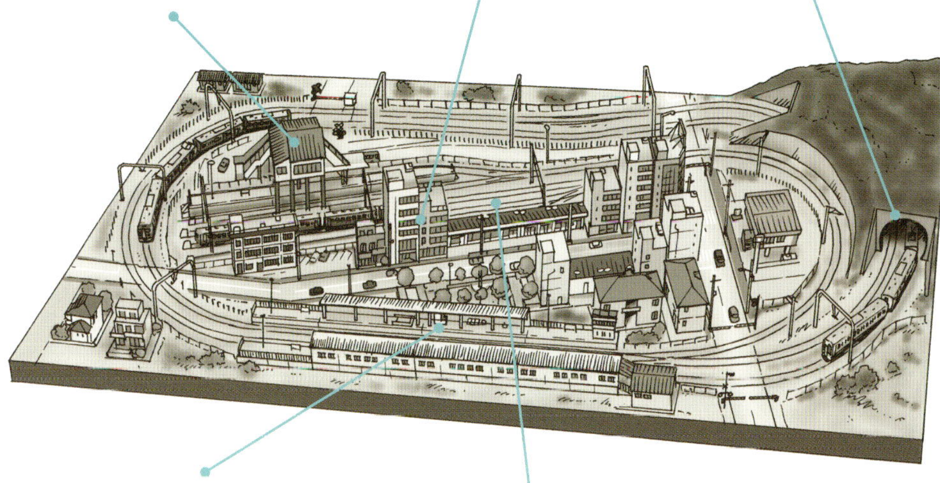

終着駅は島式ホーム1つと橋上駅舎を組み合わせたこじんまりした構え。閑散とした駅前広場に自動踏切の警報音が響く。

整然とした街並みはKATOの「ジオタウン」製品を活用。真っすぐ伸びる通りに沿って並ぶストラクチャー群は、2つの駅を視覚的に隔てる役割も担っている。

複線の本線エンドレスには丘をくぐり抜ける短いトンネルが。並走する支線は切り通しにして変化をつけている。

本線上の中間駅は対向式ホームを持つ近代的なもの。構内の渡り線を使って終着駅に向かう支線への直通列車や、ヤードに出入りする回送列車もあり、変化に富んだ運転が見られる。

ヤードには3本の列車を収容でき、終着駅のホームと合わせ5本の列車をレイアウト上に置いて、うち2本を走らせることができる。

確実に完成させるために

このプランは10年以上前に、ＫＡＴＯの「ユニトラックプラン集」のために描いたもの。メーカーが提唱する形をとった、いわゆるカタログプランの一種で、ＫＡＴＯの製品をめいっぱい使っていることをはじめ、一般のレイアウトプランとはいささか趣きが異なるのですが、ビギナー向けとして現在もおすすめできると考え再録します。

レイアウト製作は多種多様な作業の積み重ねで、初めてのときは完成にこぎつけるだけでもなかなか大変です。まずはメーカーが推奨するやり方に従い、利用価値の高い製品を総動員するのもひとつのやり方だと思います。

それにカタログプランにはカタログプランなりの独特の楽しさがあります。整然とした町を色とりどりの列車が走る光景は、リアルさを追求するのとは少し違った、「模型の国」の楽しさとでもいうべきでしょうか。

実物にこだわらずに、さまざまな地域や時代の車両をともに走らせても、違和感を感じさせない良さもありますね。

複線オーバル中心でオーソドックスに

線路配置はオーソドックスながら奥深い運転ができるように考えました。ご覧のように複線の楕円形エンドレス(オーバル)を中心に、駅から分岐した支線を追加、終着駅に隣接してヤードも設けています。

左側通行を基本として外回り、内回りのいずれの列車も駅構内の渡り線を使ってヤードおよび終着駅にスムーズに出入りでき、駅でもないところで停車して本線を逆走するような不自然なシーンは出現しません。

終着駅のホームとヤードの留置線を合わせると、最大で5本の列車を置くことができ、このうちの2本を複線エンドレスで走らせることができます。内側線の列車を駅に停めておいて、外側線の列車をヤードまたは終着駅に出入りさせる運転も可能です。

ギミックを取り入れる

このプランは自動踏切を組み込んでいるのも特徴です。列車が接近すると警報機の音とともに遮断機が降り、通過すると上がります。このようにレイアウトに車両の走行以外のアクションを与える仕掛け(ギミック)は、リアリズム指向の方には必ずしも歓迎されないようですが、例えば家族で楽しむレイアウトには好適なものだと思います。

シーナリーはある意味で類型的なものといえます。街並みにはＫＡＴＯの「ジオタウン」という製品を利用することを想定。これは歩道付きの道路と周囲の建物の敷地を一体化した規格プレートで、T字路や交差点もあり、連結して設置した上にストラクチャーを並べればたちまち街並みが完成するというもの。道路のライン類も美しく印刷されており、また信号機や電柱などのアクセサリーも豊富に用意されています。

「類型的」で「オーソドックス」なカタログプランというと否定的に聞こえるかもしれませんが、その楽しさや無理なく完成させられる利点は認められていいのではないでしょうか。

プラン図

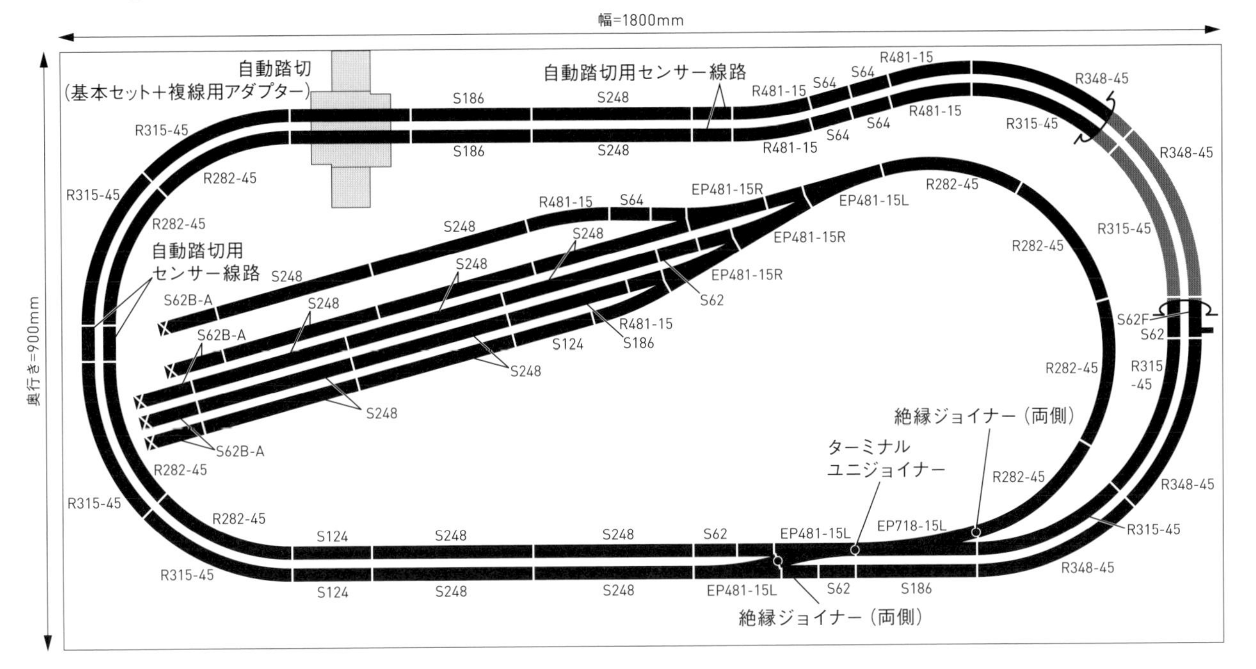

フィーダー線路(S62F)およびターミナルユニジョイナーからのフィーダー線はそれぞれ別のパワーパックに接続。渡り線を列車が通過する際は、双方の速度調節ツマミと前後進スイッチの位置を揃えて運転する。6番ポイント(EP718-15L)分岐側の絶縁ジョイナーは、複線エンドレス内側線を走る列車を駅に停めたまま、渡り線を切り換えると、ヤード(または終着駅)と外側線の間を列車が行き来できるようにするため。なお自動踏切用の電源用としてもう1台パワーパックが必要。

※無印の線路は4番ポイント付属の補助線路(S60)
※自動踏切用センサー線路は自動踏切基本セットおよび複線用アダプターに含まれる

使用線路部品リスト(KATOユニトラック)

略号	部品名	数量
S248	直線線路248mm	18
S186	直線線路186mm	4
S124	直線線路124mm	3
S64	直線線路64mm (電動ポイント4番に付属)	5
S62	直線線路62mm	4
S62F	フィーダー線路62mm	1
S62B-A	車止め線路A 62mm	5
R282-45	曲線線路R282-45°	8
R315-45	曲線線路R315-45°	8

略号	部品名	数量
R348-45	曲線線路R348-45°	4
R481-15	曲線線路R481-15° (電動ポイント4番に付属)	6
EP718-15L	電動ポイント6番（左）	1
EP481-15L	電動ポイント4番（左）	3
EP481-15R	電動ポイント4番（右）	3
	自動踏切基本セット	1
	自動踏切複線用アダプター	1
	絶縁ジョイナー	4（2組）
	ターミナルユニジョイナー	1組

車載カメラを念頭に置いた全線複線プラン

Nゲージの新しい楽しみ方として定着しつつあるカメラカー（ビデオカメラ搭載車両）の運転を念頭にカスタマイズしたプラン。地下駅を設けた全線複線のエンドレスが主体で、対向列車を入れ替えることにより楽しみが増す。

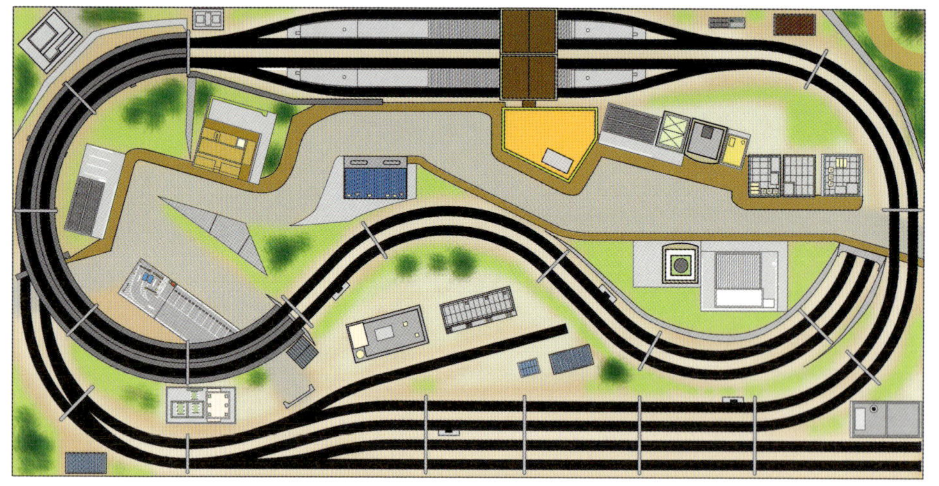

ひとひねりした全線複線のエンドレスを、都市郊外のシーナリーと組み合わせ、近代的な印象に。S字形カーブ、上下２層式になった区間など、車載カメラからの眺望を意識した工夫を各所に盛り込んでいる。

大きさ ▸▸▸ 1800×900ミリ
使用レール ▸▸▸ TOMIXファイントラック

曲線半径：最小R280

使用ポイント：電動ポイントN-PR541-15、電動ポイントN-PL541-15、電動カーブポイントN-CPR317/280-45、電動カーブポイントN-CPL317/280-45

勾配：４％

停車場有効長：20m級車両６両編成に対応

テーマ：大都市郊外のベッドタウンを走る通勤路線

時代設定：現代

季節設定：夏

想定走行車両：通勤電車、波動輸送用の各種電車

特記事項：車載カメラシステム導入を前提にデザイン

地上駅には列車の追い抜きのできる待避線がある。ときにはカメラ搭載車両を停車させ、ホームの反対側を他の列車が通過するシーンをモニターで楽しむのもいいだろう。

本線沿い数カ所に3灯式信号機を設置。地下鉄区間にも設置して、車載カメラを通じ暗闇の中に浮かぶ灯火を楽しめる。

この駅の真下には地下駅があり、もちろんディテールまで作り込まれたホームには照明も組込まれている。車載カメラシステムだからこそ味わえる贅沢なモデルシーンをどうぞ！

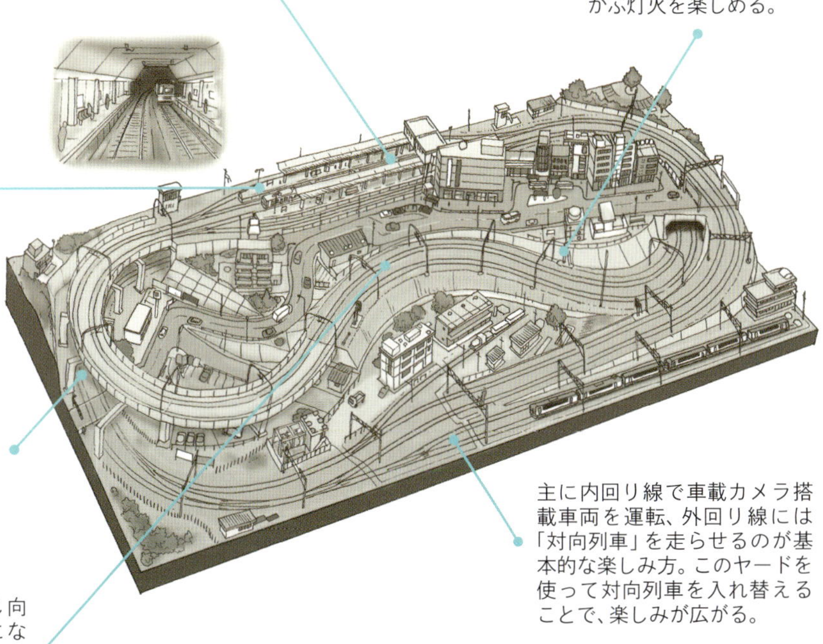

地下鉄区間へのアプローチには、高架ビームを使った2階建て区間があり、車載カメラを通じた眺望に変化を与える。

主に内回り線で車載カメラ搭載車両を運転、外回り線には「対向列車」を走らせるのが基本的な楽しみ方。このヤードを使って対向列車を入れ替えることで、楽しみが広がる。

レイアウトでは同じ向きのカーブばかりになりがちだが、逆向きのカーブをとりいれ、車載カメラを通して見たときの不自然さを解消。

次から次へと移り変わる景色、車載カメラを生かすならこのプラン！

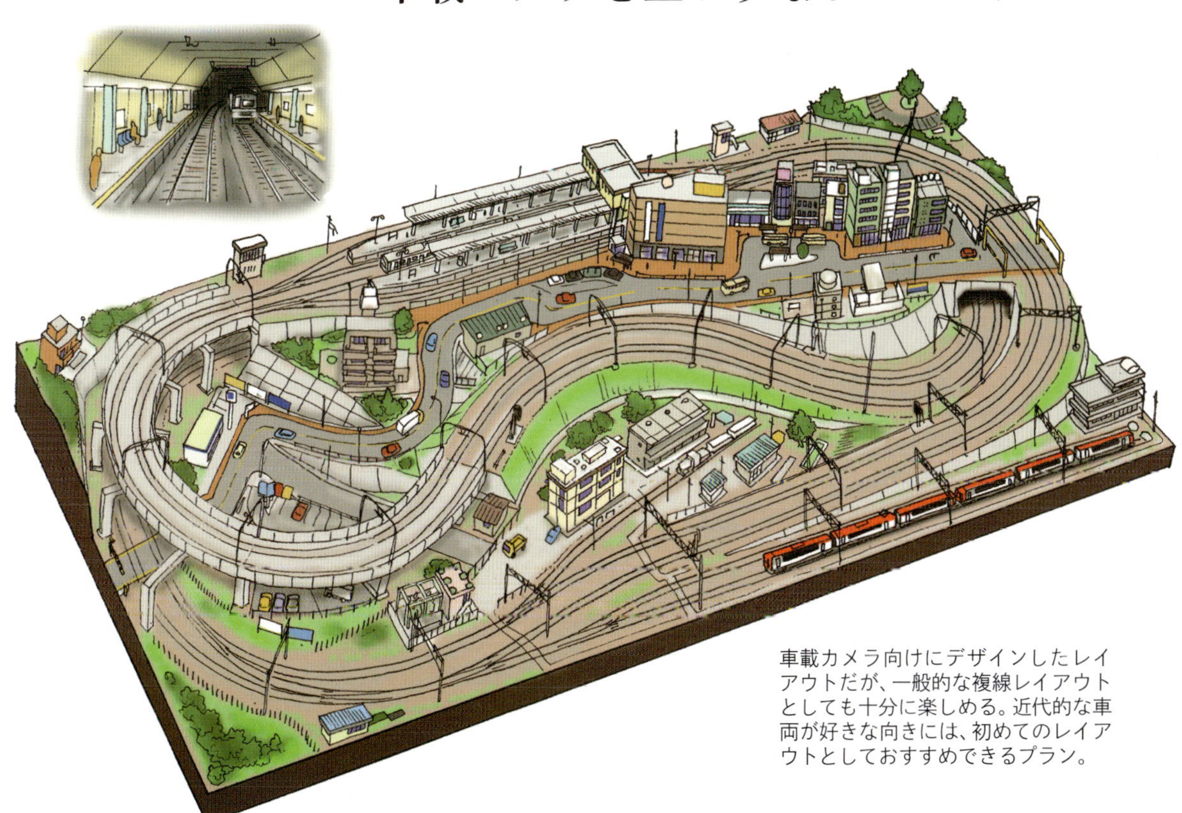

車載カメラ向けにデザインしたレイアウトだが、一般的な複線レイアウトとしても十分に楽しめる。近代的な車両が好きな向きには、初めてのレイアウトとしておすすめできるプラン。

カメラカー向けにカスタマイズ

このプランも以前、カメラカーを走らせて楽しむことを念頭にデザインしたもの。

カメラカーとはその名の通り、Nゲージの車両に超小型の車載ビデオカメラを組み込んだもので、実物の運転士さながらに、走る列車からの前方眺望をモニターで見ながら運転できます。大手NゲージメーカーのＴＯＭＩＸの他、いくつかのブランドから発売されており、またユーザーが車両に組み込むための車載カメラシステムも流通しています。

カメラから見える景色を優先

これらのカメラ搭載車両は、普通のNゲージ車両とほとんど変わらない外観のものもあれば、むきだしのカメラを台車に載せたものもあります。画質や通信状態を第一に考えるなら、車両としての外観は度外視した方が有利です。運転士になりきってモニターを注視して運転するなら、自分が「乗務中」の車両の外観を見ることはないわけで、機能一点張りのカメラカーも理にかなっているといえそうです。

同じように、カメラカーを走らせることを前提としたレイアウトには、独自の考え方があってもいいはず。例えば遠くに部屋の照明器具や壁、本物の人が写り込んでは興醒めですから、四方を背景板で囲む工夫があってもいいでしょう。普通の鑑賞方法を犠牲にしても、車載カメラの視界を優先した線路配置やシーナリー作りが求められると考えられます。

迫力の離合シーンを楽しむ

前置きが長くなりましたが、ざっとこんなことを考えながらデザインしたのがこのプランです。

カメラカーの視点からは、対向列車との迫力ある離合シーンが楽しめるはずと考え、全線複線として、周回距離を長くとるために8の字を折り畳んだ形のエンドレスを定尺サイズに収めています。

これぐらいの大きさのレイアウトではとかく、同じ方向のカーブが連続する傾向があります。車載カメラから見るとこれが強調されますので、意識的に逆向きのカーブを取り入れています。

基本的にカメラカーは内側線を走行させ、外側線を対向列車が走ります。外側線にのみ接続するヤードがあるのは、対向列車を取り替えて楽しむためです。駅には内回り、外回り線ともに追い抜きのできる側線を設け、ときにはカメラカーを停車させ、別の列車が追い抜いていく映像を楽しむこともできます。なお内回り線から渡り線を通ってカメラカーをヤードに入れることもできます。

車載カメラという「目」を意識して

レイアウトの背面からのみアクセスできる位置に地下駅を設けるのも特徴で、これは車載カメラならではのお楽しみというわけです。沿線数カ所に自動式信号機を設置するのも、カメラを通して見た際のリアルさを意識した結果です。

レイアウトプランを考える場合、どこから見るかを意識することは大事です。車載カメラという「目」を意識することで、そのことを再確認した次第。

なお本プランは普通に複線ロングラン向けとしても活用していただけます。その場合は地下駅は割愛してもかまいません。

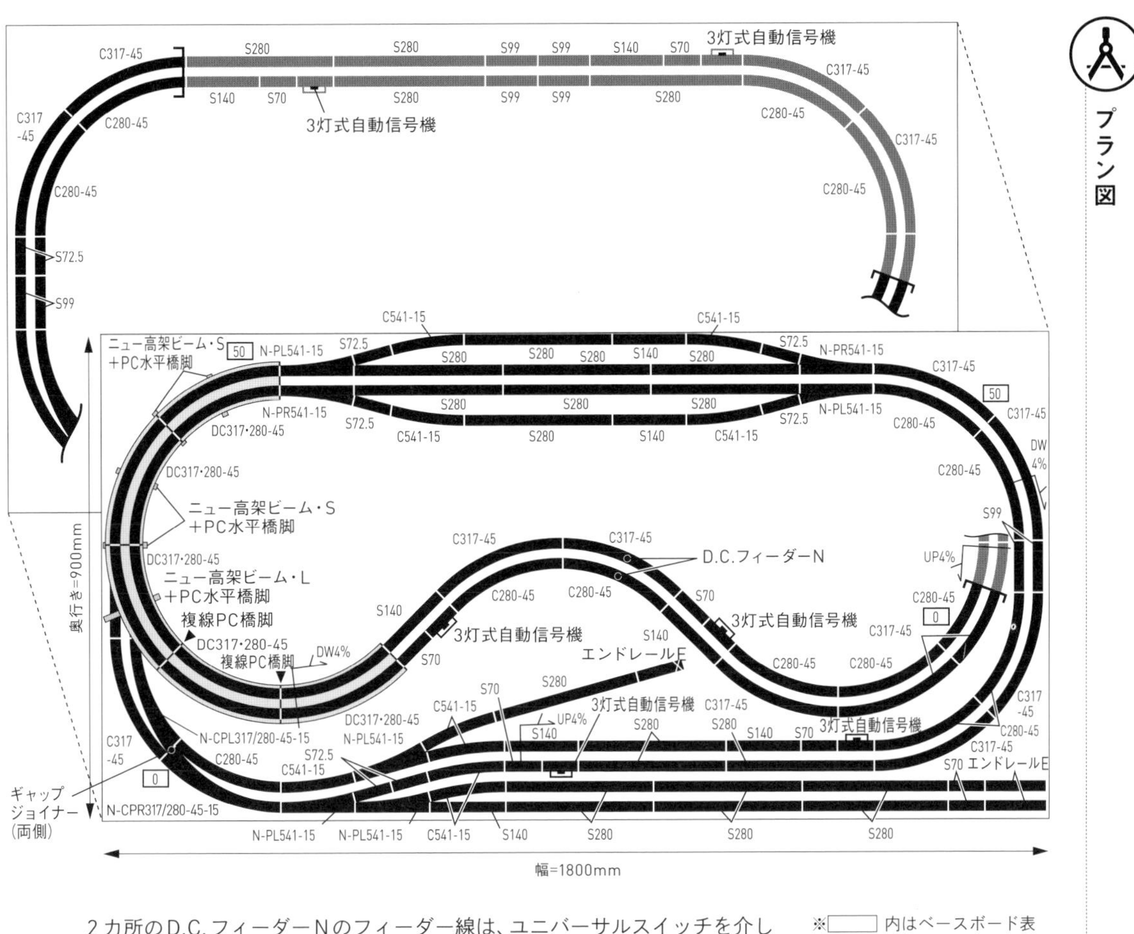

2カ所のD.C.フィーダーNのフィーダー線は、ユニバーサルスイッチを介し2台のパワーパックに接続する。ヤード内の運転は通常、外側線用のパワーパックで行うが、ユニバーサルスイッチを切り換えれば、内側線用のパワーパックを使ってヤードから渡り線を経由し内側線へ列車を進入させられる。

※□内はベースボード表面からの線路高

使用線路部品リスト（TOMIXファイントラック）

略号	部品名	数量
S280	ストレートレールS280（F）	22
S140	ストレートレールS140（F）	9
S99	ストレートレールS99（F）	8
S72.5	ストレートレールS72.5（F）	8
S70	ストレートレールS70（F）	8
C280-45	カーブレールC280-45（F）	14
C317-45	カーブレールC317-45（F）	14
C541-15	カーブレールC541-15（F）	9
DC317・280-45	複線カーブレール DC317・280-45（F）	5
N-PR541-15	電動ポイントN-PR541-15（F）	2
N-PL541-15	電動ポイントN-PL541-15（F）	5

略号	部品名	数量
N-CPL317/280-45-15	電動カーブポイント N-CPL317/280-45-15（F）	1
N-CPR317/280-45-15	電動カーブポイント N-CPR317/280-45-15（F）	1
	エンドレールE（F）	3
	3灯式自動信号機	6
	ニュー高架ビーム・S	4
	ニュー高架ビーム・L	1
	PC水平橋脚	10
	複線PC橋脚	2
	D.C.フィーダーN	2
	ギャップジョイナー	2（1組）

大きさ ▸▸▸ 1800×900ミリ
使用レール ▸▸▸ KATOユニトラック

Layout Plan 27

国鉄亜幹線をテーマにした中級プラン

定尺サイズのレイアウトのテーマとして好適な国鉄時代の亜幹線を扱い、運転面とシーナリー面のバランスがとれた中級プラン。８の字を折り畳んだ形の単線エンドレスに駅と信号場を配し、雄大な山岳風景の中を行き交う列車の姿が堪能できる。

- 曲線半径：最小R249
- 使用ポイント：ユニトラック４番
- 勾配：４％
- 停車場有効長：20m級車両５両編成に対応
- テーマ：国鉄の非電化亜幹線
- 時代設定：昭和30年代
- 季節設定：夏
- 想定走行車両：気動車列車、蒸気機関車およびディーゼル機関車牽引の貨物列車、客車列車
- 特記事項：DCCを導入して実物風の運転を楽しむことも可能

製作難易度 ★★★★☆

旧国鉄の非電化亜幹線をテーマに、緑豊かな山並みと渓谷、わずかな平地に作られた田畑などで風景を構築。思いきって線路を隠すことにより、限られたスペースながら雄大な風景を演出するとともに、運転する際の面白さも狙っている。２つの列車交換設備のうち、片方は客扱いを行わない信号場で、山間に設置されていても不自然ではない。

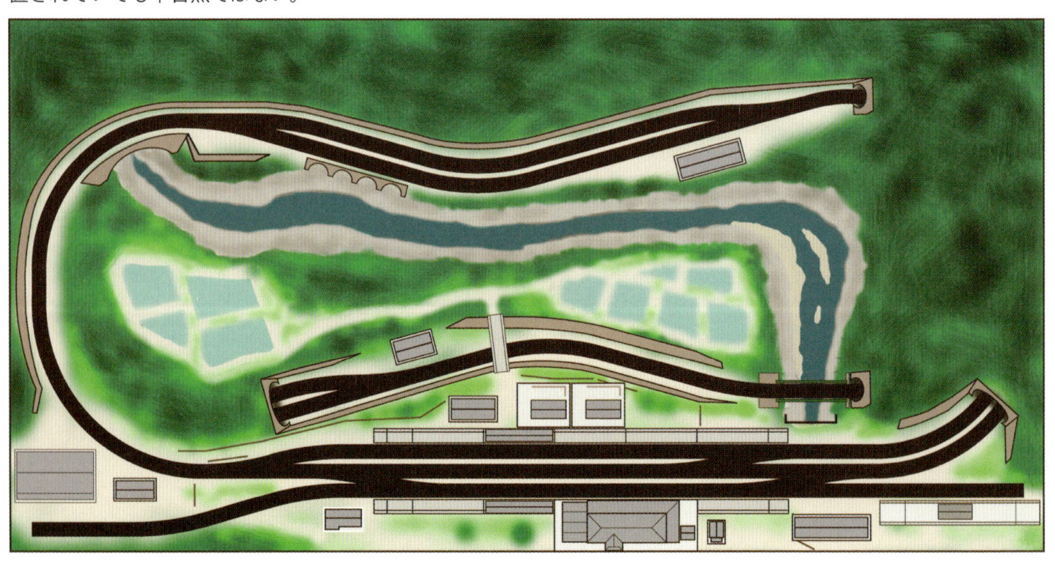

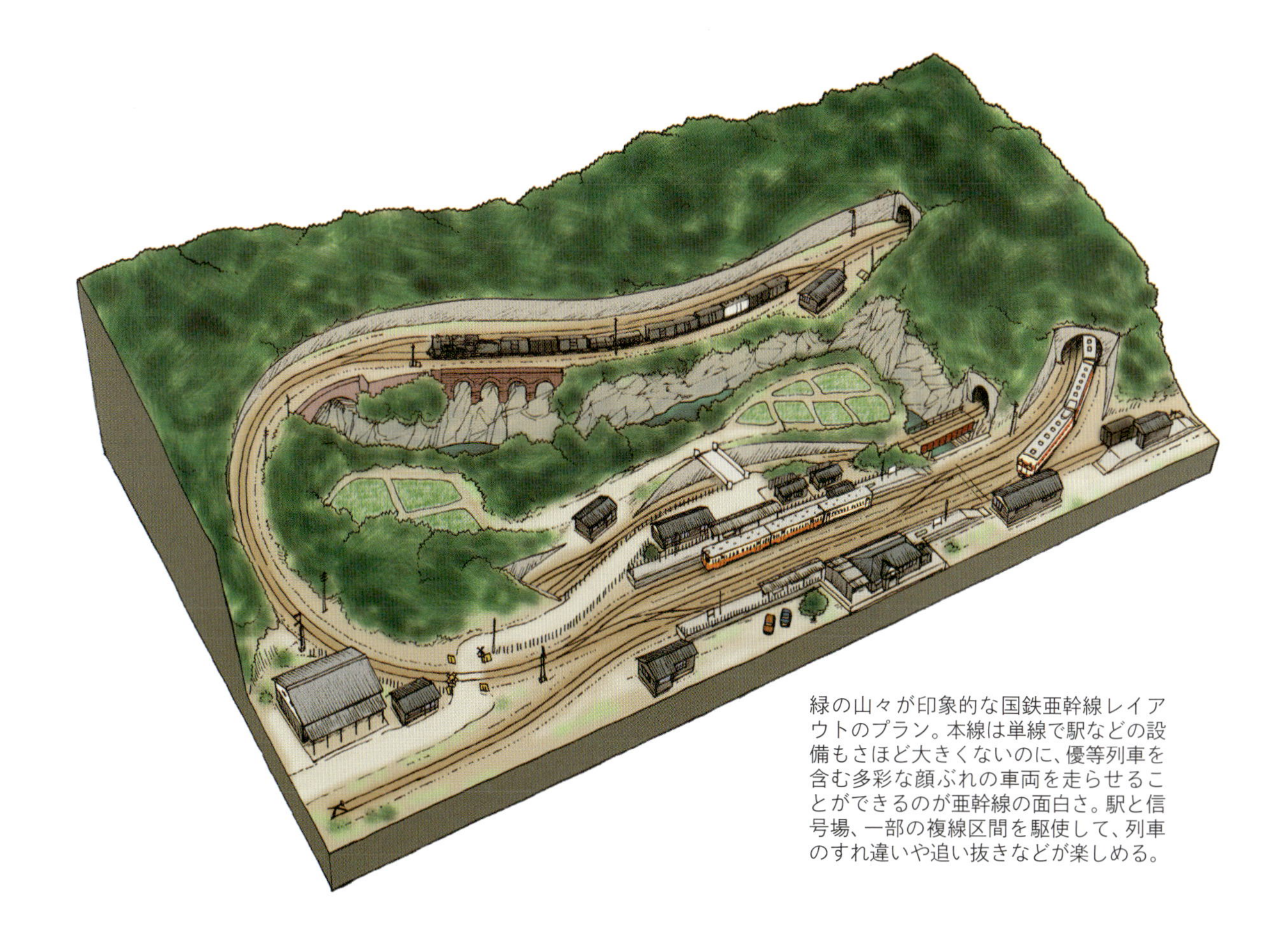

緑の山々が印象的な国鉄亜幹線レイアウトのプラン。本線は単線で駅などの設備もさほど大きくないのに、優等列車を含む多彩な顔ぶれの車両を走らせることができるのが亜幹線の面白さ。駅と信号場、一部の複線区間を駆使して、列車のすれ違いや追い抜きなどが楽しめる。

深い山岳地帯と濃い緑を切り裂いて走る単線路線に胸が躍る！

山の下には列車を停めておける「隠しヤード」が収められている。限られたスペースで、バラエティ豊かな車両を運転して楽しむには重宝するしかけ。

川沿いに作られた信号場。単線区間での列車のすれ違いや追い抜きに使われる停車場の一種だが、客扱いは行わずホームもない。

蛇行する川に沿ってわずかに開けた土地には、江戸時代に隠し田として作られたという水田が。季節は夏、青々と茂った稲が揺れて、行き交う列車に手を振っているかのよう……。

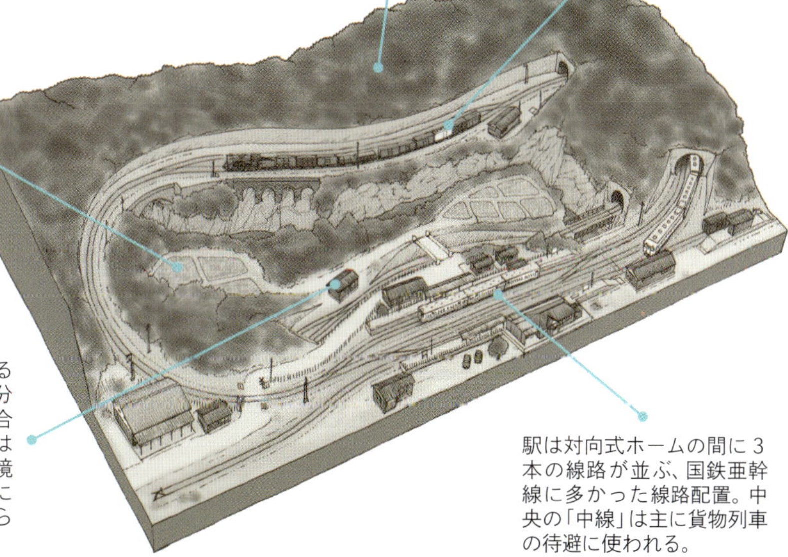

かなりの頻度で列車が走る亜幹線では、早くから部分的に複線化されていた場合もあった。CTCの時代ではないので、単線と複線の境界となるポイントの近くには必ず信号扱い所が設けられていた。

駅は対向式ホームの間に3本の線路が並ぶ、国鉄亜幹線に多かった線路配置。中央の「中線」は主に貨物列車の待避に使われる。

国鉄亜幹線はモデラーの古い友だち

戦前の日本の鉄道では、「幹線」とは大陸への船便が発着する下関と首都東京を結ぶルート、すなわち東海道本線と山陽本線のことでした。

それ以外の主要路線、急行が走る○○本線はみんな「亜幹線」だったわけですが、これらは昭和30年代になっても一部しか電化されず、単線区間も多く残っていました。モデリングの対象として見ると限られたスペースでも再現しやすい一方、優等列車も含む多彩な車両を走らせることができるので好まれ、国鉄亜幹線をテーマにしたレイアウトが多く作られてきました。

8の字を折り畳んだ形の単線エンドレスに、国鉄時代の雰囲気を漂わせる駅と信号場を配し、一部を複線とした線路配置を緑の山々をバックにした日本的風景の中に収めれば、さまざまな列車が行き来する亜幹線が再現できます。

隠しヤードを効果的に使う

線路の多くを思い切ってトンネルで隠したのは、雄大な山岳風景を演出する目的もありますが、列車を留置しておくための「隠しヤード」を設けるためでもあります。

こういう仕掛けは好みが分かれるところでしょうが、山の中に忽然とヤードを出現させるよりも理にかなっていると思います。列車がグルグル走り回るという、現実にはありえない現象をリアルに見せるマジックこそ、レイアウトの醍醐味ともいえるのです。

この隠しヤードに急行、普通、貨物列車など各種の列車を留置しておき、入れ替わりに舞台上に登場させるのが運転の基本です。さらに高度な運転として、急行列車を手放しで周回させておき、タイミングよく待避しながら対向列車を運転するやり方なども考えられます。

スリリングな運転の妙

まず隠しヤードから急行（キハ58系あたり？）を反時計回りに発車させます。カーブや勾配が連続する上、タブレット授受の必要もある単線区間では、急行もスピードは出せませんので、ゆっくりでOK。続いて普通列車を時計回りに発車させ、複線区間を進んでトンネルを抜け、手前の駅で停車させます。やがて前方からやってきた急行をやり過ごしてから再び発車、今度は単線区間を走って川沿いの信号場に到着。待避してもう一度、急行をやり過ごしてから発車し、トンネルをくぐって鉄橋を渡り、反対方向から急行がやってくる前に複線区間に入り、隠しヤードに着きます。これが運転のひとつのサイクルです。

同様に、急行の後を追いかける形で普通列車を走らせ、駅や信号場で後ろからやってくる急行を先に行かせながら運転する方法も考えられます。

DCCの導入を

このような運転には、複数の列車を同一線路上で走らせることができるDCC（デジタル・コマンド・コントロール）が最適です。一つ間違えば衝突さえ起こしかねない緊張感の下、時計仕掛けのように運行される鉄道のエッセンスを再現する、高度な遊び方といえます。

せっかく作るレイアウト、完成後の楽しみ方も追求したいものですね。

プラン図

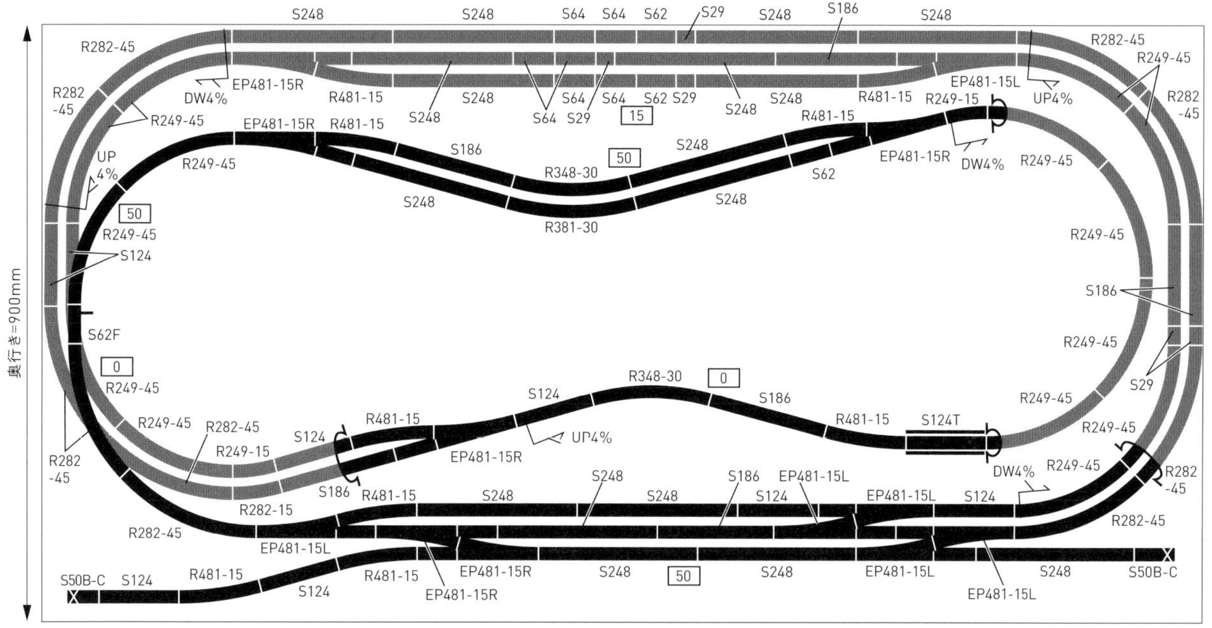

トンネル内には最大３本の列車を留置しておくことが可能で、シンプルな見た目に対して複雑な運転ができる。なお線路高低差は０～50mmだが、川の部分を掘り下げる必要から、木製のパネル上にスチレンボードなどを重ねて嵩挙げした面を基準面（高さ０mm）とするとよい。

※□内は基準面からの線路高
※無印の線路は４番ポイント付属の補助線路（S60）

使用線路部品リスト（KATOユニトラック）

略号	部品名	数量
S248	直線線路248mm	17
S186	直線線路186mm	7
S124	直線線路124mm	8
S64	直線線路64mm （電動ポイント４番に付属）	6
S62	直線線路62mm	3
S62F	フィーダー線路62mm	1
S50B-C	車止め線路C 50mm	2
S29	端数線路29mm	5
R249-45	曲線線路R249-45°	14

略号	部品名	数量
R249-15	曲線線路R249-15°	2
R282-45	曲線線路R282-45°	10
R282-15	曲線線路R282-15°	1
R348-30	曲線線路R348-30°	2
R381-30	曲線線路R381-30°	1
R481-15	曲線線路R481-15° （電動ポイント４番に付属）	9
EP481-15L	電動ポイント４番（左）	6
EP481-15R	電動ポイント４番（右）	6
S124T	単線デッキガーダー鉄橋（緑）	1

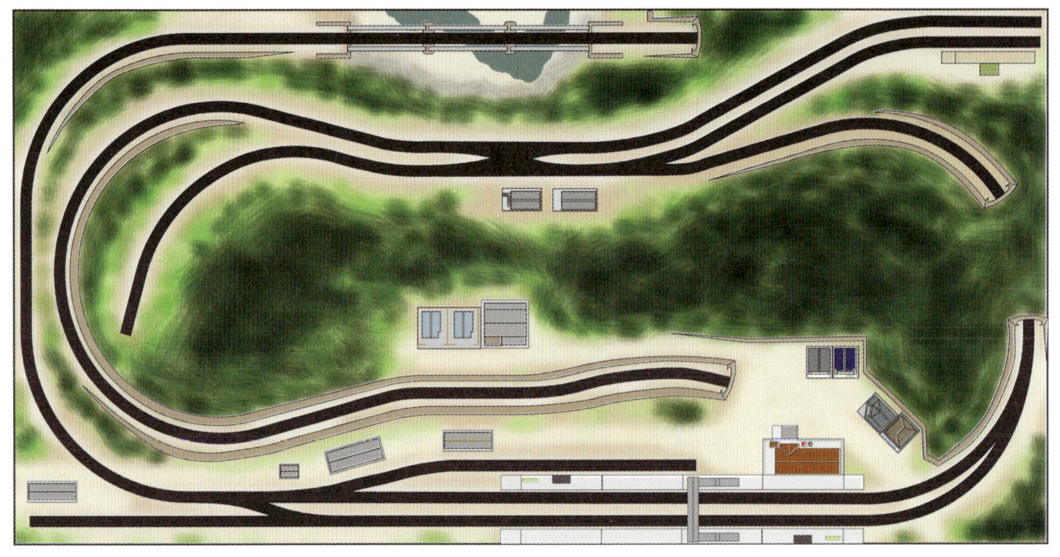

表側(図の下側)は山麓の小駅を中心にした穏やかな風景、裏側(図の上側)はスイッチバック式の信号場と鉄橋を中心にした雄大な風景が展開する。

Layout Plan 28

スイッチバックを中心に雄大な山岳風景を

山中に設けられたスイッチバック式の信号場を中心に、雄大な山岳風景を楽しむ定尺プラン。表側と裏側で異なる風景が展開し、さまざまな方向からの眺めを楽しめるのも特徴だ。

大きさ ▸▸▸ 1800×900ミリ
使用レール ▸▸▸ TOMIXファイントラック

- 曲線半径：最小R280
- 使用ポイント：電動ポイントN-PR541-15、電動ポイントN-PL541-15、電動ポイントN-PX280、電動カーブポイントN-CPR317/280-45
- 勾配：３％
- 停車場有効長：20m級車両６両編成に対応
- テーマ：山岳地帯を走る亜幹線とスイッチバック停車場
- 時代設定：昭和30年代
- 季節設定：夏
- 想定走行車両：蒸気機関車牽引の貨物列車、気動車列車
- 特記事項：表側と裏側で異なる風景が展開する全方位形デザイン

この信号場では客扱いをしないが、付近の数少ない住民のために木製の小さなホームが設けられている。簡易乗降場として扱われ、1日に数回、気動車が停車する。

駅前には小さな商店が肩を寄せ合うようにして並ぶだけ。1軒は駅弁を商う店で、ホームでの立ち売りはなかなかの売り上げを誇るとか。

山麓の駅は規模は小さいものの、峠越えの前後で機関車に給水するためにほとんどの列車が停車する設定。ホームは短く、特急や急行ははみ出してしまうので、一部の車両は扉を閉め切ったまま。

2本の待避線を持つ山岳スイッチバック停車場。停車する列車は行き止まり式の側線に入り、発車の際は反対側の側線にバックしてから再び本線へに進む。平坦な場所でなければ発車が難しい蒸気機関車の時代には、勾配線区に多く見られた施設。

かつて見られた蒸気機関車による山岳でのスイッチバックを再現！

蛇行する渓谷にかかる3連のデッキガーダー橋。切り立った崖をバックに列車が渡る光景は、高山本線や土讃線を思い起こさせる。

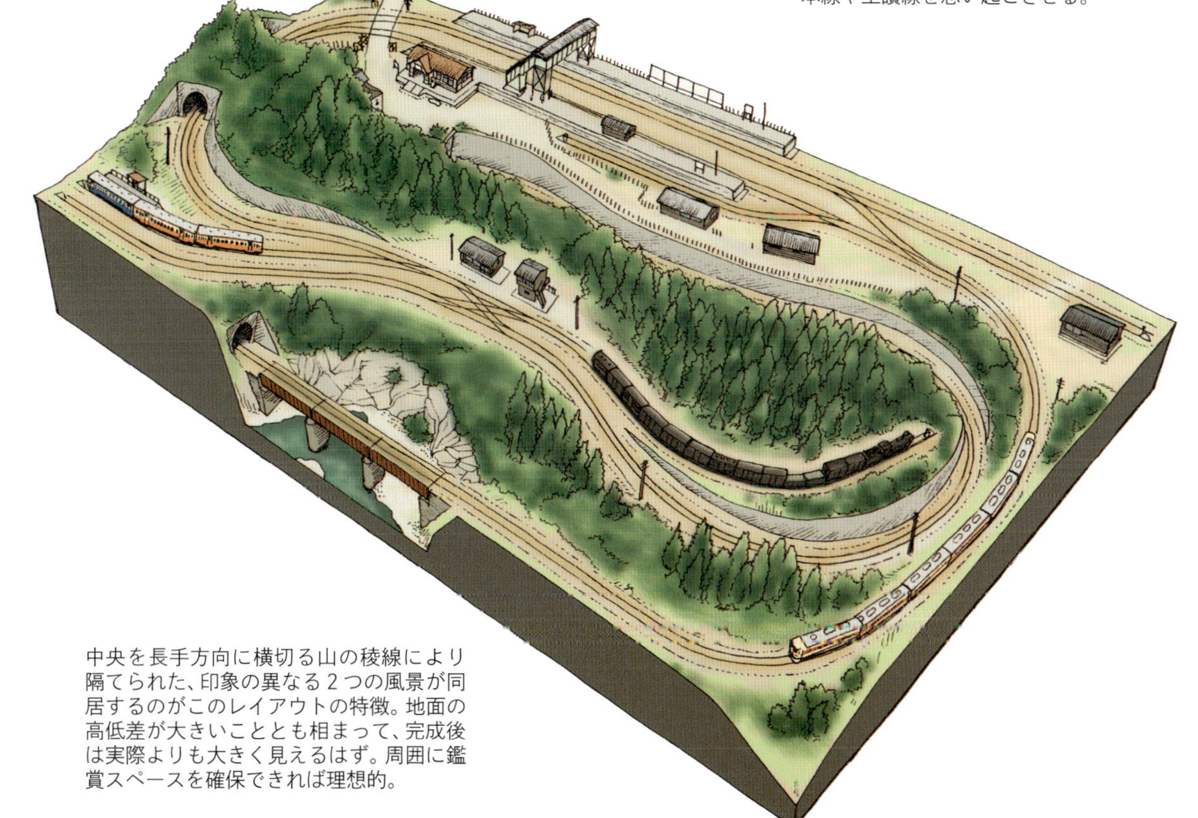

中央を長手方向に横切る山の稜線により隔てられた、印象の異なる2つの風景が同居するのがこのレイアウトの特徴。地面の高低差が大きいこととも相まって、完成後は実際よりも大きく見えるはず。周囲に鑑賞スペースを確保できれば理想的。

雄大な山岳スイッチバック

スイッチバックとは、営業列車が前進と後退を繰り返して走る運転方法、もしくはそのような線路配置のこと。昭和30年代の国鉄亜幹線にはスイッチバック式の停車場が多く存在しました。

単線で多くの列車をさばくため、人里離れた山中にも列車交換(すれ違い)用として多くの信号場(客扱いをしない停車場)が作られましたが、蒸気機関車は上り坂の途中で停止してしまうと発車するのが難しく(自動車の坂道発進と同じ原理ですね)、そのため本線から分岐した行き止まり式の平坦な側線に停車場を設け、これと対になる形でやはり平坦な引き上げ線を設置した、スイッチバック方式が広く採用されたのです。

長い列車が行き止まりの線路に突っこむようにして停まり、それからソロソロとバックでポイントを渡って駅に入っていくのは独特の緊張感があって面白いもの。それ自体が雄大な情景でもある山岳地帯のスイッチバックを中心にしたプランを考えてみました。

裏と表で別のシーンを表現

このプランでは表と裏とで2つの異なるシーンが展開するのが特徴。それぞれの背景の役割を果たす山の稜線が、レイアウトの中心を横切っていています。

山麓の駅は、山越えにかかる手前の平野部最後の駅で、特急も停車する設定。列車はこの駅で燃料と水の補給を受け、万全の態勢で山越えに挑みます。ホームは3面で、うち1面はこの駅で折り返すディーゼルカー用の行き止まりの線路に面しています。

レイアウト最大の見せ場となるのが信号場のスイッチバック。山裾をめぐるようにして線路が交錯する、迫力ある風景が展開します。

さまざまな種別の列車が走る

このレイアウトではスイッチバックで貨物列車や普通列車が待避して、特急や急行を通過させる運転が基本です。3本程度の列車を置いておくのが適当でしょう。

優等列車としてはキハ82系やキハ181系の特急、キハ58系の急行などが似合います。優等列車はスイッチバックの信号場には停まらないので、駅の側線に入る長さならOKです。

普通列車として走らせるのはD51牽引の貨物列車や、DD51やDF50の牽く客車列車などはいかがでしょう。スイッチバックの待避線に入りきる長さに編成します。さらに2連程度のディーゼルカーを、駅の行き止まりホームから出発させ、スイッチバック停車場のはずれにある乗降場の間で折り返します。

なおこのレイアウトは、四方のうち少なくとも三方に鑑賞スペースを設けるのが前提です。長手方向を壁際に寄せる場合に比べスペースを要しますが、キャスター付きの台上に設置して、運転しないときは片付けておくようにしてもいいでしょう。

仲間とコーヒーでも飲みながらレイアウトを囲んで運転するのも楽しいことでしょう。優等列車、普通列車それぞれの運転担当、駅担当、信号場担当などと役割分担し、運転順序を決めて走らせるのも面白いと思いますよ。

プラン図

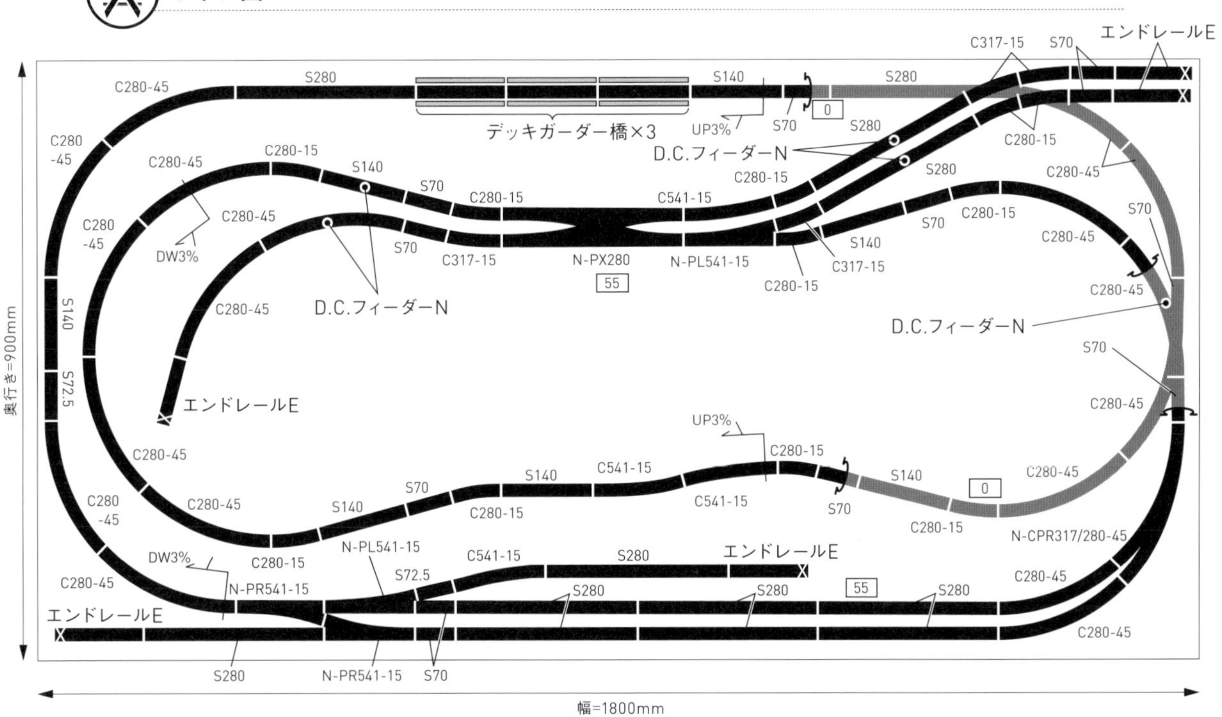

5カ所にD.C.フィーダーNが使用されているのは、両渡り線(PX280)にギャップが設けられているためで、それぞれのフィーダー線は、複数の分岐コード(D.C.フィーダー用)などを使ってまとめ、1台のパワーパックに接続する。

※□内はベースボード表面からの線路高

使用線路部品リスト(TOMIXファイントラック)

略号	部品名	数量
S280	ストレートレールS280 (F)	12
S140	ストレートレールS140 (F)	7
S72.5	ストレートレールS72.5 (F)	2
S70	ストレートレールS70 (F)	12
C280-45	カーブレールC280-45 (F)	18
C280-15	カーブレールC280-15 (F)	11
C317-15	カーブレールC317-15 (F)	4
C541-15	カーブレールC541-15 (F)	4

略号	部品名	数量
	エンドレールE (F)	5
	デッキガーダー橋 (赤) (F)	3
N-PR541-15	電動ポイントN-PR541-15 (F)	2
N-PL541-15	電動ポイントN-PL541-15 (F)	2
N-CPR317/280-45	電動カーブポイント N-CPR317/280-45 (F)	1
N-PX280	電動ポイントN-PX280 (F)	1
	D.C.フィーダーN	5

大きさ ▸▸▸ 1800×900ミリ
使用レール ▸▸▸ KATOユニトラック

Layout Plan 29

- 曲線半径：標準R282、最小R249（隠し側線）
- 使用ポイント：ユニトラック４番
- 勾配：最急4％
- 停車場有効長：20m級車両６両編成に対応
- テーマ：山間を走る国鉄非電化亜幹線
- 時代設定：昭和40年代初頭
- 季節設定：初夏
- 想定走行車両：気動車、ディーゼル機関車牽引の客車列車、蒸気機関車牽引の貨物列車
- 特記事項：シーナリーの一部はメンテナンス用に取り外し構造とする

大カーブの愉楽

本来はポイントと組み合わせて使う曲線レールを、本線上で連続させることで大カーブを実現。築堤上を走る列車の編成美が楽しめる定尺サイズのプラン。

タタミ１畳分にあたる定尺サイズのベース上に展開するのは、緑豊かな山間部を走る国鉄亜幹線。エメラルドグリーンの水が流れる谷川をとりまく丘陵をひとまたぎする築堤は、緩やかなカーブを描き、その上を国鉄の名車たちが行き来する雄大な光景は、遠方から鉄道ファンが撮影に訪れるほど……。

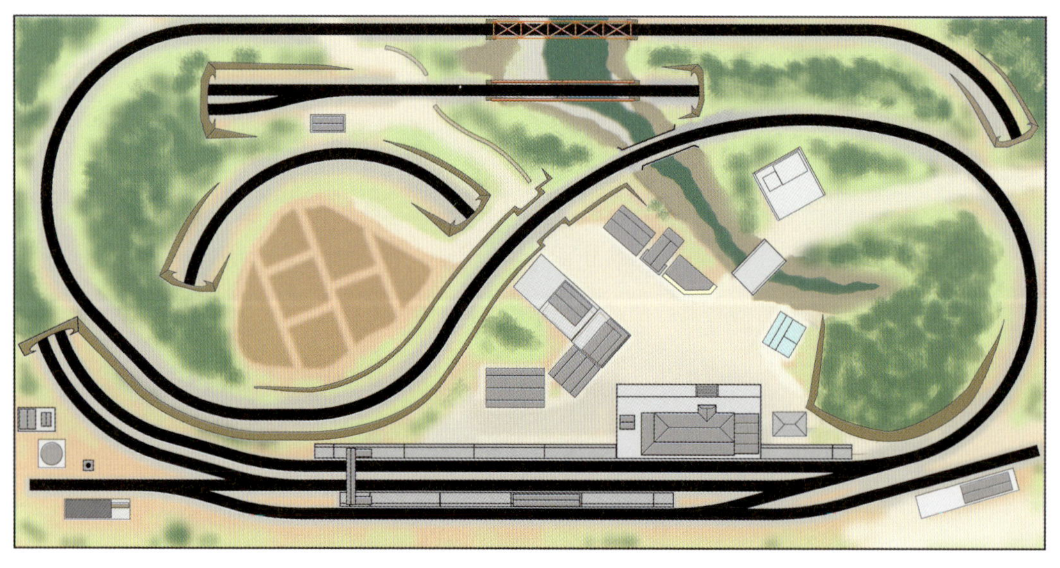

大カーブを走り降りてくる列車の編成美

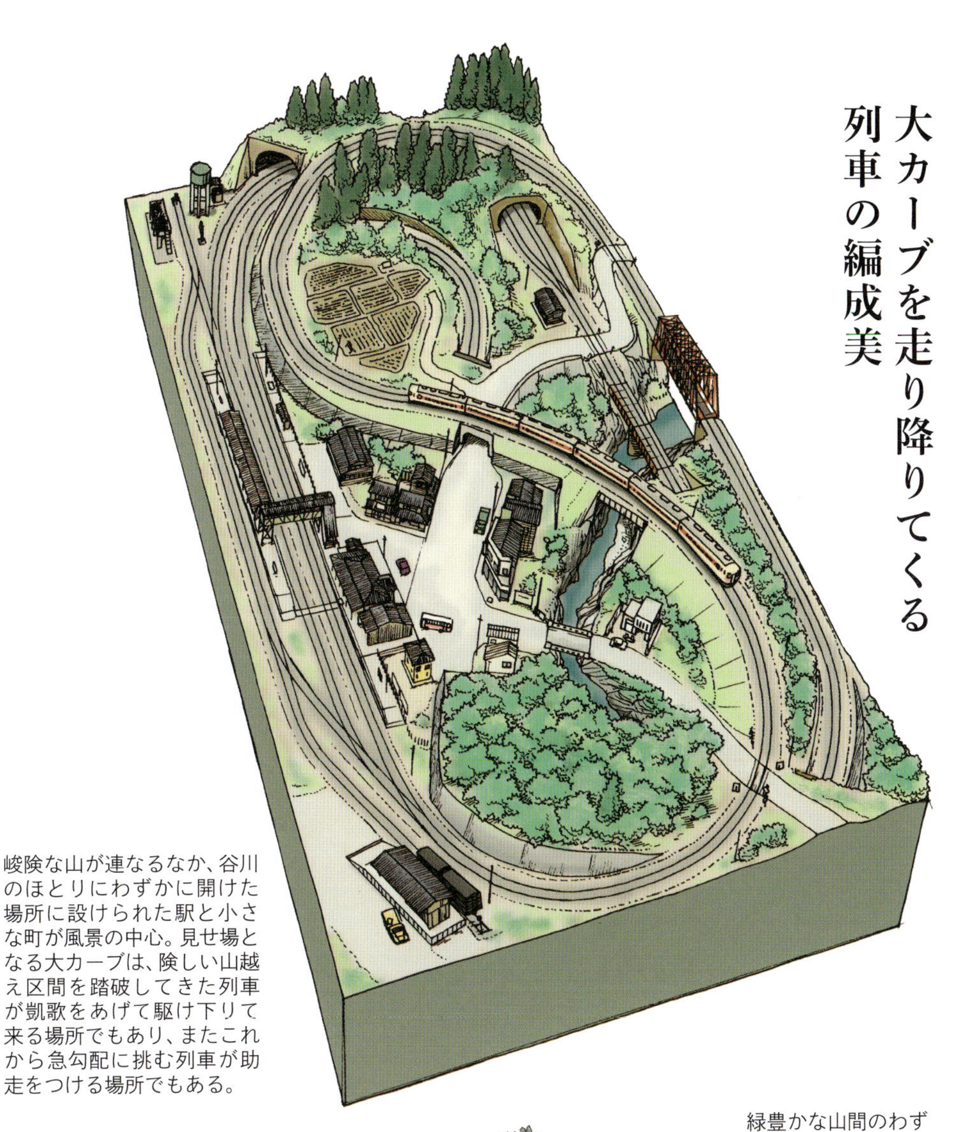

峻険な山が連なるなか、谷川のほとりにわずかに開けた場所に設けられた駅と小さな町が風景の中心。見せ場となる大カーブは、険しい山越え区間を踏破してきた列車が凱歌をあげて駆け下りて来る場所でもあり、またこれから急勾配に挑む列車が助走をつける場所でもある。

この駅では普通列車の一部が折り返すので、機関車が休むための駐泊所が設けられている。

緑豊かな山間のわずかなスペースに作られたささやかな畑。このあたりの主な産業は林業で、わずかな農作物は地元で消費されている。

古めかしい木造の駅舎の前には、これまた古めかしい商店が並び、昔ながらの駅前広場風景を形作っている。

列車の編成美が存分に楽しめる築堤上の大カーブは、このレイアウト最大の見せ場。

駅のホームに面した３本の線路のうち、駅舎からもっとも遠い１本は折り返し列車専用。急行や長い貨物列車が通る本線とは対照的にひなびたたたずまいを見せている。

この丘の表面の一部は取り外せるようにして、下を走っている線路のメンテナンスの便をはかるように。

幾何学的な印象から脱却

レイアウトを作る際、フレキシブルレールではなく、しっかりした道床付きのいわゆるプレハブ線路（この言い方も古いですが）を使えば工作が容易になる大きな利点があります。しかし、ややもすると線形が幾何学的、類型的になりがち……。とはいえ、フレキシブルレールなら自動的に自然な線形になる、というわけではありませんし、特にタタミ1畳ぐらいでは限界があります。

大カーブを見所に

ともあれ、レイアウトプランに見られがちな「硬さ」から脱却すべく、本来はポイントと組み合わせて使う緩やかな曲線半径（R718）を、本線の目立つところに連続して使った、雄大な大カーブを走る列車の編成美を楽しむプランを考えてみました。

舞台は昭和40年代初頭、国鉄時代の非電化の亜幹線とし、一部の複線化が進んでいるという設定です。

駅や側線の有効長は20メートル級6両編成まで対応しています。キハ82系の特急やキハ58系の急行、ディーゼル機関車牽引の客車列車などが「主役」でしょうか。無煙化途上の時代ですから、蒸気機関車牽引の貨物列車を走らせても似合います。

隠しヤードを上手に使う

雄大な風景と運転の面白さをできるだけ両立させるために、トンネル内に列車を留置しておくための、いわゆる「隠しヤード」を設けます。これを上手く使って、中央の大カーブ上をさまざまな列車が行き来するのを鑑賞するのが主たる楽しみ。

駅のいちばん手前の線は折り返し専用で、トンネル内の行き止まりの側線との間を、各駅停車の気動車が往復します。その合間に長編成の直通列車を走らせれば、変化に富んだ運転が楽しめます。もちろん、リラックスムードのエンドレス運転も可能です。

トンネル内の線路は、清掃や脱線時の復旧などのためにアクセスしやすくしておくことが必要です。レイアウトの縁に近い部分には容易に手が届きますが、駅前広場の建物の一部や、丘の地面の一部は取り外し構造にして、下を走っている線路へのアクセス用開口部を設けます。

築堤上の大カーブはとにかくこのレイアウトの見せ場です。周囲はできるだけゆったりした田園風景にして、走る列車の姿が引き立つようにしたいもの。反対に前後の曲線は防風林や切り通しなどで目立たなくして、メリハリをつけるといいでしょう。

その土地のストーリーを考えて

築堤は山中を走る急勾配区間へのアプローチで、その下は、山間を流れる谷川と、その周囲のわずかな平地に広がる人里になっています。駅の前には古びた商店やタクシー営業所、ガソリンスタンドなど、どこにでもある田舎町の風景を再現します。このあたりでは水田は見られず、わずかな畑でとれる農作物も地元で消費され、出荷されることはありません。

町の主な産業は林業で、貨物駅に集積された木材の山や原木を満載したトラックが目立ちます。貨物列車にも木材を積んだ無蓋車を高い比率で組み込めば楽しいでしょう。

プラン図

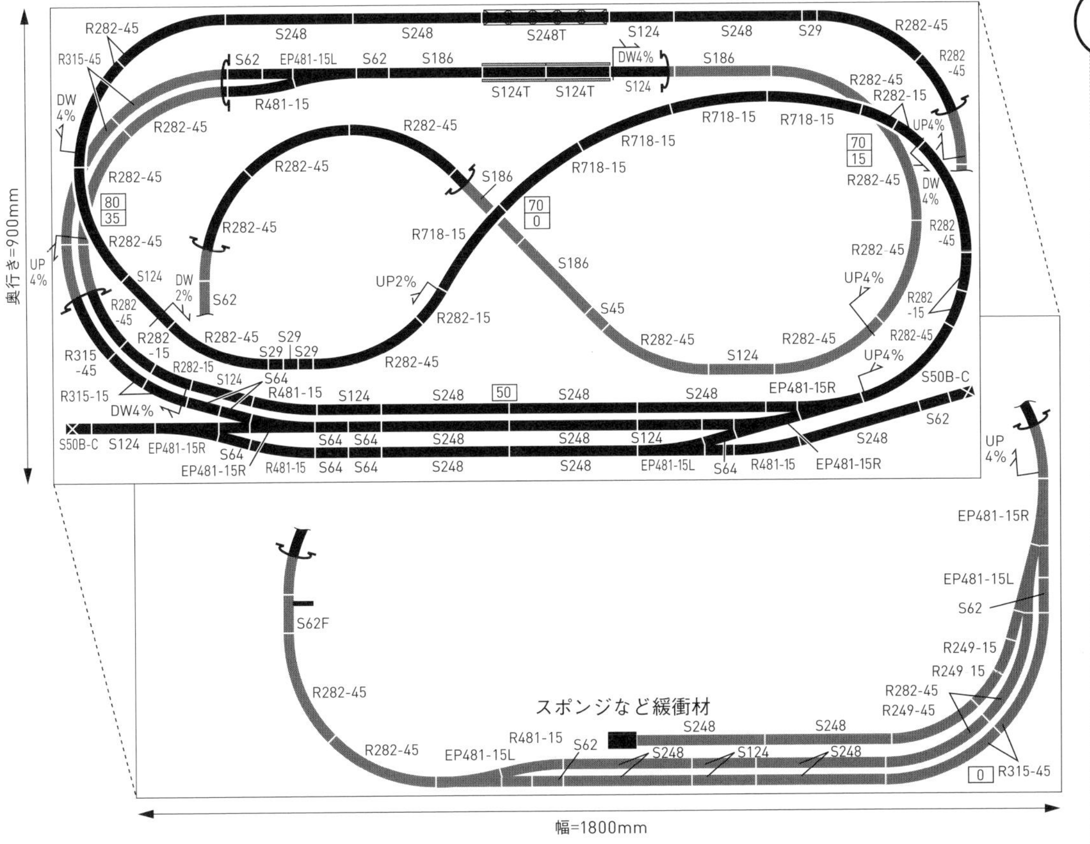

トンネル内に隠された線路が多いのはこのプランの特徴のひとつで、万が一の脱線や集電不良、あるいはレールクリーニングなどのために、線路に手が届くようにしておくことが大切。ほとんどはレイアウト側面からアクセスできるが、一部のシーナリーを取り外し式にする必要も。

※□内はベースボード表面からの線路高
※無印の線路は４番ポイント付属の補助線路（S60）

使用線路部品リスト（KATOユニトラック）

略号	部品名	数量
S248	直線線路248mm	17
S186	直線線路186mm	4
S124	直線線路124mm	10
S64	直線線路64mm (電動ポイント4番に付属)	8
S62	直線線路62mm	6
S62F	フィーダー線路62mm	1
S50B-C	車止め線路C 50mm	2
S45	直線線路 45.5mm (端数線路)	1
S29	直線線路29mm (端数線路)	4
R249-45	曲線線路R249-45°	1
R249-15	曲線線路R249-15°	2

略号	部品名	数量
R282-45	曲線線路R282-45°	24
R282-15	曲線線路R282-15°	7
R315-45	曲線線路R315-45°	5
R315-15	曲線線路R315-15°	2
R481-15	曲線線路R481-15° (電動ポイント4番に付属)	5
R718-15	曲線線路R718-15°	5
EP481-15L	電動ポイント4番 (左)	4
EP481-15R	電動ポイント4番 (右)	5
S248T	単線トラスガーダー鉄橋 (朱)	1
S124T	単線デッキガーダー鉄橋 (朱)	2

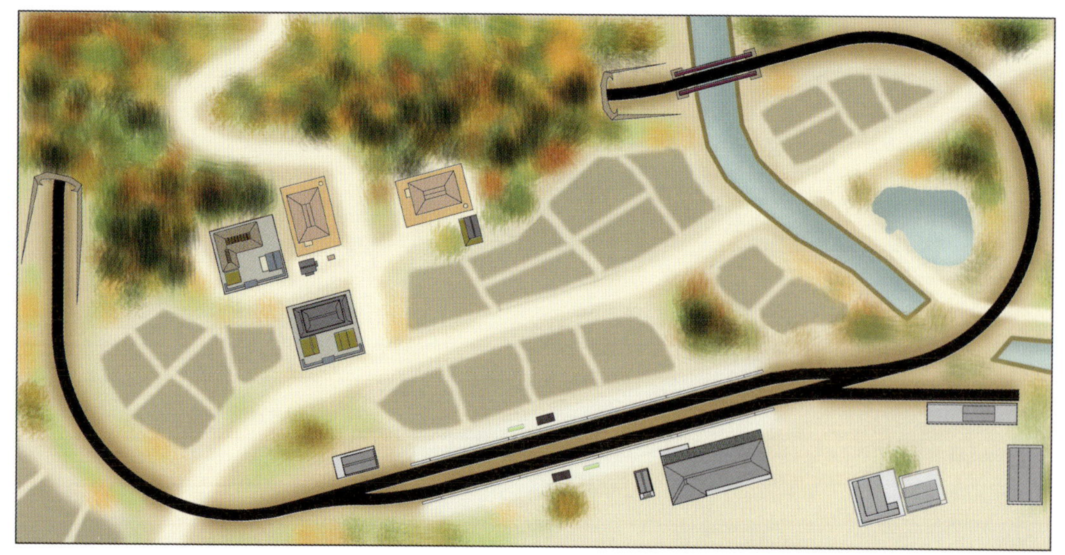

田園地帯の小駅の周囲に田畑が広がり、山のふもとには藁葺き屋根の農家が建つ、伝統的な日本の農村風景を再現したプラン。シンプルな線路配置で、線路の多くを隠すことにより、静かな情景をじっくりと味わえるように配慮している。

伝統的な日本の農村風景を

郷愁を誘う農村風景をテーマに選び、線路配置を極力シンプルにとどめ、しっとりとしたシーナリーを味わうためのプラン。列車がグルグル走り回る気ぜわしさを解消し、ゆったりとした時間の流れを感じさせる工夫も。

大きさ ››› 1800×900ミリ
使用レール ››› TOMIXファイントラック

- 曲線半径：最小R280
- 使用ポイント：電動ポイントN-PR541-15
- 勾配：４％
- 停車場有効長：テンダ蒸気機関車＋18m級客車４両に対応
- テーマ：伝統的な農村風景を走る地方路線
- 時代設定：昭和初期
- 季節設定：秋
- 想定走行車両：蒸気機関車牽引の客車列車、貨物列車、ガソリンカー
- 特記事項：シーナリーを重視し線路配置は極力シンプルに

走りよりもシーナリー優先！昭和初期の農村風景を作り込む

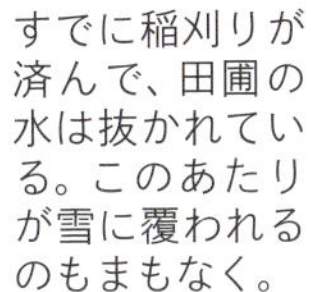

すでに稲刈りが済んで、田圃の水は抜かれている。このあたりが雪に覆われるのもまもなく。

色づいた山の麓には藁葺き屋根の農家が数軒、身を寄せ合うように建っている。電柱は見当たらず、夜は炉の火やランプが頼りであることが伺える。

村を横切る小川は水田への用水路を兼ねている。調整池も稲作地帯には欠かせない。

小さな駅には跨線橋もなく、乗客は小さな踏切を渡って反対側のホームに達する。時代は昭和初期、広々とした駅前広場にはバスやタクシーがいるわけでもなく、がらんとした印象が。

駅構内のはずれにたたずむ農業倉庫と貨物ホーム。つい先週までは新米の出荷でにぎわったが、今はポツンと停まったワムからのんびりと荷下ろしが行われているだけ。

紅葉の美しい山の麓に広がる農村と水田を中心とした、童謡の中に出てくるような風景を再現。線路配置はシンプルだが、列車はトンネルから地下に入って1周することで、次から次へと列車がやってくる気ぜわしさを解消しているのも特徴。深閑とした秋の田園風景を存分にお楽しみあれ。

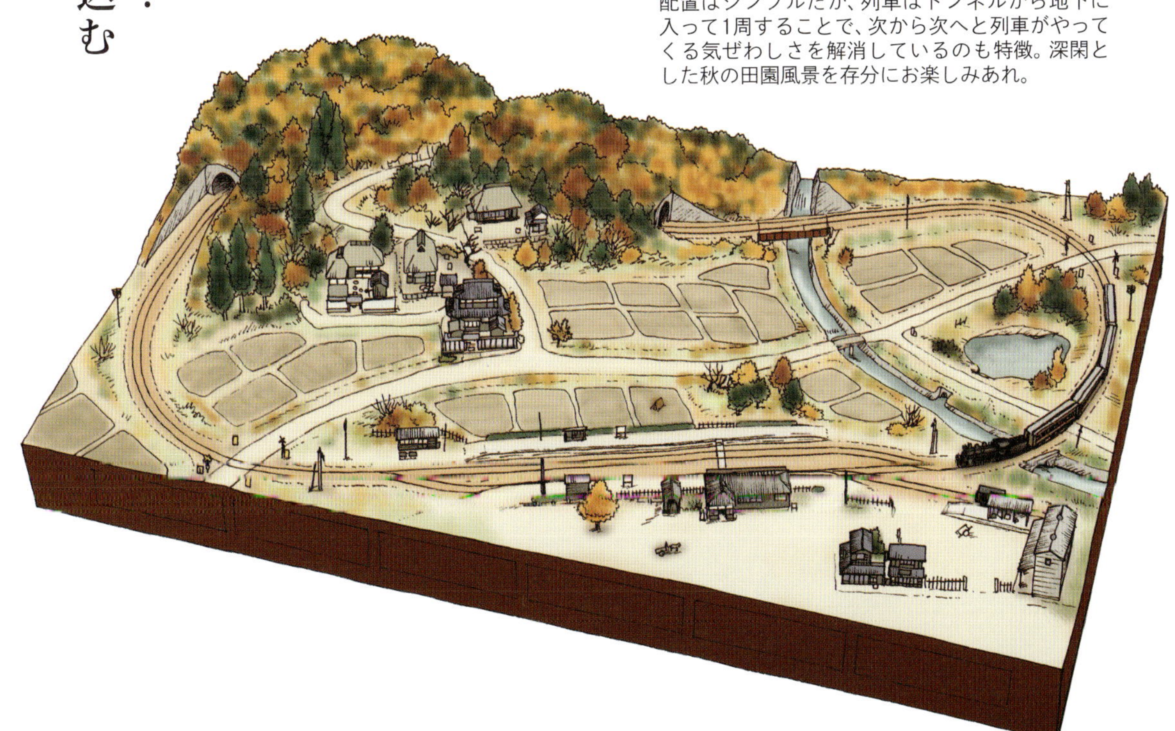

シーナリーを第一に考えてみる

趣味のために好きなだけスペースを割ける幸せな人は別にして、レイアウトを作る際にはさまざまな欲求に優先順位をつけ、選別する作業が必要です。

その際に避けては通れないのが、運転とシーナリーのどちらを重視するかという問題。双方のバランスをうまくとりたいと思いながらも、複雑な運転をしたいがために線路の比重が大きくなり、シーナリーは添え物になってしまう場合も。それでも、完成後に楽しめればいいのですが、すぐに飽きてしまったり、工作が大変で完成に至らなかったりする危険性もあるようです。

童謡に出てきそうな、伝統的な日本の農村風景をテーマに、思い切ってシーナリーを優先してみたのがこのプラン。里山を背に藁葺き屋根の農家がたたずみ、広い田畑の向こうから「きしゃ」がやってくる…、そんなイメージです。

タタミ1畳のスペースに駅と、その前後に伸びる単線の本線を配し、あとのスペースはシーナリーに充て、懐かしい風景を存分に再現する作戦です。

深閑とした静けさを味わいたい

シーナリーを重視して線路を少なくするのはいいとして、列車があまりにも頻繁にやってくるのは考えもの。しっとりした味わい深い風景を作っても、列車がグルグルとせわしなく走り回ったのではいささか興醒めではありませんか。

このようなレイアウトでは、列車が行ってしまったあとの静けさが欲しくなりますし、またその静けさの中を、列車がだんだん近づいてきて、やがて駅に停まり……という、ゆったりした時間の流れを感じさせるようにしたいものです。

走る車両が「消えている」時間を作る

そこで、トンネルの中に消えた本線はレイアウトの「地下」にもぐり、ベースボードをぐるりと1周まわってから、再びトンネルから出てくるような線路配置としました。同じようなことは、例えばトンネル内で列車を一定時間停めておくやり方でも実現できますが、実際に目に見えない「どこか」を列車が走っていて、それが徐々に近づいてくる感じを大切にした次第。

目に見える線路はすべて平坦で、地下へ降りていく勾配はトンネルに入ってから始まりますから、列車は本当に、トンネルを抜けてどこか遠くへ去り、またやってくる感じが出るのではないでしょうか。

工作が面倒と思われるかもしれませんが、トンネル内は組み立てただけで固定しない仮設線路でも十分です。ただしどの部分にもレイアウトの側面から手が届くようにしておくことは必須です。

汽車の走る村のイメージ

時代設定は昭和初期としました。多くの方が思い描く「汽車の走る村」のイメージにもっとも合致するのは、この時代の風景ではないかと思うからです。ストラクチャー類は市販のものでまかなえますが、派手な色のトタン屋根などは雰囲気に合いませんので、塗り替えなどの小加工を施すといいでしょう。

季節の表現も楽しめます。イラストでは紅葉の時期としましたが、桜の咲く季節、新緑の季節など、イメージを膨らませてみてください。

プラン図

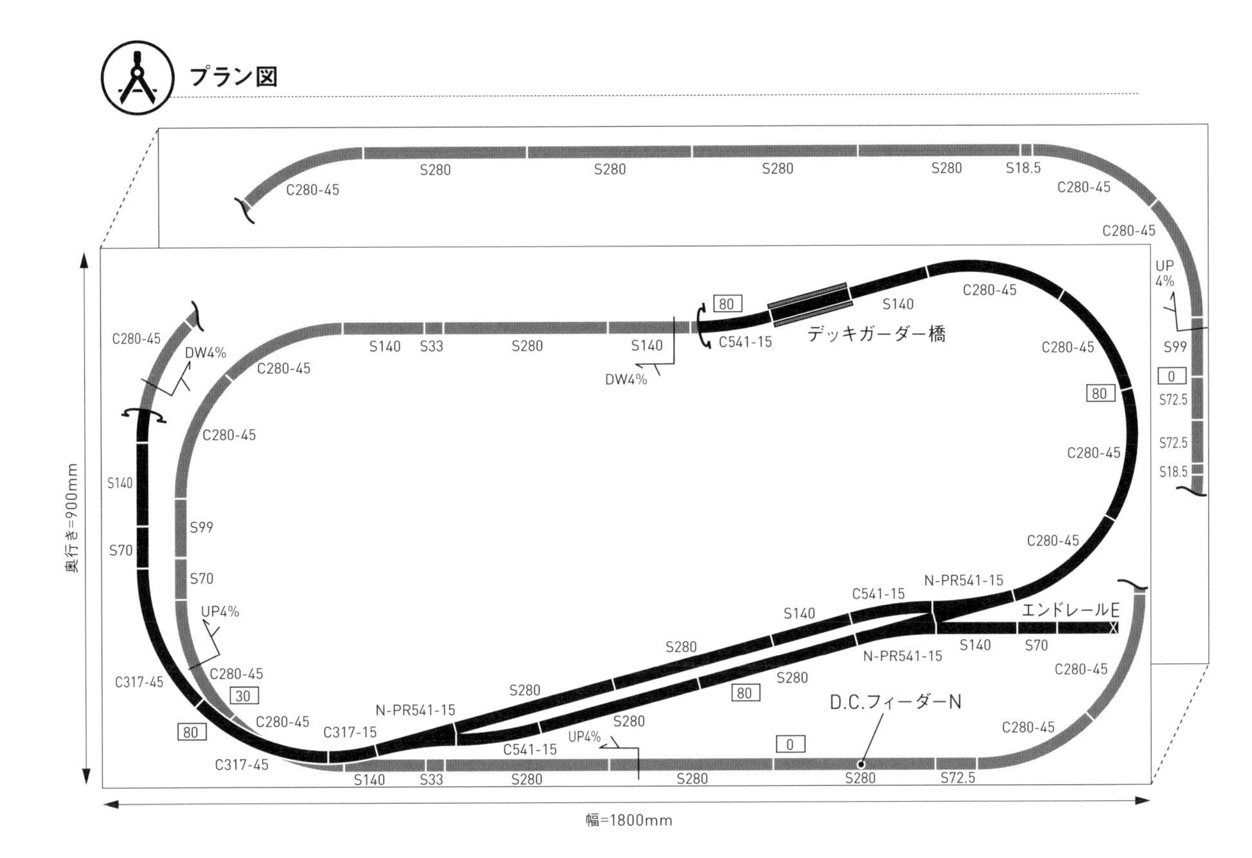

線路はトンネル内で「地下」に進み、ぐるりと1周してから再び地上へ。これにより列車が見えない時間をつくり、深閑としたシーナリーをじっくり味わえるようにする狙い。線路高低差は0～80mmとして、地上に作った川の底が地下部分を走る列車に干渉したりしないよう、十分なクリアランスを確保している。

※□内はベースボード表面からの線路高

使用線路部品リスト（TOMIXファイントラック）

略号	部品名	数量
S280	ストレートレールS280 (F)	12
S140	ストレートレールS140 (F)	7
S99	ストレートレールS99 (F)	2
S72.5	ストレートレールS72.5 (F)	3
S70	ストレートレールS70 (F)	3
S33	端数レールS33 (F)	2
S18.5	端数レールS18.5 (F)	2
C280-45	カーブレールC280-45 (F)	14

略号	部品名	数量
C317-45	カーブレールC317-45 (F)	2
C317-15	カーブレールC317-15 (F)	1
C541-15	カーブレールC541-15 (F)	3
N-PR541-15	電動ポイントN-PR541-15 (F)	3
	エンドレールE (F)	1
	デッキガーダー橋 (赤) (F)	1
	D.C.フィーダーN	1

Layout Plan 31

大きさ ››› 1800×900ミリ
使用レール ››› KATOユニトラック

- 曲線半径：標準R282
- 使用ポイント：ユニトラック４番
- 勾配：最急４％
- 停車場有効長：機関車＋２軸運炭貨車10両編成に対応
- テーマ：筑豊炭田を走る運炭路線
- 時代設定：昭和30年代
- 季節設定：夏
- 想定走行車両：蒸気機関車牽引の運炭列車、貨物列車、気動車
- 特記事項：３本の列車を置いて交互に走らせることが可能

炭鉱地帯を行く運炭鉄道 全盛期のムードを再現

九州の筑豊炭田をイメージした定尺サイズのプラン。竪坑のヤグラやボタ山、炭住と呼ばれた職員住宅など、炭鉱の風物を盛り込み、石炭が国を支えるエネルギー源だった時代の活気をNゲージの世界に再現。

石炭がエネルギー産業の中心だった昭和30年代の炭鉱地帯を走る鉄道がテーマ。竪坑のヤグラやボタ山、炭住などを擁する特徴ある風景を構成している。

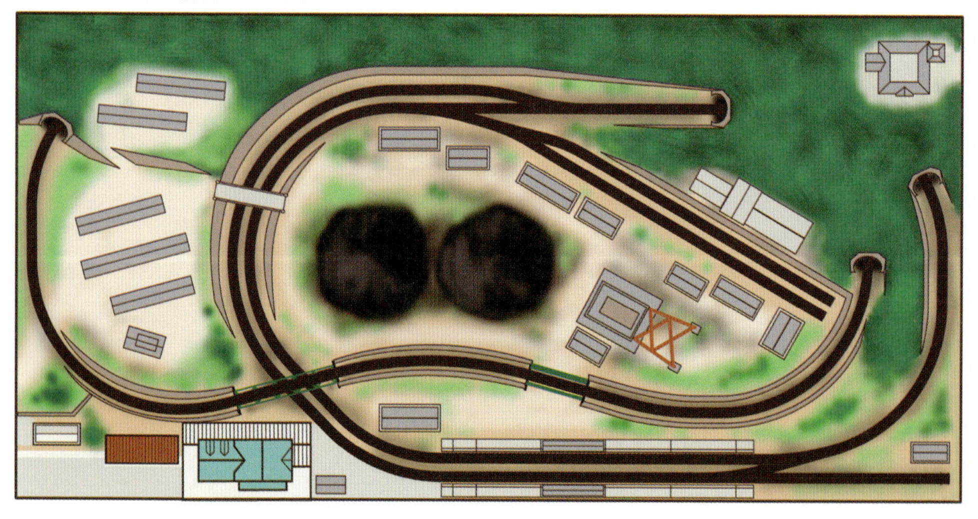

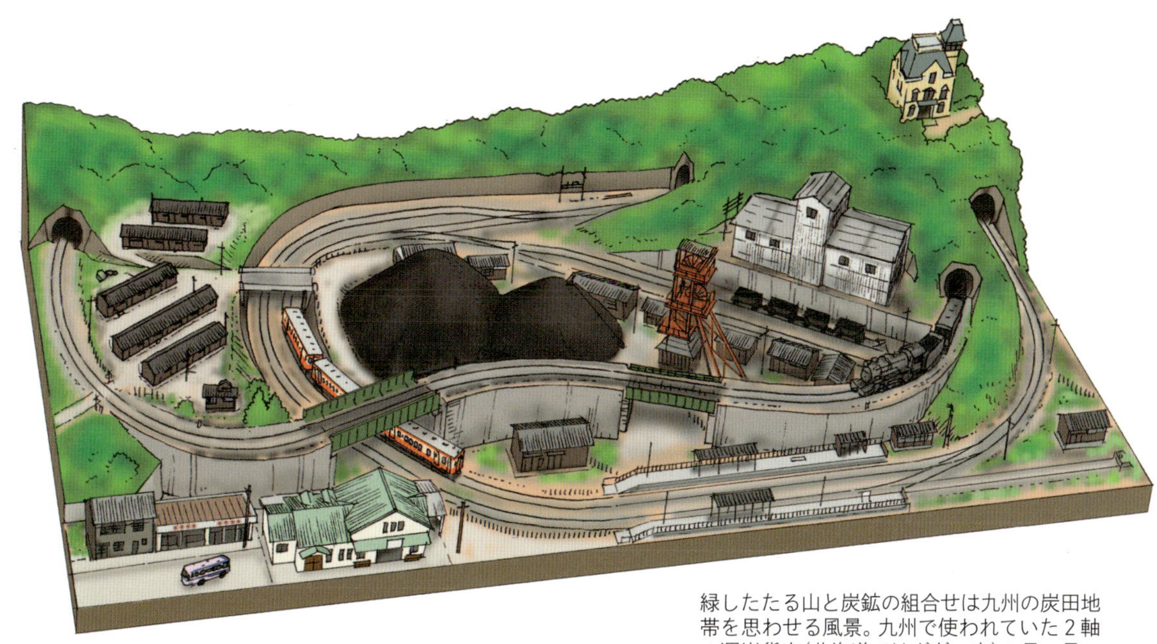

緑したたる山と炭鉱の組合せは九州の炭田地帯を思わせる風景。九州で使われていた2軸の運炭貨車(北海道ではボギー車)の長い長い列がボタ山をバックに走れば、石炭産業華やかなりし時代が蘇る。

炭坑節が聞こえてきそうな炭鉱風景 ボタ山や竪坑ヤグラが熱い!

炭坑夫とその家族が住む棟割り長屋風の住宅は「炭住」と呼ばれ、ウナギの寝床のような形態が特徴。炭鉱の全盛時代には、山の斜面まで埋め尽くすように建っていることも珍しくなかった。

商品価値のない石炭のクズ石が堆積したボタ山も、炭田地帯ではおなじみの風物。その中からマシなものを拾うボタ拾いの人たちの姿も再現したいところ。

山の上の屋敷は、この炭鉱を所有する財閥系企業の創始者が建てたものだとか。

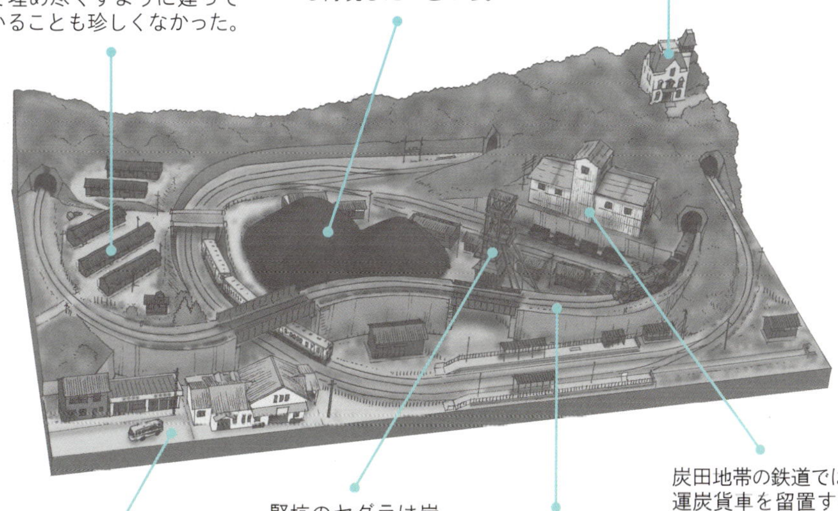

石炭が黒ダイヤとまで言われた時代には、炭鉱のある町はおおいに賑わった。立派な駅舎の前には、華やかな商店街が広がっている……という想定で、その一部でも再現したいもの。

竪坑のヤグラは炭鉱のシンボル。Nゲージではドイツ製のプラキットがあり、少し加工すれば日本風になる。

築堤上の緩やかなS字形カーブを長い長い運炭列車が身をくねらせて走るシーンは、このレイアウトのハイライト。

炭田地帯の鉄道では、運炭貨車を留置するためあちこちに側線が設けられていた。石炭の積み降ろし施設を作らなくても、選炭場らしき建物のそばに石炭を満載した貨車が停まっているだけで、炭鉱の雰囲気は出せる。

石炭と鉄道が密接な関係にあった時代

かつて鉄道は蒸気機関車の燃料として大量の石炭を消費する一方、その輸送において重要な役割を果たしていました。特に、炭鉱から積み出し港まで石炭を運ぶ運炭鉄道には、独特のムードと迫力があり、いまも人気があるジャンルのひとつです。筑豊の炭田地帯を走る運炭鉄道をテーマにしたプランを考えてみました。

掘り出された石炭を貨車積みしてから、港で船積みするまでのすべてを再現するのは、定尺サイズでは無理ですが、特徴的な風物が並ぶ中を、独特の形をした石炭貨車を連ねた列車が走る、それだけで十分に楽しめると思います。

炭鉱を象徴する風物を

炭鉱のシンボルといえば竪坑のヤグラ。地下の坑道と地上を結ぶエレベーターを昇降させるための一種のクレーンで、鉄骨の骨組みに大きな滑車を取りつけた姿が印象的です。コンクリートやトタンの建家で覆われているものもあります。かつての栄華を伝える象徴的存在として、各地の炭鉱跡には保存されているものも多いようです。

Nゲージの製品としては、ドイツのファーラーというメーカーが発売しているプラキットが筆者の知る限り唯一のものです。ヨーロッパ風の建家が付属しますが、塗り替えて使えば違和感はないでしょう。

炭坑といえばボタ山も外せない

ボタ山も是非欲しい風物です。掘り出された石炭からは選鉱作業によって、商品価値のないクズ石が除外されます。捨てられたクズ石（ボタ）が積み重なったのがボタ山で、黒く巨大な円錐形がそびえる光景は炭鉱につきものでした。

仮設のコンベヤによって頂上まで運ばれるボタがどんどん堆積して大きくなっていくのですが、限界になるとまた別に新しくボタの捨て場所が決められ、こうしていくつもボタ山が並ぶ炭鉱特有の風景が形成されました。古いボタ山には草が生え、周囲の風景に同化していきます。

クズ石とはいえ家庭での煮炊き程度には使える質のものも混ざっており、これを拾い集める「ボタ拾い」の人々も見られました。なお「ボタ」というのは主に九州での呼び名で、北海道では「ズリ」と呼ばれたそうです。

そして炭住こと炭鉱住宅。とにかく狭い土地にたくさんの人が住むために、ウナギの寝床のように長い、平屋の棟割り長屋が何棟も、ときには斜面にまでところ狭しと並んでいるのが一般的でした。

かつての栄華が蘇る

これらの風物を雰囲気よくレイアウトした中を、運炭列車が走ります。線路配置は単線エンドレスをひとひねりした一般的なものですが、いちばん目立つところに築堤の上を通る緩やかなカーブを配し、見せ場とします。ボタ山をバックに、9600あたりの牽くセラの列がゆっくりと進む光景は、想像しただけでも楽しくなってきますね。

長い待避線に重々しく停車した脇を、対照的に軽快なジョイント音をたてて気動車が走り抜け、再び発車……。かつて石炭が「黒ダイヤ」とまで呼ばれた時代の栄華が、Nゲージの世界に蘇るのです。

Layout Plan 31 炭鉱地帯を行く運炭鉄道。全盛期のムードを再現

プラン図

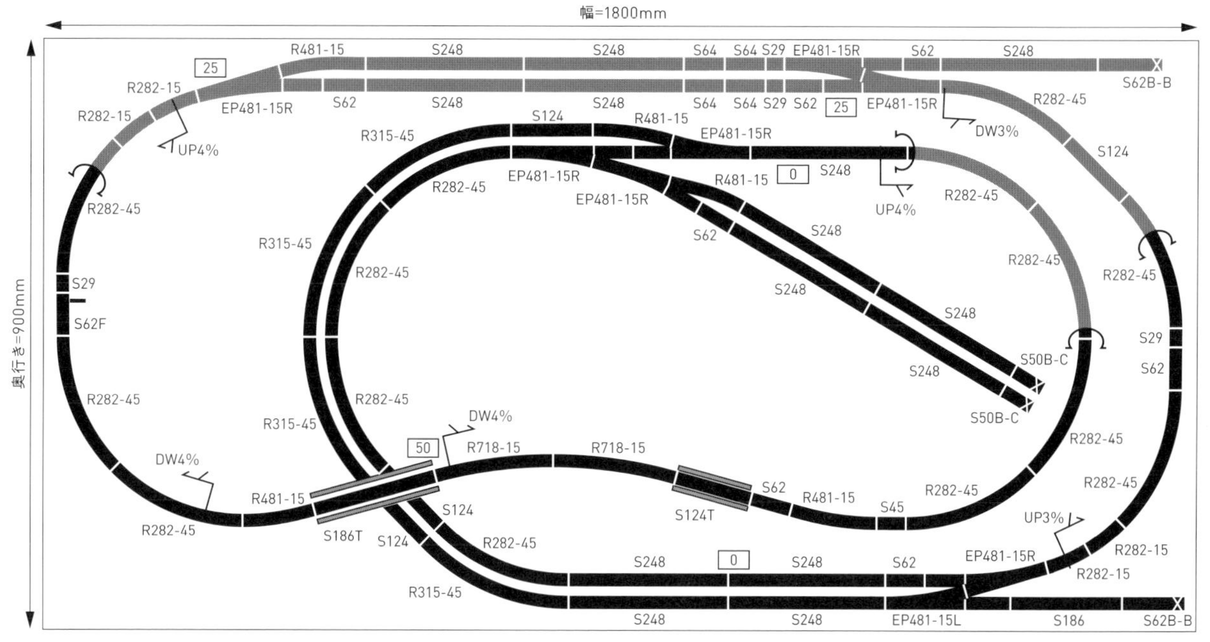

トンネル内の行き止まり式の側線は気動車用。その他に隠しヤードには２本の運炭列車を留置できるので、片方は石炭を積んだ貨車、片方は空車で編成するとリアル。

※□内はベースボード表面からの線路高
※無印の線路は4番ポイント付属の補助線路(S60)

使用線路部品リスト(KATOユニトラック)

略号	部品名	数量
S248	直線線路248mm	14
S186	直線線路186mm	1
S124	直線線路124mm	4
S64	直線線路64mm (電動ポイント4番に付属)	4
S62	直線線路62mm	7
S62F	フィーダー線路62mm	1
S45	端数線路45.5mm	1
S29	端数線路29mm	4
S62B－B	車止め線路B62mm	2
S50B－C	車止め線路C50mm	2

略号	部品名	数量
R282－45	曲線線路R282－45°	14
R282－15	曲線線路R282－15°	4
R315－45	曲線線路R315－45°	4
R481－15	曲線線路R481－15° (電動ポイント4番に付属)	5
R718－15	曲線線路R718－15°	2
EP481－15L	電動ポイント4番 (左)	1
EP481－15R	電動ポイント4番 (右)	7
S186T	単線プレートガーダー鉄橋 (緑)	1
S124T	単線デッキガーダー鉄橋 (緑)	1

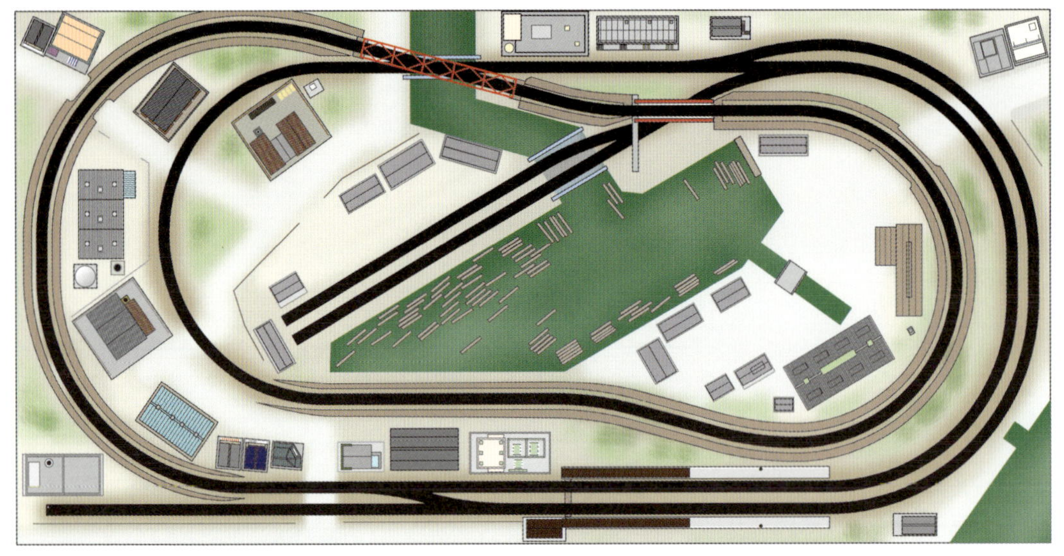

運河が張り巡らされた大都市の下町の情景がテーマ。中央の貯木池の周囲には工場や倉庫、事務所などが立ち並び、派手さはないが産業の中心地らしい活気を感じさせる。

貯木場のある大都会の貨物線の風景

貨物列車の荷役施設は、情景として面白いだけでなく、鉄道の役割を雄弁に物語る存在であり、レイアウトの情景としておすすめできる。大きな貯木池を中心に据え、大都会の貨物線をイメージした定尺プランをご紹介。

大きさ ▸▸▸ 1800×900ミリ
使用レール ▸▸▸ TOMIXファイントラック

- 曲線半径：最小R280
- 使用ポイント：電動ポイントN-PR541-15、電動ポイントN-PL541-15
- 勾配：４％
- 停車場有効長：F級旧型電気機関車＋２軸貨車10両に対応
- テーマ：大都市を走る貨物線
- 時代設定：昭和30年代
- 季節設定：冬
- 想定走行車両：電気機関車牽引の貨物列車、小編成の電車
- 特記事項：貯木池を中心に大都市の下町の情景を再現

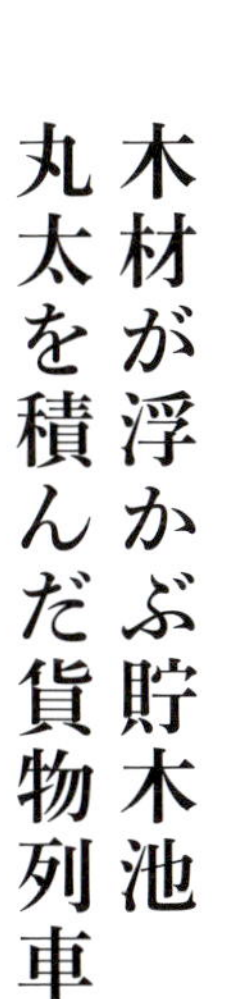

木材が浮かぶ貯木池
丸太を積んだ貨物列車が横付けします

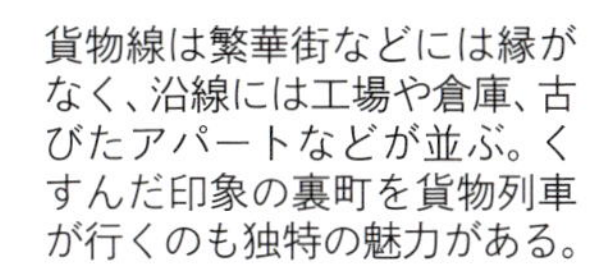

貨物線は繁華街などには縁がなく、沿線には工場や倉庫、古びたアパートなどが並ぶ。くすんだ印象の裏町を貨物列車が行くのも独特の魅力がある。

高架線の赤いトラス鉄橋の真下では、地平線路がスルーガーダー橋で運河を渡る。線路と水路が交錯するこのあたりは、大都会の下町らしい情景。

原木の一部は水から引き揚げられて運ばれるものもあり、構内にはトラックが出入りする。周囲には国鉄や日通だけでなく、木材を扱う会社の出先機関の事務所や倉庫が並んでいる。

木材の一大消費地である都市にはよく見られた貯木池。原木を満載した無蓋貨車が直接横付けされて荷が降ろされる。貨車の付近にはバラの原木、反対側にはこれを運河で運ぶために組んだ筏が浮かんでいる。

この路線は貨物専用だが、沿線住民の要望で小編成の電車が１日数往復だけ走り、小さな駅も設けられている。

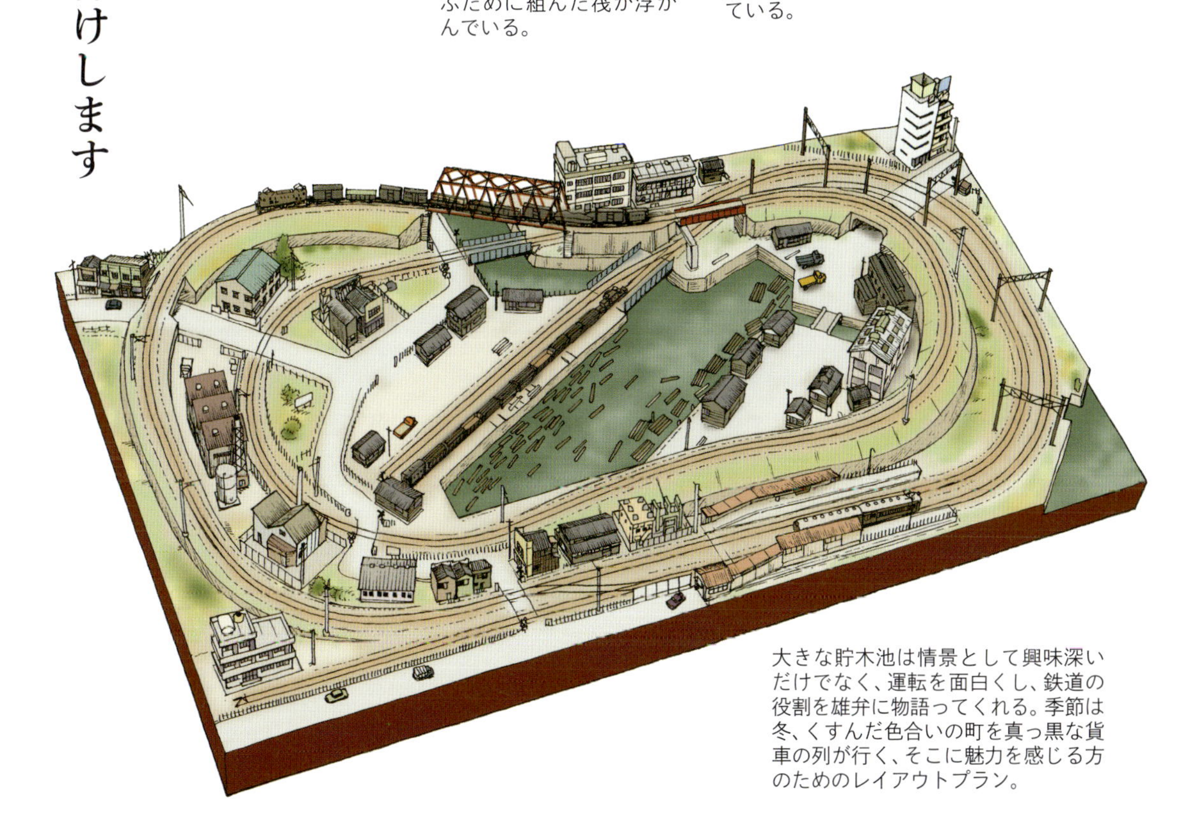

大きな貯木池は情景として興味深いだけでなく、運転を面白くし、鉄道の役割を雄弁に物語ってくれる。季節は冬、くすんだ色合いの町を真っ黒な貨車の列が行く、そこに魅力を感じる方のためのレイアウトプラン。

昔の貨物列車の楽しさ

現在のようにコンテナ輸送が発達する以前、貨物列車には実に多種多様な貨車が連結されていたものです。有蓋車、無蓋車、長物車、タンク車、冷蔵車、通風車。家畜車なんていう車両もありました。

荷役の風景もまた現在とは様子が違いました。そもそも貨物を扱う駅が今よりもずっと多く、そこでは昔ながらの人海戦術もあれば、クレーンやフォークリフトを使った作業もあり、バラエティに富んだ荷姿の積み荷の積み降ろしが行われていたものです。

よく見られた丸太の貨物

当時よく見られた鉄道貨物に、丸太があります。鉄道模型の無蓋車の製品にも、積み荷として丸太がオマケでついていたりしました。素人考えでは、産地の近くで製材してから運んだ方が、嵩も減っていいように思うのですが、消費地近くの製材所で、注文に応じて加工するためなのか、原木のまま無蓋車に積まれていることが多かったようです。筏に組んで水上輸送するやり方がまだ生き残っていたためかもしれません。

事実、町中にも線路に面した大きな貯木池が存在しました。東京では錦糸町の貨物駅構内に、運河とつながった貯木池がありましたね。原木を積んだ無蓋車を何両も横付けし、側面のあおり戸を降ろすと、積み荷の原木はガラガラと地面に転がり落ち、傾斜路をつたって貯木池にドボン、ドボンと落ちるわけです。ここから原木は筏に組まれ、運河を経由して製材所へと運ばれていたようです。

大都会の貨物専用線のイメージを

このような荷役施設は、情景としても面白いですし、鉄道の存在意義を雄弁に物語る点で、模型にリアリティを与えてくれる存在でもあります。大きな貯木池を中心に据えたプランを考えてみました。

大都市周辺の鉄道では早くから客貨分離が進められ、多くの場合、貨物列車は専用の線路を走り、旅客線とは別のルートを通ることもありました。例えば常磐線の旅客列車は上野に発着しますが、貨物列車は田端操車場に発着するために田端～三河島間は専用のルートを経由します。貨物専用線は旅客駅や周囲の繁華街とは無縁で、町工場や倉庫などの裏手を黒い貨車を連ねた列車が走る光景にはまた、独特な魅力がありました。

このプランではそうしたイメージを生かし、貯木池の周囲には小工場や倉庫、事務所などを並べています。木とスレートとトタンで作られた町の、どこかくすんだような雰囲気を再現したいところ。高架線の下を線路がアンダークロスし、さらにその下に運河が通っているあたりは、大都市の下町らしい情景になりそうです。

ちょっとだけ欲を出して、短編成の電車も走らせられるように、小さな駅を設けています。貨物列車専用！と割り切る方は省略しても構いません。

イラストはデッキ付きの旧型電機を主役にして描きましたが、シーナリーはそのまま、蒸気機関車が主役の非電化路線としてもいいでしょう。運用の都合で架線の下を蒸機やディーゼル機関車が走ることも日常的にありましたから、走らせる車両のバラエティには事欠きません。

プラン図

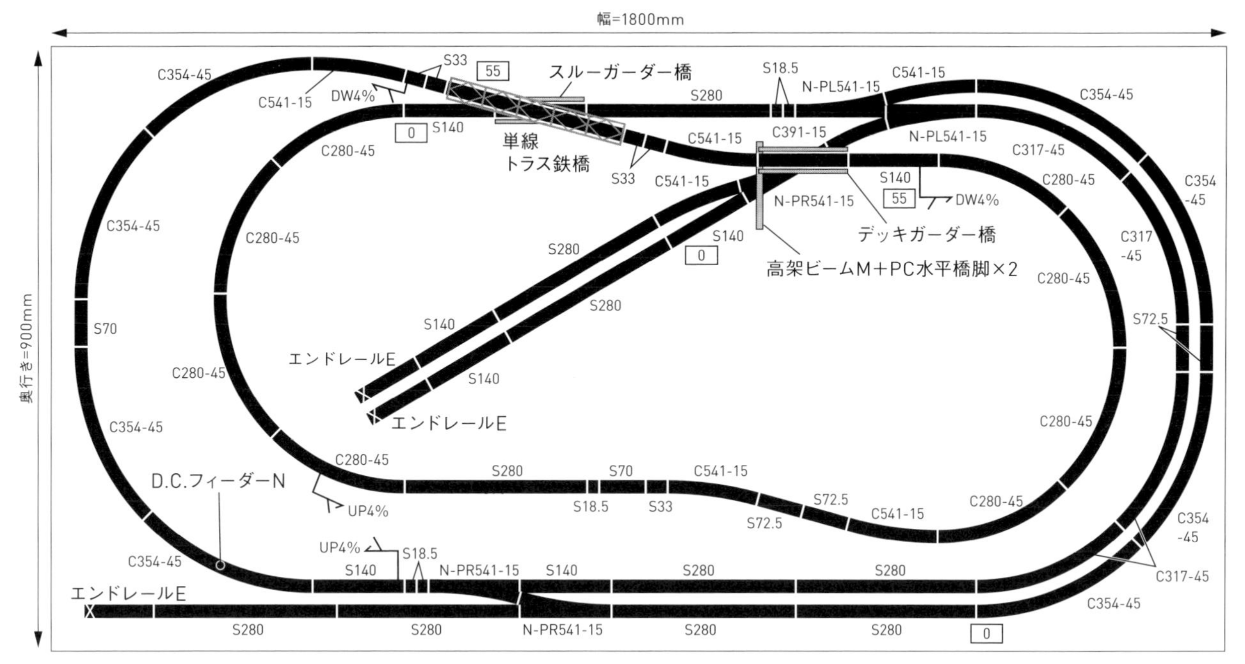

外周線路にできるだけ緩やかなカーブを使い、長編成の貨物列車の走る姿が楽しめるようにしたのが特徴。奥側の立体交差部分では、下を走る車両が橋脚などに接触しないように十分に調整していただきたい。

使用線路部品リスト（TOMIXファイントラック）

略号	部品名	数量
S280	ストレートレールS280 (F)	10
S140	ストレートレールS140 (F)	7
S72.5	ストレートレールS72.5 (F)	4
S70	ストレートレールS70 (F)	2
S33	端数レールS33 (F)	5
S18.5	端数レールS18.5 (F)	5
C280-45	カーブレールC280-45 (F)	8
C317-45	カーブレールC317-45 (F)	4
C354-45	カーブレールC354-45 (F)	8
C391-15	カーブレールC391-15 (F)	1

略号	部品名	数量
C541-15	カーブレールC541-15 (F)	6
N-PR541-15	電動ポイントN-PR541-15 (F)	3
N-PL541-15	電動ポイントN-PL541-15 (F)	2
	エンドレールE (F)	3
	デッキガーダー橋（赤）(F)	1
	スルーガーダー橋（青）(F)	1
	単線トラス鉄橋（赤）(F)	1
	高架ビームM	1
	PC水平橋脚	2
	D.C.フィーダーN	1

大きさ ››› 1800×900ミリ
使用レール ››› KATOユニトラック

Layout Plan 33

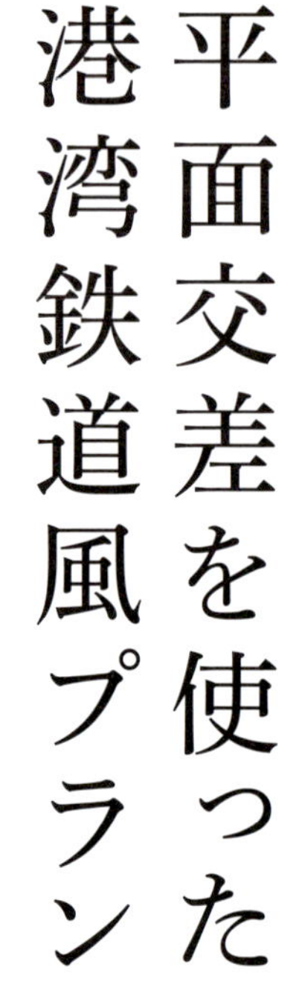

平面交差を使った港湾鉄道風プラン

線路が直角に交わる平面交差の面白さを生かし、貨物列車が走る港湾地区の風景をテーマにした定尺プラン。一筆描き風の長い複雑なルートを列車が辿る運転の楽しさも格別。

- 曲線半径：最小R249
- 使用ポイント：ユニトラック4番および2番Y
- 勾配：最急4％相当
- 停車場有効長：20m級電車2両編成に対応、本線ではF級電気機関車＋コンテナ貨車10両の運転可能
- テーマ：港湾地区を走る貨物線
- 時代設定：平成初期
- 季節設定：秋
- 想定走行車両：近代的な直流電気機関車牽引のコンテナ列車、小編成の電車
- 特記事項：貨物列車と電車を交互に運転可能

工業地帯を走る貨物中心の鉄道をテーマに、大小の工場や倉庫、運河や幅の広い産業道路などで風景を構成。2つの小さな駅は港で働く人たちのためのもので、朝夕のみ2両編成の電車が来るという想定。

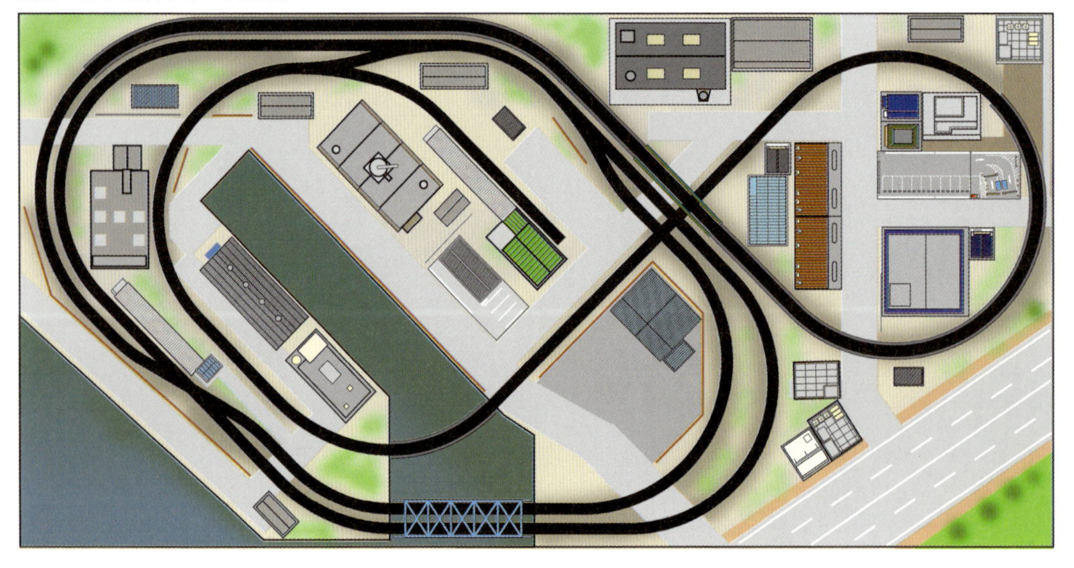

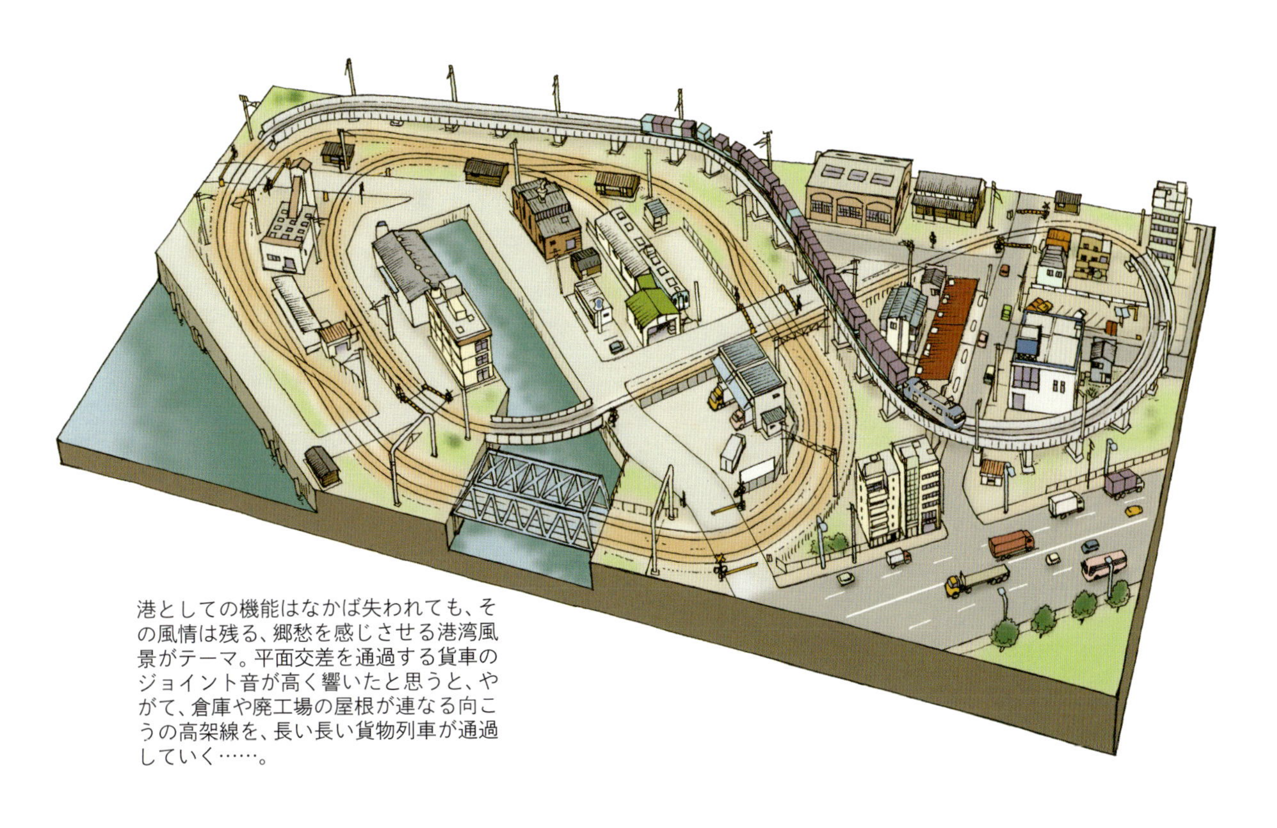

港としての機能はなかば失われても、その風情は残る、郷愁を感じさせる港湾風景がテーマ。平面交差を通過する貨車のジョイント音が高く響いたと思うと、やがて、倉庫や廃工場の屋根が連なる向こうの高架線を、長い長い貨物列車が通過していく……。

長〜い貨物列車が港湾風景を駆け巡る 珍しい平面交差がおもしろい！

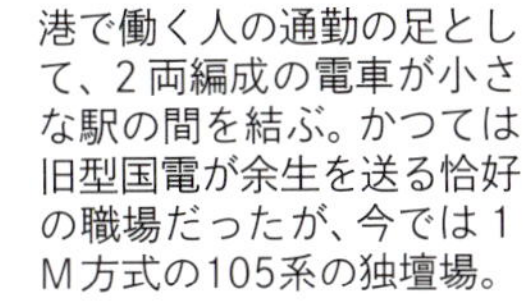

港で働く人の通勤の足として、2両編成の電車が小さな駅の間を結ぶ。かつては旧型国電が余生を送る恰好の職場だったが、今では1M方式の105系の独壇場。

この一帯はスーパーマーケットや商店、駐車場などが並ぶ生活空間。港湾労働者が減った今、町をどう活性化するか、地元の商店主たちは頭を悩ませているとか。

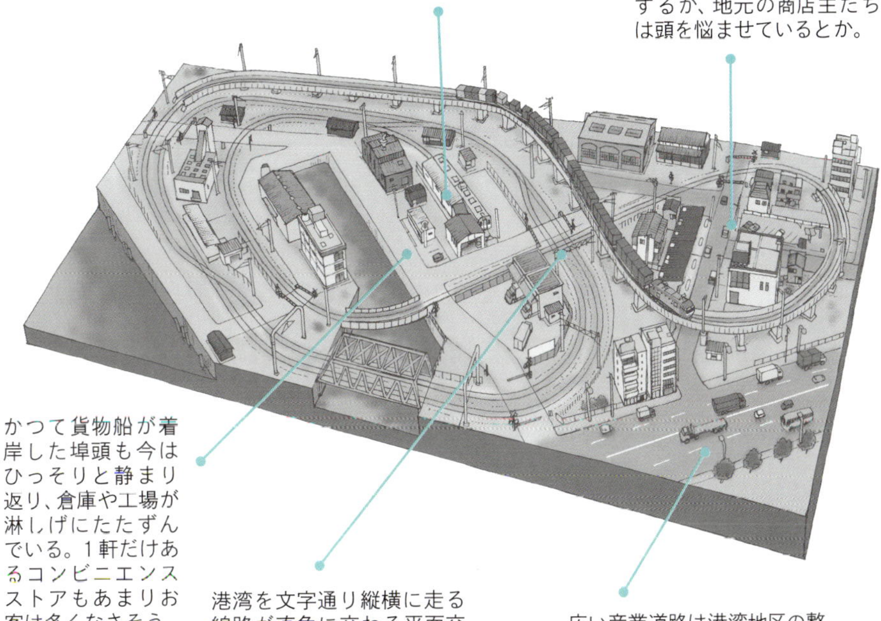

かつて貨物船が着岸した埠頭も今はひっそりと静まり返り、倉庫や工場が淋しげにたたずんでいる。1軒だけあるコンビニエンスストアもあまりお客は多くなさそう。

港湾を文字通り縦横に走る線路が直角に交わる平面交差。長い貨物列車が通過する際は、連続するジョイント音が周囲にひときわ高く響き渡る。

広い産業道路は港湾地区の整備の一環として建設されたもの。今も物流の動脈として大型トラックが地響きをあげて通り過ぎていく。

独特の面白さがある「平面交差」

線路が同一平面上で交わる平面交差は、路面電車などを除くとあまり見かけませんが、模型的にはなかなかに興味深いものです。目を低くしてみれば、いくつもの車輪が何本ものレールを横切っていく様は面白く、連続するジョイント音も軽快に響き渡ります。

アメリカの鉄道では、異なる鉄道会社の路線が平原の真ん中で平然と(というのも変ですが)交差しているケースも少なくありませんが、日本では本線同士の平面交差はほとんどありません。実は駅構内などではなくもないのですが、周囲にたくさん線路がある場所で、緩やかな角度で交差していても「これぞ平面交差!」という感じはしません。まったく別の方向から伸びて来た線路が、直角に近い角度で交わってこそ面白いのだと思います。

このような平面交差は、工場専用線や港湾鉄道などでは比較的多く使われています。線路が90度で交わる平面交差らしい平面交差を使った、港湾鉄道風プランをご覧にいれましょう。

平成の港湾鉄道を

もう20年近く前のことですが、門司港駅周辺の港湾地帯を貨物用の線路沿いに歩き回ったことがあります。現在は観光用のトロッコ列車が走っていますが、当時はまだかろうじて貨物線としての役目を保っていました。とはいうものの、もとは倉庫に引き込まれていたらしい側線はみんな取り払われ、そのあとは更地になったり、マンションが建ったりしていました。その間を、おそらくは最後に残った荷主であるセメント工場に出入りする貨物列車が1日数往復のみ走っている状況でした。

それでも港が多くの船で賑わった時代の栄華をそこかしこに感じられるのは楽しく、また思わぬところから列車が顔を出す、港湾鉄道らしい面白さも存分に味わえたのは収穫でした。

このプランではそのときのイメージを投影し、港として機能を新しいコンテナ埠頭に奪われ、そうかといって観光地としての再開発は未着手の、郷愁漂う港湾風景を念頭に置きました。もとは貨物船が着岸したであろう岸壁は静まり返り、古びた倉庫がたたずむ中を近代的な貨物列車が走ります。操業を終えた工場はまもなく取り壊されて、跡地には大規模マンションかショッピングモールでも建てられるのかもしれませんが、それはまだ先の話です。

思わぬところから列車が顔を出す面白さ

線路配置は、2つの単線エンドレスの一部が重なり合ったもの。プラン図を一見しただけではわかりづらいのですが、ひとつは地上のみを走り、もうひとつは高架線を経由して元のところに戻ってきます。後者を走る列車は一筆描きで長い複雑なルートを辿り、その途中で何カ所かの平面交差を通過します。闇雲に線路を引き回すのではなく、建物の合間を縫うようにして、意外な場所に列車が現れる、港湾鉄道の面白さが味わえるようにと考えました。

貨物列車の他に、2両編成程度の電車も走らせられるよう、小さな駅を2カ所に設けています。行き止まり式の終着駅に電車を停めておけば、貨物列車は本線を自由に走ることができます。反対に貨物列車を地上エンドレスの一部に停めておけば、電車は2つの駅の間を往復できます。

Layout Plan 33 平面交差を使った港湾鉄道風プラン

プラン図

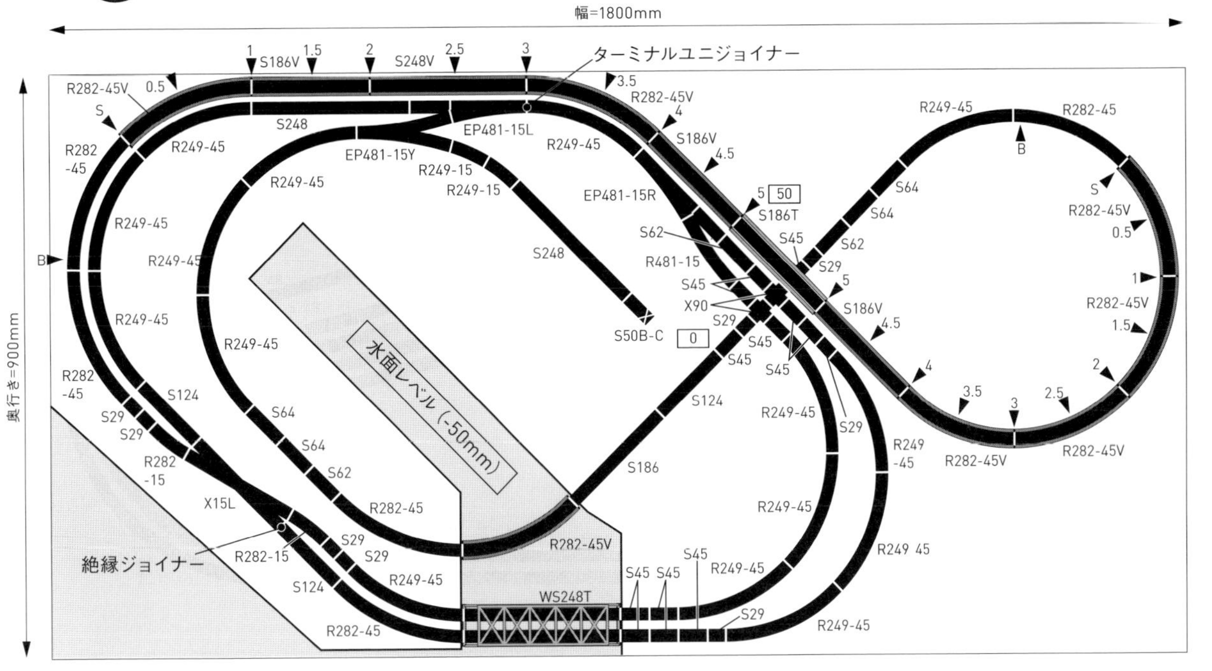

地上のみを走る小エンドレスと、高架線を経由する大エンドレスが一部重なり合った線路配置。絶縁ジョイナーは地上エンドレスの一部に貨物列車を留置しておけるようにするためで、手前の線路に鉄橋をまたぐ形で停車させ、右上の平面交差近くのポイントを曲線側に切り換えれば、その他の部分を電車が自由に走ることができる。

※◀は橋脚の位置を示す。B、S、0.5〜5は橋脚の種類
※［　　］内はベースボード表面からの線路高
※無印の線路は4番ポイント付属の補助線路(S60)

使用線路部品リスト(KATOユニトラック)

略号	部品名	数量
S248	直線線路248mm	2
S186	直線線路186mm	1
S124	直線線路124mm	3
S64	直線線路64mm (電動ポイント4番に付属)	4
S62	直線線路62mm	3
S45	端数線路45.5mm (うち8本は交差線路90°に付属)	12
S29	端数線路29mm	8
S50B-C	車止め線路C50mm	1
R249-45	曲線線路R249-45°	15
R249-15	曲線線路R249-15°	2
R282-45	曲線線路R282-45°	4
R282-15	曲線線路R282-15°	2
R481-15	曲線線路R481-15° (電動ポイント4番に付属)	1

略号	部品名	数量
EP481-15L	電動ポイント4番(左)	1
EP481-15R	電動ポイント4番(右)	1
EP481-15Y	電動Y字ポイント2番	1
X15L	交差線路15°(左)	1
X90	交差線路90°	2
S248V	単線高架直線線路248mm	1
S186V	単線高架直線線路186mm	3
WS248T	複線トラス鉄橋(ライトブルー)	1
S186T	単線プレートガーダー鉄橋(緑)	1
R282-45V	単線高架曲線線路R282-45°	6
▶S・1〜5	勾配橋脚基本セット	1セット
▶B・0.5〜4.5	勾配橋脚補助セット	1セット
	ターミナルユニジョイナー	1組
	絶縁ジョイナー	2(1組)

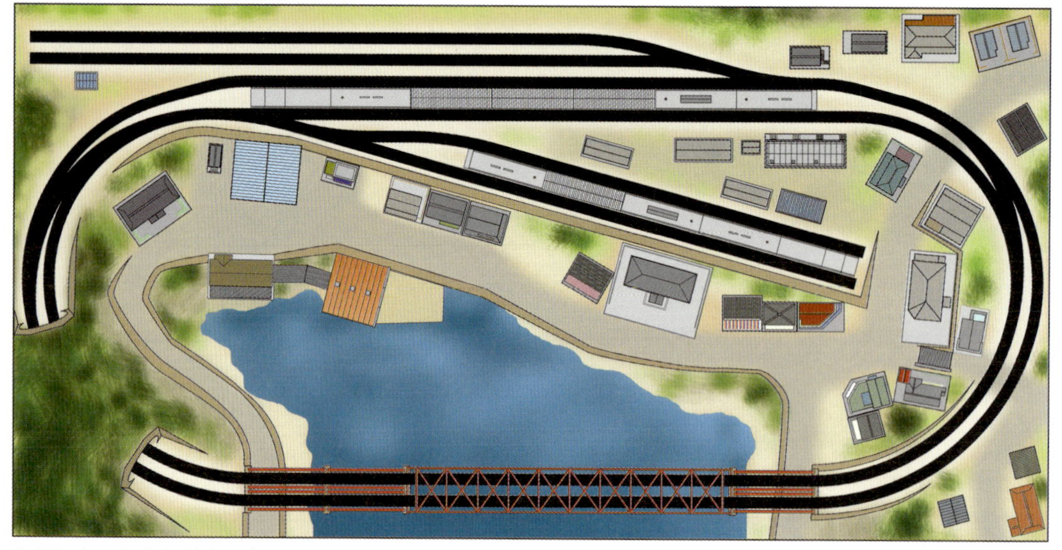

入り江をひとまたぎする全長56センチの複線曲弦大トラス鉄橋を中心に、瀬戸内海沿いの風景が展開。階段状に整地された斜面に建つ家並みが趣きを感じさせる。

国鉄電車ファンのための瀬戸内風プラン

トミックスの複線曲弦大トラス鉄橋の雄大さを生かした瀬戸内海沿いを走る山陽本線風プラン。斜面に展開する入り組んだ街並みや渡し船の船着き場などの情景も楽しめる。

大きさ ▸▸▸ 1800×900ミリ
使用レール ▸▸▸ TOMIXファイントラック

- 曲線半径：最小R280
- 使用ポイント：電動ポイントN-PR541-15、
電動ポイントN-PL541-15、
電動カーブポイントN-CPR317/280-45、
電動カーブポイントN-CPL317/280-45
- 勾配：ナシ
- 停車場有効長：20m級車両7両編成に対応
- テーマ：瀬戸内海沿いを走る山陽本線
- 時代設定：昭和40年代
- 季節設定：春
- 想定走行車両：特急形、急行形、近郊形など各種国鉄電車
- 特記事項：4本の列車を常置し、うち2本を同時に運転可能

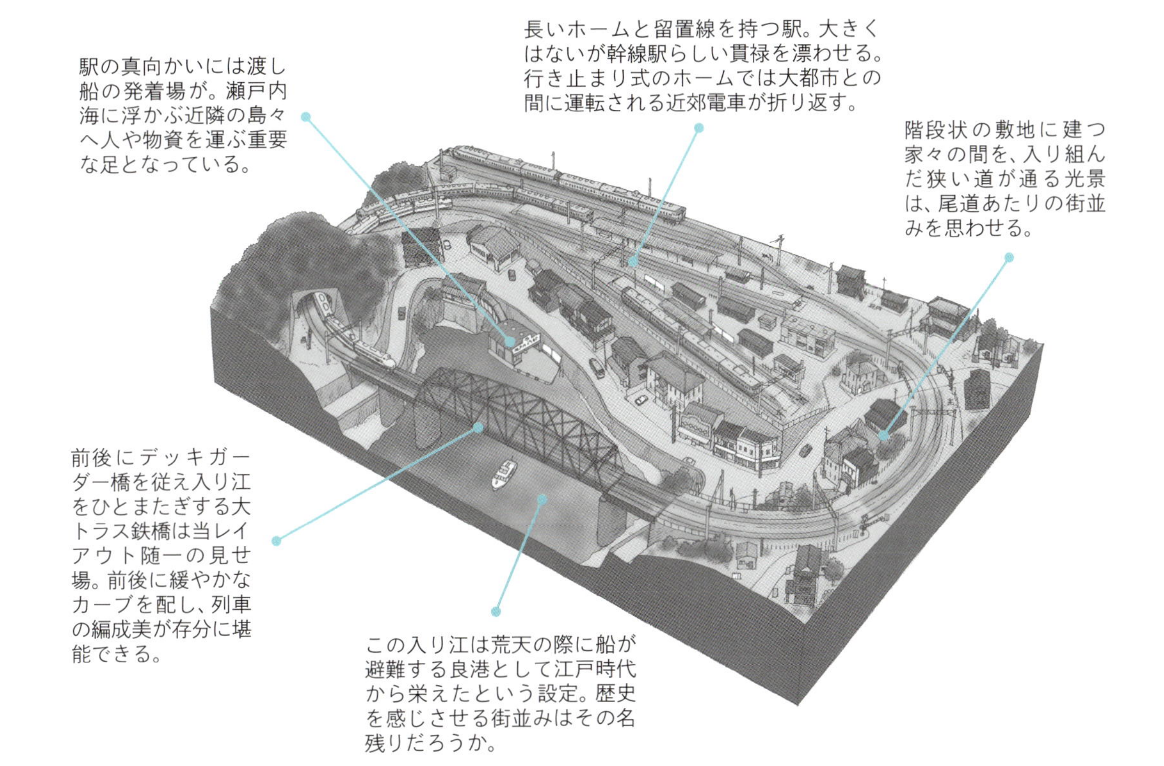

瀬戸内のやさしい潮風に吹かれて
大トラス鉄橋を特急が行くよ

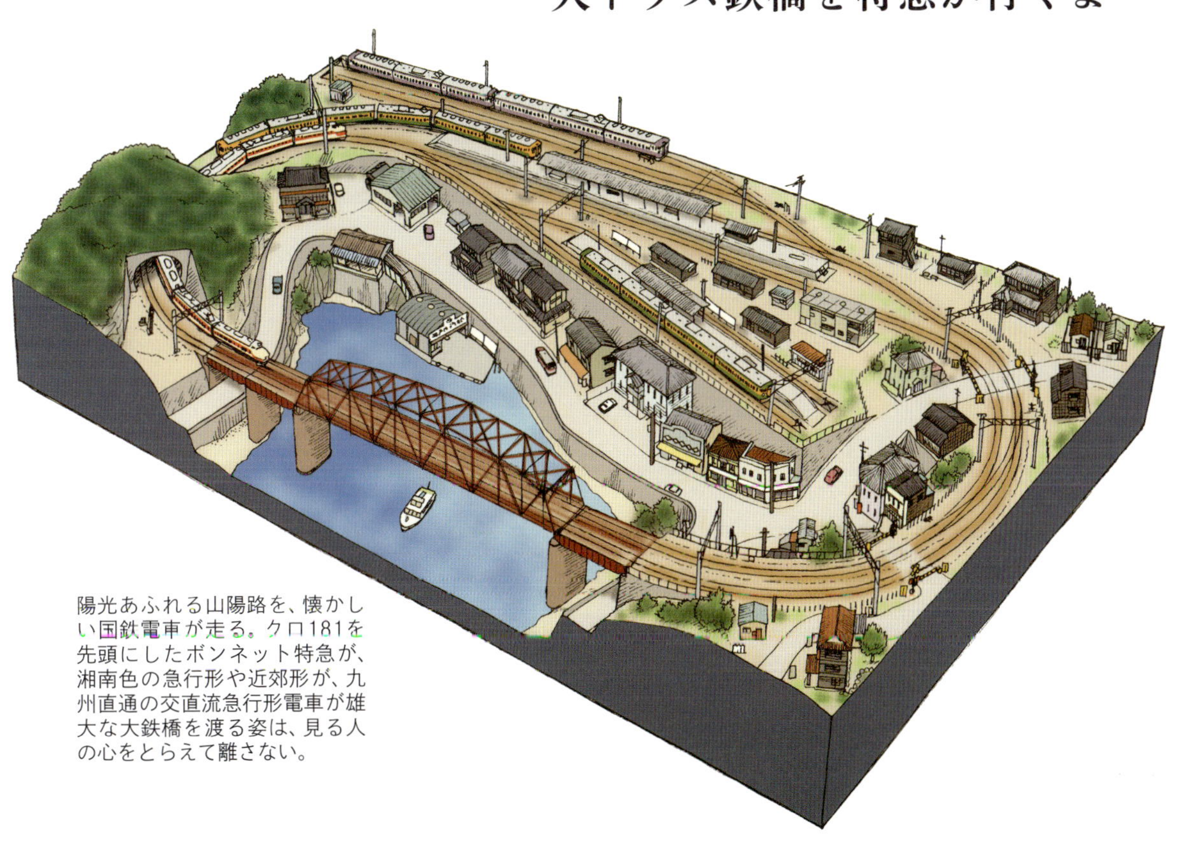

陽光あふれる山陽路を、懐かしい国鉄電車が走る。クロ181を先頭にしたボンネット特急が、湘南色の急行形や近郊形が、九州直通の交直流急行形電車が雄大な大鉄橋を渡る姿は、見る人の心をとらえて離さない。

ストラクチャーありきのプラン設計も

この本に収録したレイアウトプランでは、線路やストラクチャーにできるだけ既製品を使うことを前提としています。そのほうがビギナーの方にもとっつきやすいはずですし、ベテランの方は自分なりのアレンジも容易にしていただけるだろうと考えた次第です。でも、このプランのように、特定の製品に触発されて構想が生まれる場合もあります。

大トラス鉄橋を生かすレイアウト

その製品とはトミックスの「複線曲弦大トラス鉄橋」。優雅な弧を描いたトラスが魅力的な、全長56センチの迫力ある鉄橋です。レイアウト製作の動機になりうる製品だと思います。というわけで、線路配置に合致する製品をセレクトする通常のやり方ではなく、大トラス鉄橋を生かすことを第一に考えた定尺サイズのプランをご覧にいれます。

このようなアーチ形のトラス鉄橋は、ややクラシックな印象で、在来線が似合いますね（このスペースではそもそも新幹線は無理ですが）。しかし複線ですから幹線にしたい。橋の下は道路や線路でもいいのですが、やはり広い水面を渡る方が、列車の姿が引き立ちそう。でもそんなに幅の広い川を作るのはスペース的に難しいから、入り江にすれば……。

という風に考えた結果、瀬戸内海沿いを走る山陽本線風のレイアウトが浮かんできました。特定の場所を想定しているわけではありませんが、数々の映画のロケ地としても知られる尾道あたりの風景をなんとなくイメージしています。

線路配置はシンプル＆のびのびと

とにかく、鉄橋を渡る列車の姿を堪能するのが目的なので、本線の線路配置はシンプルに複線エンドレスとしました。大トラス鉄橋の前後には計6基のデッキガーダー橋を配し、このサイズのレイアウトではなかなかお目にかかれない雄大さを演出しましょう。鉄橋へのアプローチとなる前後の目立つカーブは内側が３５４ミリ、外側は３９１ミリとします。この緩やかなカーブを通って鉄橋にさしかかる列車の姿は、見る人を一発で虜にするはず。

レイアウトの後ろ半分は、駅と斜面に展開する街並みが風景の中心です。本線上のホームはできるだけ長くとり、ヤード（電留線）とともに7両編成が停車できる有効長を確保しました。フル編成は無理ですが、これぐらいの長さがあれば食堂車やグリーン車が連結された、往年の優等列車らしい貫禄は十分に出せるでしょう。

行き止まり式ホームからは岡山や広島へ向かう近郊電車が発車します。4両編成が余裕をもって停められます。このホームは複線の本線のうち内回り線に、奥のヤードは外回り線に接続していますが、カーブポイントを組み合わせた渡り線を2カ所に設けることで、どちらの本線にもスムーズに出入りすることができます。折り返しの際は本線上の反対側ホームに停めるのがミソです。

明るい日差しを反射して輝く瀬戸内海にタイホンの音が響き、懐かしい国鉄特急や湘南色の電車がのびのびと走る光景を想像してみてください。

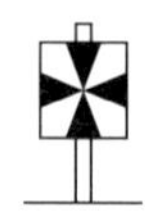

プラン図

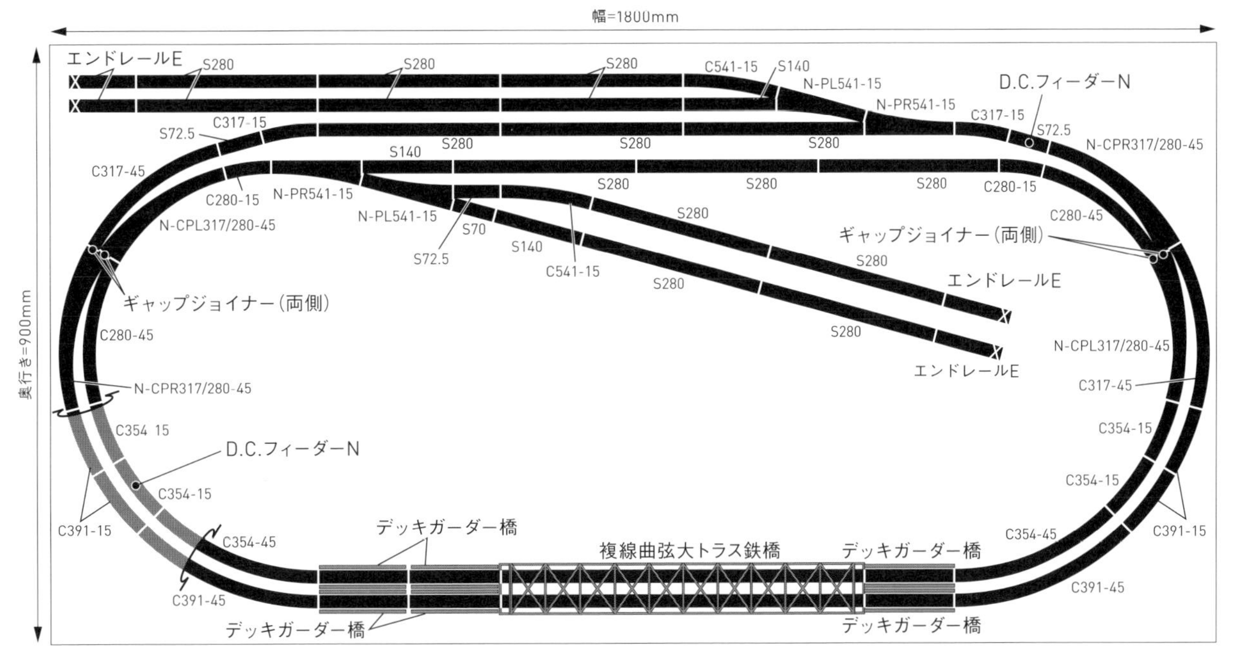

2カ所のD.C.フィーダーNのフィーダー線はトミックス製品のユニバーサルスイッチを介して2台のパワーパックにつなぐ。木線上のホームに列車を停めたまま、別の列車を側線から出し入れできるように、エンドレス上にもギャップを設けていることに注意。なお鉄橋間の橋脚はリストに明記していないが、各種製品を求める高さに応じて嵩上げするとよい。

使用線路部品リスト(TOMIXファイントラック)

略号	部品名	数量
S280	ストレートレールS280 (F)	16
S140	ストレートレールS140 (F)	3
S72.5	ストレートレールS72.5 (F)	3
S70	ストレートレールS70 (F)	1
C280-45	カーブレールC280-45 (F)	2
C280-15	カーブレールC280-15 (F)	2
C317-45	カーブレール C317 45 (F)	2
C317 15	カーブレールC317-15 (F)	2
C354-45	カーブレールC354-45 (F)	2
C354-15	カーブレールC354-15 (F)	4
C391-45	カーブレールC391-45 (F)	2
C391-15	カーブレールC391-15 (F)	4

略号	部品名	数量
C541-15	カーブレールC541-15 (F)	2
N-PR541-15	電動ポイントN-PR541-15 (F)	2
N-PL541-15	電動ポイントN-PL541-15 (F)	2
N-CPR317/280-45	電動カーブポイント N-CPR317/280-45 (F)	2
N-CPL317/280-45	電動カーブポイント N-CPL317/280-45 (F)	2
	エンドレールF (F)	4
	デッキガーダー橋 (赤) (F)	6
	複線曲弦大トラス鉄橋 (赤) (F)	1
	D.C.フィーダーN	2組
	ギャップジョイナー	8 (4組)

大きさ ▸▸▸ 1800×900ミリ
使用レール ▸▸▸ KATOユニトラック

Layout Plan 35

- 曲線半径：最小R249
- 使用ポイント：ユニトラック4番
- 勾配：4％
- 停車場有効長：20m級車両5両編成に対応
- テーマ：電化された都市近郊路線
- 時代設定：昭和40年代
- 季節設定：夏
- 想定走行車両：気動車列車、蒸気機関車およびディーゼル機関車牽引の貨物列車、客車列車
- 特記事項：駅前広場に十分なスペースを割いてリアルな駅頭風景を再現

駅頭風景を重視した亜幹線風プラン

レイアウト中央に駅を斜めに配することで、駅前広場や付属の機関区などを含めた往年の国鉄駅のムードを満喫できるプラン。実製作例の写真も含めてご覧いただこう。

昭和40年代の非電化亜幹線の中規模駅を中心に据え、機関区やヤード、鉄道員官舎や駅前広場などを周囲に配置。駅をオーバークロスする線路は駅舎や駅前広場と干渉しないようにオフセットさせているのがミソ。

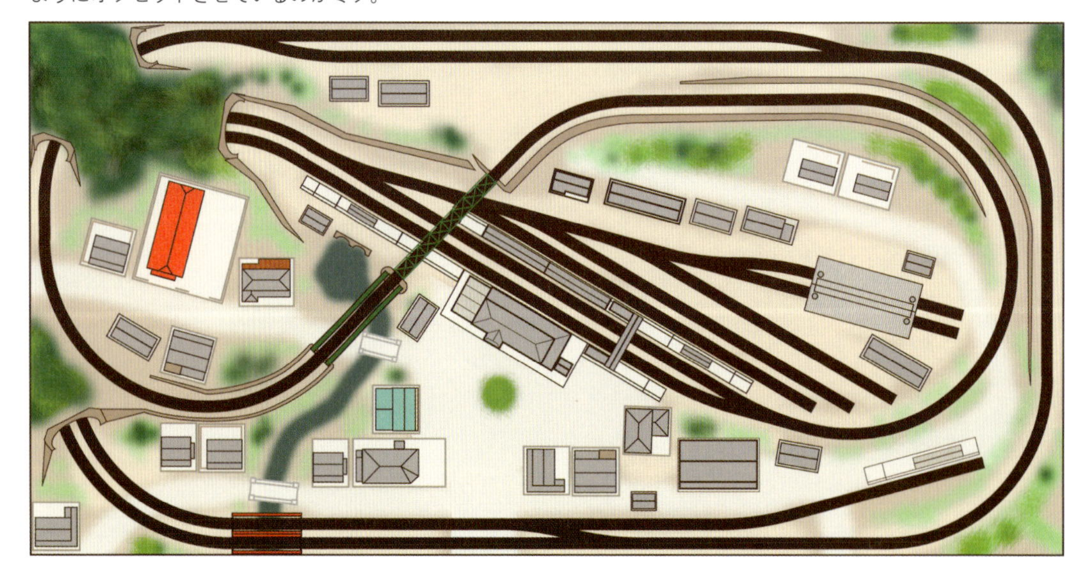

駅前の情景をじっくり作り込む！
多彩な要素を詰め込んだ欲張りプラン

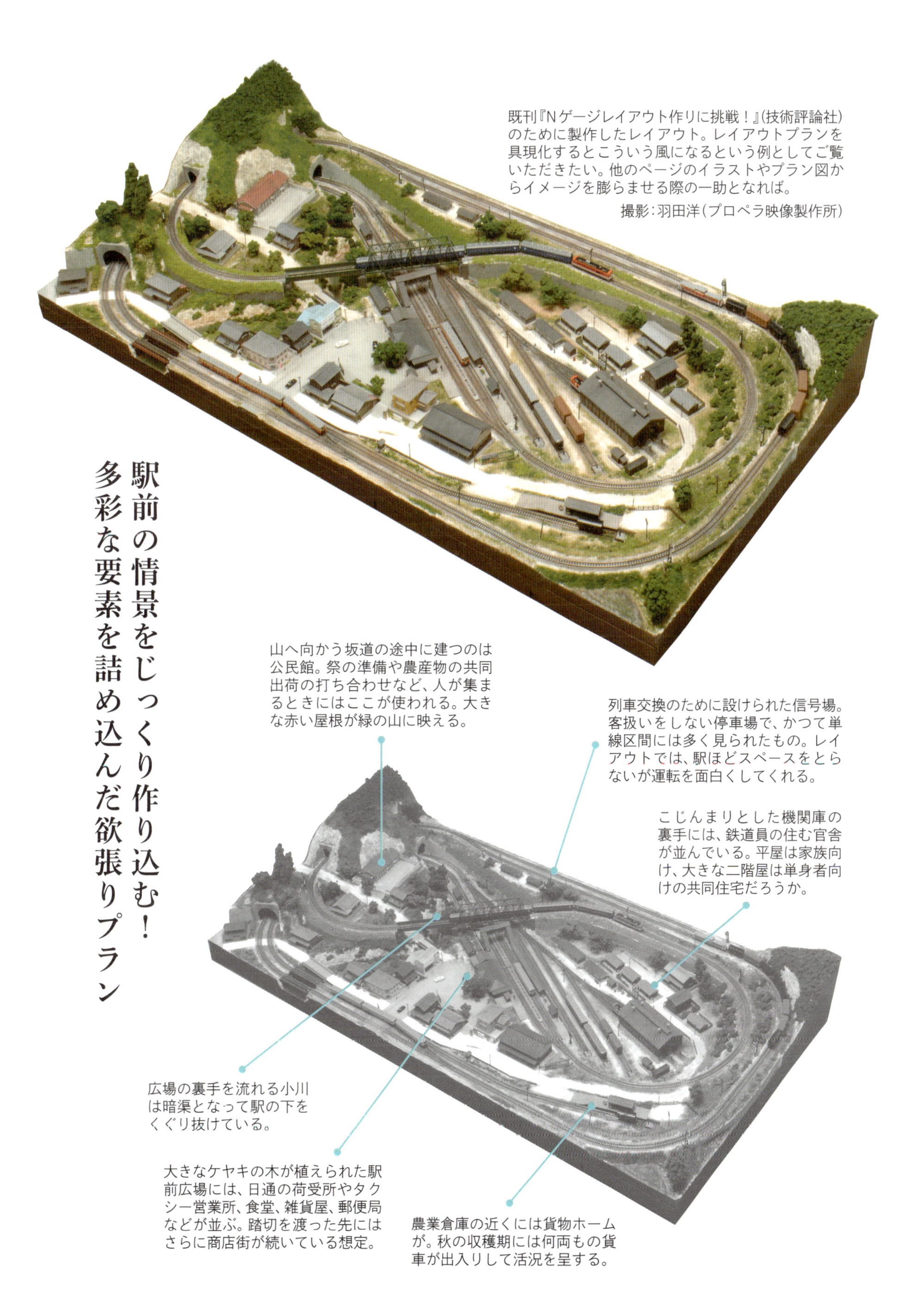

既刊『Nゲージレイアウト作りに挑戦！』(技術評論社)のために製作したレイアウト。レイアウトプランを具現化するとこういう風になるという例としてご覧いただきたい。他のページのイラストやプラン図からイメージを膨らませる際の一助となれば。

撮影：羽田洋(プロペラ映像製作所)

山へ向かう坂道の途中に建つのは公民館。祭の準備や農産物の共同出荷の打ち合わせなど、人が集まるときにはここが使われる。大きな赤い屋根が緑の山に映える。

列車交換のために設けられた信号場。客扱いをしない停車場で、かつて単線区間には多く見られたもの。レイアウトでは、駅ほどスペースをとらないが運転を面白くしてくれる。

こじんまりとした機関庫の裏手には、鉄道員の住む官舎が並んでいる。平屋は家族向け、大きな二階屋は単身者向けの共同住宅だろうか。

広場の裏手を流れる小川は暗渠となって駅の下をくぐり抜けている。

大きなケヤキの木が植えられた駅前広場には、日通の荷受所やタクシー営業所、食堂、雑貨屋、郵便局などが並ぶ。踏切を渡った先にはさらに商店街が続いている想定。

農業倉庫の近くには貨物ホームが。秋の収穫期には何両もの貨車が出入りして活況を呈する。

昭和40年代の国鉄の地方路線

このプランは以前『Nゲージレイアウト作りに挑戦！』という本（小社刊）で製作するレイアウト用として考えたもの。作り方についてはこの本をご覧いただくとして、プランの構想を詳しくご紹介しましょう。運転の面白さと風景の魅力、はじめてレイアウトを作る人にも容易に製作できることを考え合わせたオリジナルのレイアウトプランです。

時代設定は昭和40年代、テーマは国鉄のある地方路線です。プラン27他と同様に非電化の亜幹線を想定しました。幹線ではないがローカル線よりは活気のある路線で、その途中にある、急行列車の停まる中規模の駅と、その周辺の街並みが風景の中心となります。

単線エンドレスだが2列車運転も

本線は大きな単線のエンドレスで、待避線や留置線、機関庫などがある中央の駅の他に、待避線のある信号場がレイアウトの奥に位置します。信号場とは駅に準じる施設のひとつで、旅客や貨物は扱いませんが、列車交換（すれ違い）や追い抜きなどができる場所のこと。かつて単線区間には多く見られました。つまりこのレイアウトプランでは、駅と信号場の2カ所で列車交換あるいは追い抜きができることになり、リアルで面白い2列車運転が楽しめます。

中央の駅のホームに面した2本の線路は、左側のトンネルをくぐるカーブを経て手前側まで続き、ここでポイントで合流しています。このように長い側線を設けることにより、機関庫や留置線のあるヤードの入れ換え作業を、本線上の列車の走行と関係なく行うことができます。つまりヤードのある線路にいる車両をいったん引き出して、別の線に入れる間も、本線上で他の列車を運転することができるのです。

駅と街並み、自然風景が無理なく同居

駅をレイアウトの中央部に斜めに置くことで、何本もの線路が並ぶ広い駅構内と、駅前の広場や街並みの両方を再現できるのが、このプランのセールスポイントです。駅をレイアウトの手前側に置くと、駅前か駅構内のいずれかのシーンをある程度犠牲にしなければならないのですが、このプランではその心配はありません。

レイアウト全体を見渡せば、まず駅手前中央は商店や家々が並ぶ街並みが広がり、その向こうに駅と広場があります。駅の右後方の一体はヤードと機関庫を中心とした鉄道風景が展開。詰所や官舎などが立ち並ぶ活気ある風景です。鉄橋の向こう、左側後方は山とトンネルを背景に、人家などがまばらに並ぶしっとりした風景です。線路や鉄橋、築堤を境に、雰囲気が異なるいくつかの情景を不自然にならないように盛り込んでいます。

製作の容易さがポイント

一見かなり複雑な構成のようですが、大部分の線路や建物は基準となる同一平面上にあり、そこから一部の線路を勾配で持ち上げた構成なので、製作難易度は決して高くはありません。ストラクチャーやシーナリー作りの材料も含めてKATO製品を多用することで、ビギナーでも確実にリアルな情景を作ることができるよう考えられています。

Layout Plan 35 駅頭風景を重視した亜幹線風プラン

プラン図

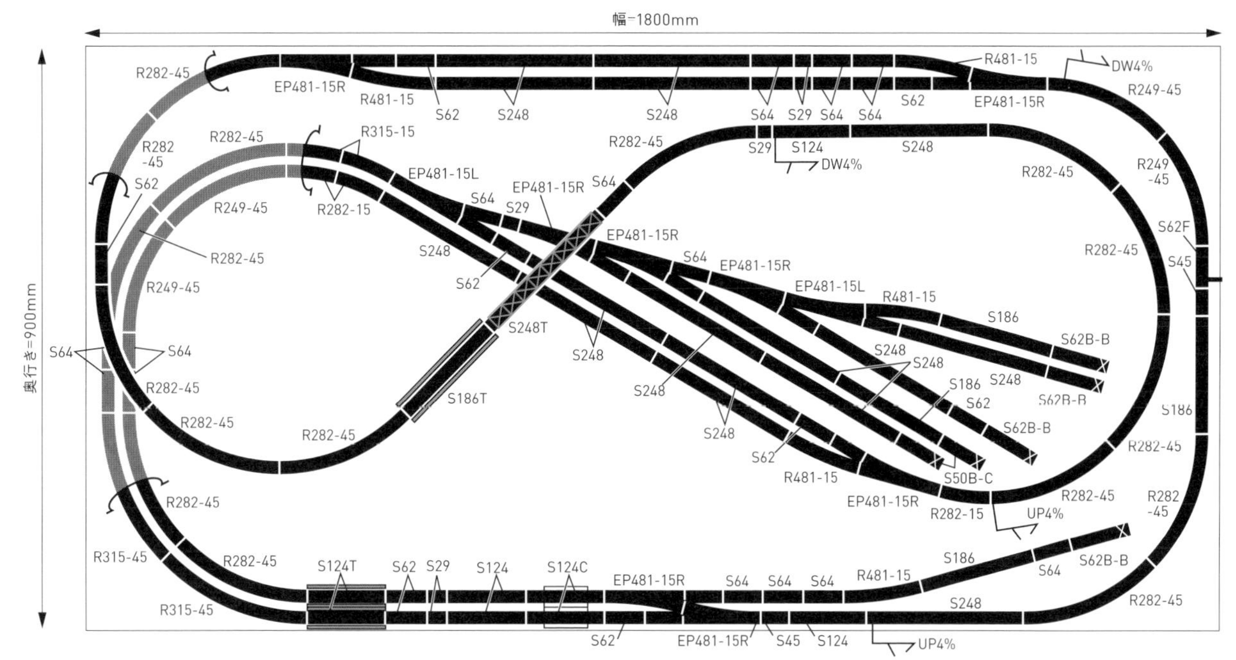

周回距離を長くとった単線エンドレスに駅と信号場を配したことにより、2カ所で列車のすれ違いや追い抜きができる。ヤードや機関区からの車両の出入りが本線の運転と十渉しないように、駅の待避線はトンネルをまたいで長くとっているのも特徴。

使用線路部品リスト(KATOユニトラック)

略号	部品名	数量
S248	直線線路248mm	16
S186	直線線路186mm	4
S124	直線線路124mm	4
S124C	踏切線路124mm	2
S64	直線線路64mm (電動ポイント4番に付属)	17
S62	直線線路62mm	9
S62F	フィーダー線路62mm	1
S62B-B	車止め線路B 62mm	4
S50C-B	車止め線路C 50mm	2
S45	直線線路45.5mm	2
S29	直線線路29mm	6

略号	部品名	数量
R249-45	曲線線路R249-45°	4
R282-45	曲線線路R282-45°	16
R282-15	曲線線路R282-15°	3
R315-45	曲線線路R315-45°	2
R315-15	曲線線路R315-15°	2
R481-15	曲線線路R481-15° (電動ポイント4番に付属)	5
EP481-15L	電動ポイント4番(左)	2
EP481-15R	電動ポイント4番(右)	8
S248T	単線トラス鉄橋(緑)	1
S186T	単線プレートガーダー鉄橋(緑)	1
S124T	単線デッキガーダー鉄橋(朱)	2

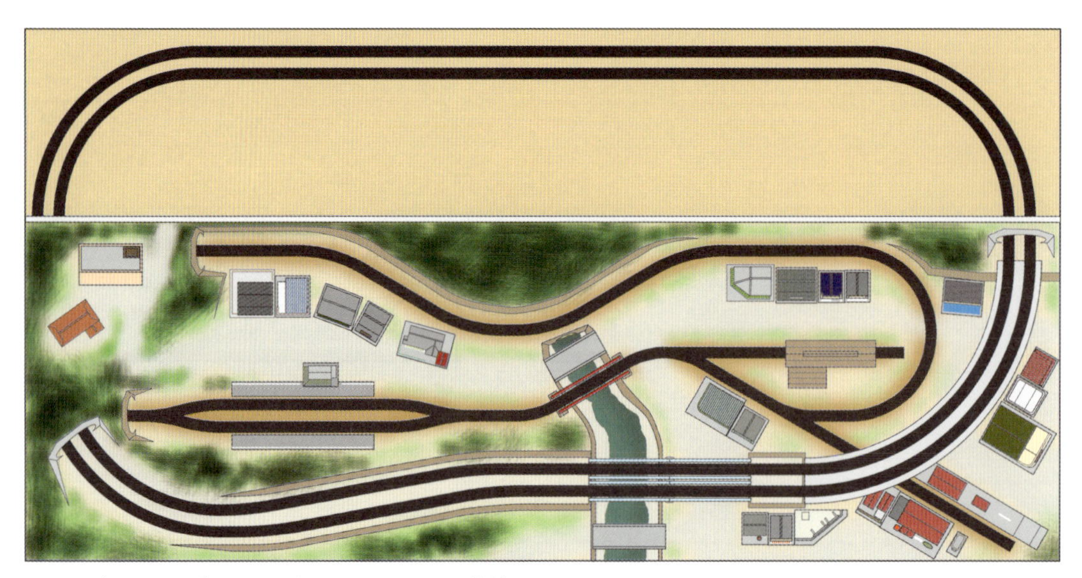

ベースボードいっぱいに展開するメインラインの複線エンドレスと、背景板の手前だけで完結する地方小電鉄のレイアウトが同居。小型電車と長編成列車との並走も楽しめる。

北陸の小さな電車とメインラインの同時走行

近代的な北陸本線風のメインラインと、小さな電車が走る地方小私鉄が同居した定尺プラン。シーナリーは手前3分の2の面積にのみ作り、労力とスペースの節約を図るのが特徴。

大きさ ▸▸▸ 1800×900ミリ
使用レール ▸▸▸ TOMIXファイントラック

- 曲線半径：最小R140
- 使用ポイント：ミニ電動ポイントPR140-30、ミニ電動ポイントPL140-30、電動Y字ポイントN-PY280-15
- 勾配：ナシ
- 停車場有効長：17m級車両２両編成に対応
- テーマ：北陸地方の小さな電鉄と北陸本線
- 時代設定：昭和40年代
- 季節設定：初夏
- 想定走行車両：小型電車および国鉄形車両
- 特記事項：長編成列車を走らせながら、小型電車の本格的な運転が可能

Layout Plan

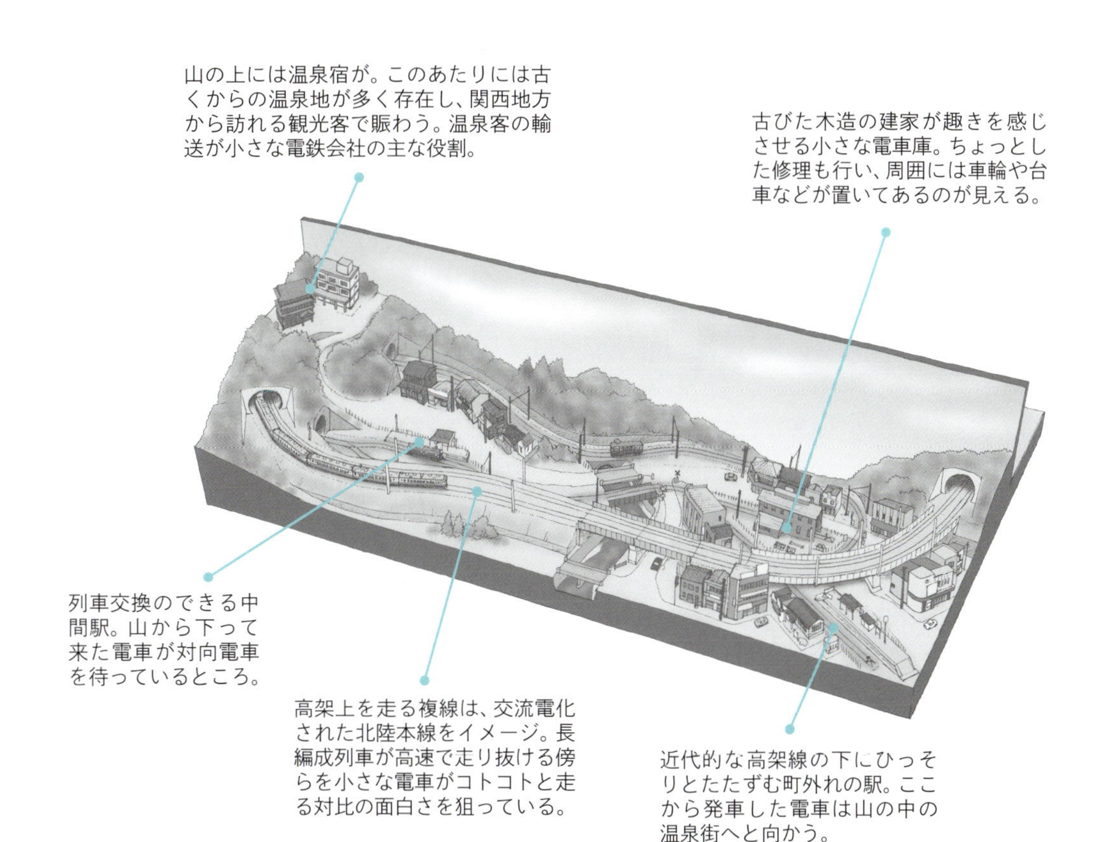

北陸本線の特急を見ながら
コトコト走る地方鉄道がかわいい

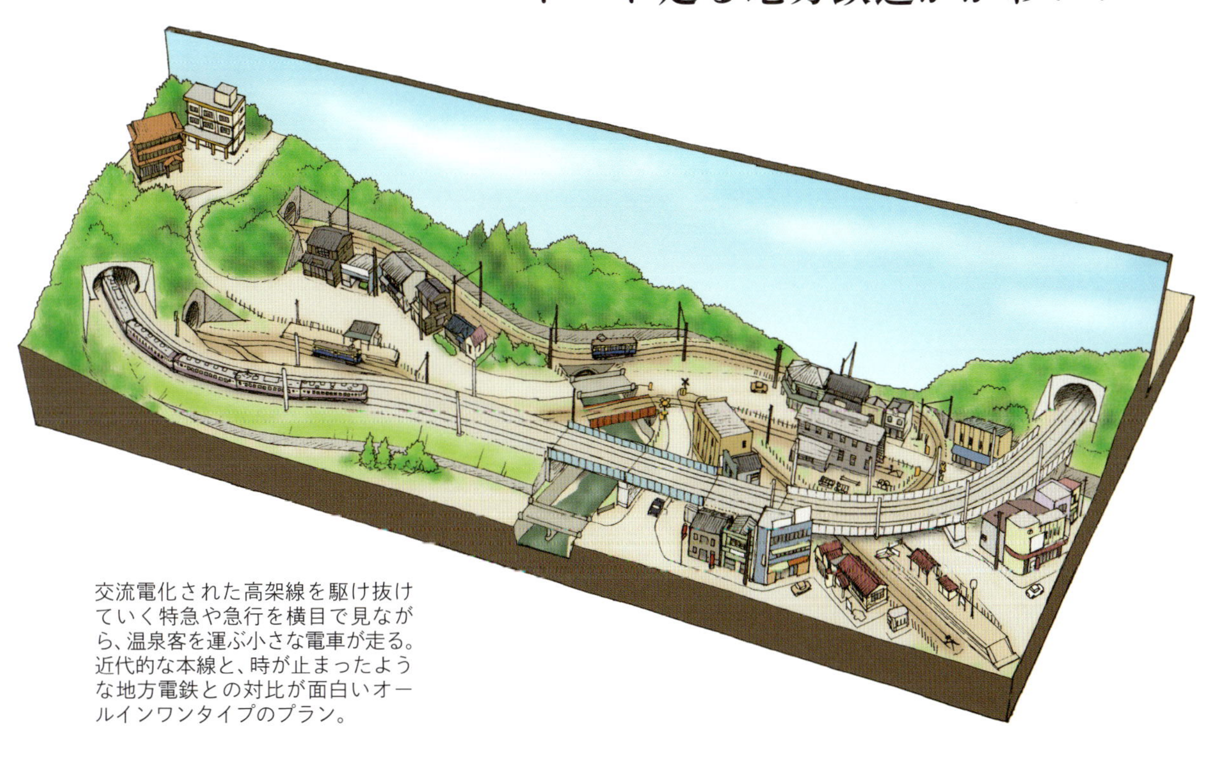

交流電化された高架線を駆け抜けていく特急や急行を横目で見ながら、温泉客を運ぶ小さな電車が走る。近代的な本線と、時が止まったような地方電鉄との対比が面白いオールインワンタイプのプラン。

ひと粒で2度おいしい！

北陸地方には早くから小さな電鉄路線が発達し、可愛らしい電車がコトコトと走る、風情ある情景が見られました。古くから温泉が湧き、主に関西地方から訪れる観光客で栄えたために、北陸本線の駅と温泉地を結ぶ小さな電鉄会社が数多く生まれた経緯があるようです。接続する北陸本線は、早くから交流電化が進められ、真新しい交直流電車や深紅の車体もまばゆい交流電気機関車が行き来していました。

この両者の対比が面白く、Ｎゲージに再現するためのプランを考えてみました。いわば、ひと粒で2度おいしいお徳用プランでしょうか。

メインラインは極力シンプルに

地方小電鉄を主役と考えて、北陸本線風のメインラインは脇役と割り切り、駅もない複線オーバルとしました。目立つところに内側３５４ミリ、外側３９１ミリの緩やかなカーブを使ったことと、手前側にごく緩やかなＳ字形カーブをあしらい、長編成列車が身をくねらせるようにして走る姿を楽しめるようにしたのがわずかな工夫です。もっとも駅がないことで、ホームの長さを気にせずに長い編成を走らせられる利点もあります。優等列車のフル編成もＯＫです。４８５系「雷鳥」12連でも、20系時代の「日本海」（機関車＋客車13両）でもお好みでどうぞ。このメインラインの一部にはコンクリート製枕木を模した複線線路を使い、トンネルポータルもコンクリート製として、古びた電鉄線との対比を強調したいところです。

温泉街行きの小さな電車

その電鉄線の方は町外れの終着駅、列車交換のできる中間駅、ささやかな電車庫と、こじんまりとですが一通りのものをまとめ、本格的な運転が楽しめます。その間には高架上を走る長編成列車との一瞬の出会いや並走が楽しめます。ＴＯＭＩＸのミニカーブレールを使い、曲線半径は１４０ミリと急ですが、地方の小電鉄は15メートル級や12メートル級の電車が主役ですから問題ありません。むしろ、民家の軒をかすめるようにして、車体をきしませて急カーブを走る姿こそ魅力的なのです。

さてこれらのコンテンツを定尺サイズにおさめるわけですが、プラン07と同様に、ベースボードを長手方向に横切る背景板を設置し、その手前側にのみシーナリーを作り込む方法を採りました。北陸本線風の大エンドレスはベースをいっぱいに使い、背景の後ろまで回り込んで周回します。一方、地方電鉄風のエンドレスは手前側のみで完結しています。好ましくまとまったシーナリーを、楽しく作ることができると思います。

やはりプラン07と同じく、背景板の後ろの部分は折りたたみ式にして、ふだんは壁際に寄せておけば、設置スペースを節約することができるのも特徴です。レイアウトをキャスター付きの台に載せておくといいでしょう。プラン07と違うのは、この場合でも地方電鉄線だけ運転することができる点です。

仕事を終えた平日のわずかな時間などにもこうして楽しめますし、休日など時間に余裕があるときには、フルスペックの運転を満喫できます。

プラン図

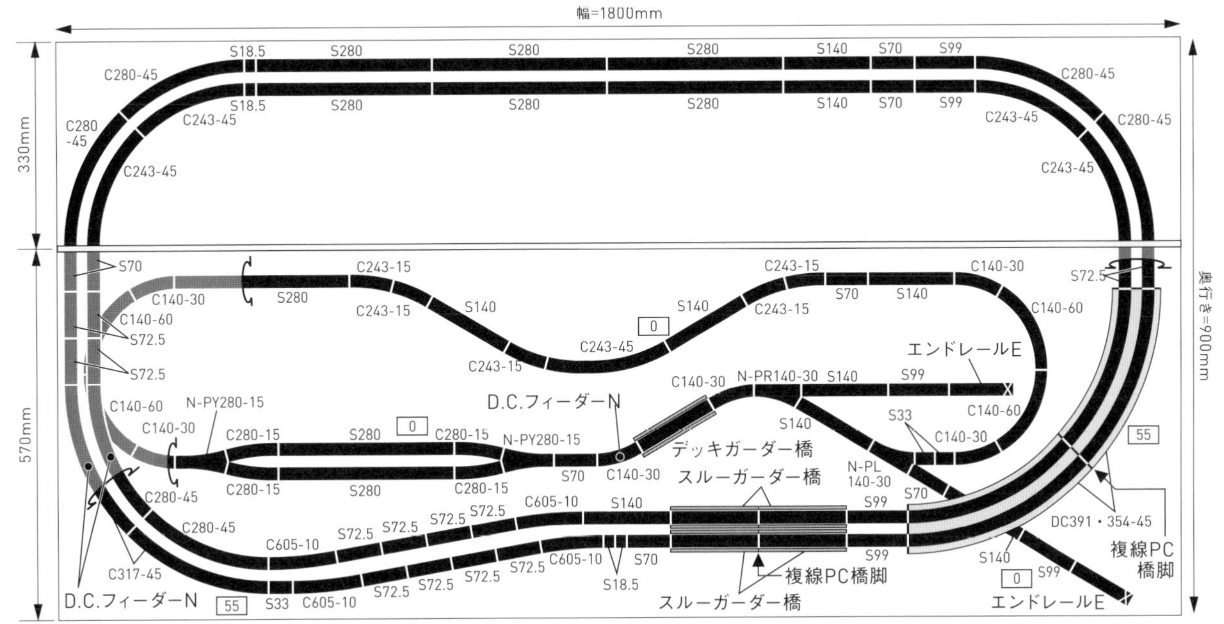

このレイアウトには相互の連絡のない独立した3つのエンドレスがあり、3カ所のD.C.フィーダーNのフィーダー線はそれぞれ3台のパワーパックに接続する。

※□内はベースボード表面からの線路高
※◀は高架橋脚の位置を示す

使用線路部品リスト（TOMIXファイントラック）

略号	部品名	数量
S280	ストレートレールS280 (F)	9
S140	ストレートレールS140 (F)	9
S99	ストレートレールS99 (F)	6
S72.5	ストレートレールS72.5 (F)	14
S70	ストレートレールS70 (F)	8
S33	端数レールS33 (F)	3
S18.5	端数レールS18.5 (F)	4
C140-30	ミニカーブレールC140-30 (F)	6
C140-60	ミニカーブレールC140-60 (F)	4
C243-45	カーブレールC243-45 (F)	5
C243-15	カーブレールC243-15 (F)	5
C280-45	カーブレールC280-45 (F)	6
C280-15	カーブレールC280-15 (F)	4

略号	部品名	数量
C317-45	カーブレールC317-45 (F)	2
C605-10	カーブレール605-10 (F)	4
DC391・354-45	複線カーブレールDC391・354-45 (F)	2
N-PY280-15	電動Y字ポイントN-PY280-15 (F)	2
PR140-30	ミニ電動ポイントPR140-30 (F)	1
PL140-30	ミニ電動ポイントPL140-30 (F)	1
	エンドレールE (F)	2
	デッキガーダー橋（赤）(F)	1
	スルーガーダー橋（青）(F)	4
	複線PC橋脚	2
	D.C.フィーダーN	3組

大きさ ▸▸▸ 1800×900ミリ
使用レール ▸▸▸ KATOユニトラック

Layout Plan 37

- 曲線半径：最小R180
- 使用ポイント：ユニトラック４番
- 勾配：最急４％
- 停車場有効長：12m級電車２両編成に対応
- テーマ：路面電車の走る地方都市
- 時代設定：現代
- 季節設定：春
- 想定走行車両：新旧の路面電車
- 特記事項：一部にKATO製路面軌道システム「ユニトラム」を使用

路面電車の生きた博物館

古今東西の路面電車を買い取って現役で使用している想定の地方都市風プラン。一部にKATOの路面軌道システム「ユニトラム」を利用して、整然とした街並みを製作。

製作難易度
★★★★☆

路面電車が今も存続している地方都市がテーマ。路面軌道と専用軌道が混在しているのは広島、富山など各地で実例が見られる。古いものと新しいものが共存する、整然とした街並みが魅力的。

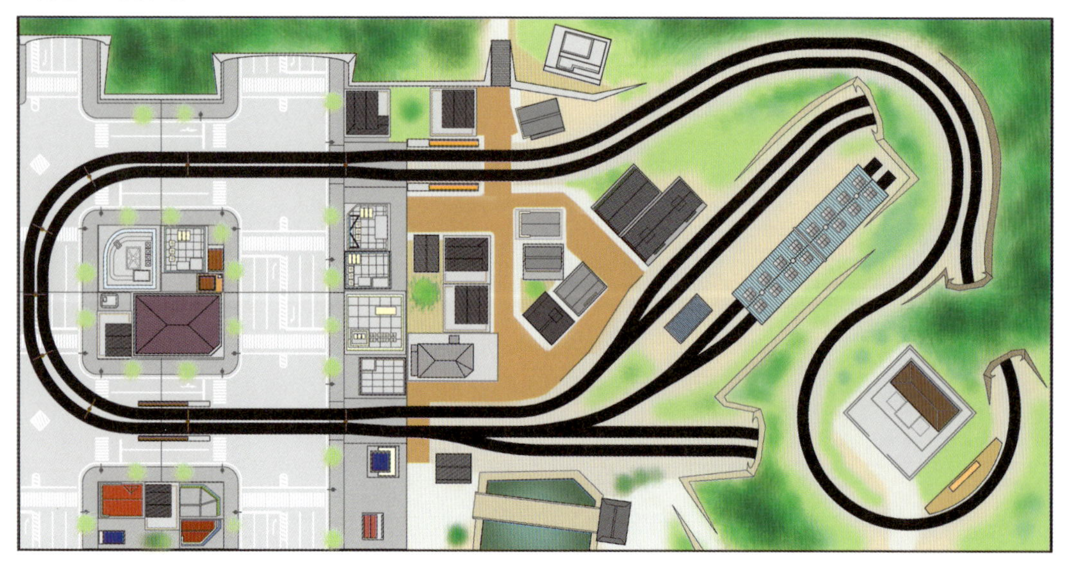

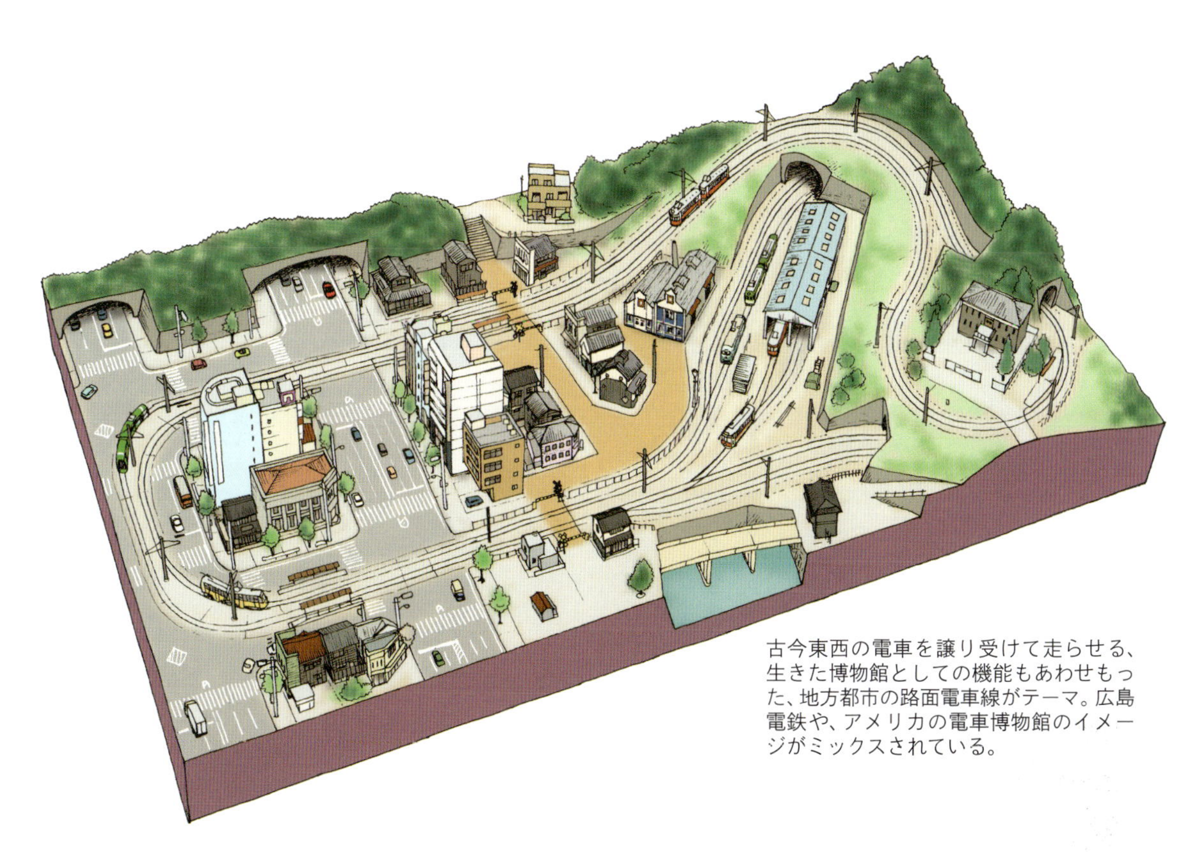

古今東西の電車を譲り受けて走らせる、生きた博物館としての機能もあわせもった、地方都市の路面電車線がテーマ。広島電鉄や、アメリカの電車博物館のイメージがミックスされている。

全国各地から集まった路面電車を走らせてみたい

新しいビルと歴史的な建物が混在する街並み。それでいて整然とした印象なのは、手入れの行き届いた並木や整備の行き届いた歩道、そして近代的な設備を誇る路面電車のおかげだろうか。

路面軌道から専用軌道に入ると電車は速度を上げ、丘をグイグイと登っていく。住宅地として開発が進む丘陵地帯と町の中心部を結ぶ足としての役目は、今後ますます大きくなるだろう。

丘の上には明治時代に建てられたクラシックな建物が。藩校をルーツとする県下最初の古い小学校校舎が保存されたものだとか。

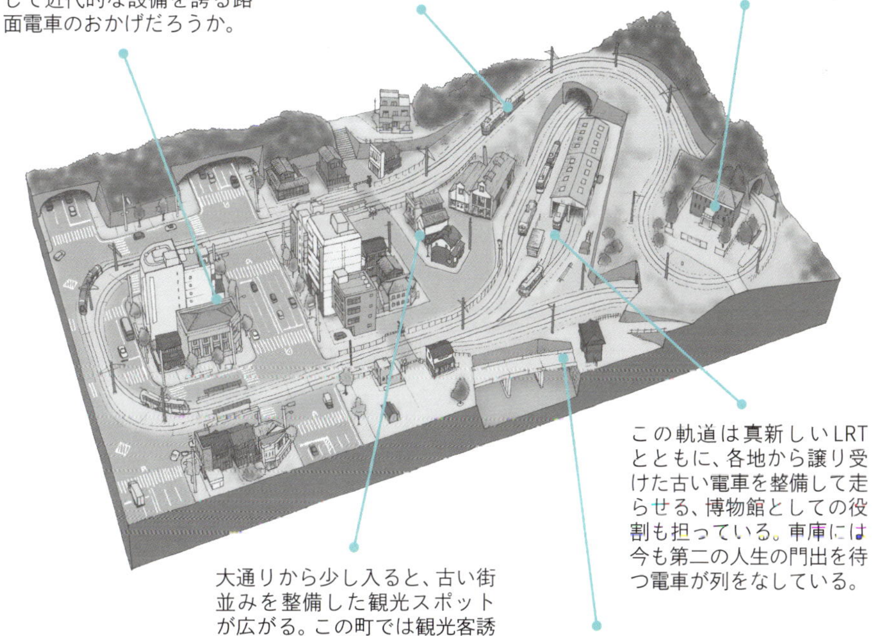

この軌道は真新しいLRTとともに、各地から譲り受けた古い電車を整備して走らせる、博物館としての役割も担っている。車庫には今も第二の人生の門出を待つ電車が列をなしている。

大通りから少し入ると、古い街並みを整備した観光スポットが広がる。この町では観光客誘致に力を入れていて、最近では海外からのお客さまも多いとか。

町の中心には城址公園があり、市民の憩いの場となっている。

夢の電車博物館

アメリカのカリフォルニア州にある「オレンジ・エンパイア・ミュージアム」は、古い電車をたくさん保存している屋外博物館で、広大な園内では動態保存車両の運転も行っています。コレクションには京都市電(N電)も含まれているほか、廃車になった日本の古い電車の部品が海を渡り、保存車両の動態復活に役立ったことも一度ならずあるとか。日本の初期の電車は、主要部品をボールドウィンとかテイラーなどのアメリカのメーカーに頼っており、日米の電車は歴史的に深い関係にあるのですね。

こんな博物館が日本にあったら……、と思ったのですが、考えてみれば広島電鉄という、生きた電車の博物館がありました。国外を含む各地から譲り受けた電車を、現役で使用しているのですからスゴい。しかし、公共交通としての使命がある以上、古い電車たちの将来が完全に保証されているわけではないようで、惜しまれながら廃車されるケースもあるようです。

「オレンジ・エンパイア」のように、古い路面電車の終の住処としての役割を持ち、しかも「広電」のように現役で働き続けることができる夢の町も、Nゲージの世界なら実現できます。

路面電車部分はユニトラムで

レールにはKATOユニトラックを使い、レイアウトのおよそ3分の1の面積を、同社の路面軌道システムである「ユニトラム」の部品で構成します。規格化されたプレート状の部品を組み合わせることで、路面電車の走る町の風景を容易に再現できます。また、電停や架線用のセンターポール、ガードレールなどのパーツも豊富です。

整然とした街並みがたちどころにできあがり、路面電車全盛時代よりも、LRTと呼ばれる新世代の路面電車が活躍する現代の町を再現するのに好適。今回の目的にはピッタリです。

ドッグボーンを採用したエンドレス

残る3分の2のは、丘陵地帯を巡る専用軌道を中心に、車庫も設けました。本線は大きな単線エンドレスで、両端が輪になり、中央部分は見かけ上は複線です。このような線路配置を、漫画で犬がくわえている骨の形に似ていることから「ドッグボーン」と呼びます。このプランでは長いドッグボーンを折り曲げ、両端を上下に重ねた形をしています。

このレイアウトでは同一線路上で複数の動力車を個別にコントロールできるDCC(デジタル・コマンド・コントロール)を導入します。何両もの電車が時にはダンゴ状態になりながら続行運転されるシーンを再現したいですね。

檸檬の郷ミュージアム

この町では電車と同様に、歴史ある建物を大切にしており、それがまた観光資源にもなっているという想定です。

近年では海外からの観光客も多く、電車にカメラを向けている姿もよく見かけるようになりました。ファンの間では、オレンジ・エンパイア・ミュージアムの向こうを張って「檸檬の郷ミュージアム」と呼ばれているとか。そうそう、広島はレモンの名産地でもありますね。

プラン図

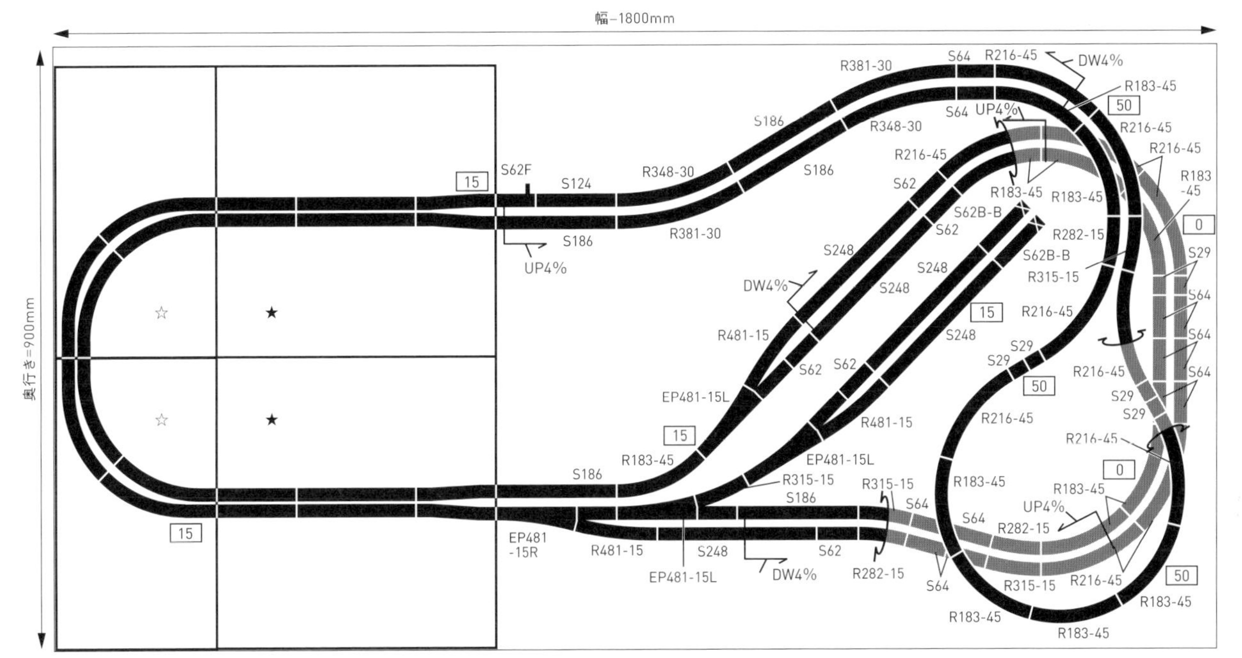

大きな単線エンドレスの中央を複線状にした「ドッグボーン形」が基本的な線路配置。車庫の側線の他、本線の待避線も多くの電車を縦列で留置しておくためのもの。複数の動力車の続行運転には、DCC(デジタル・コマンド・コントロール)導入が適している。

☆＝ユニトラム曲線軌道(左×2＋右×2)＋街並セットの組み合わせ
★＝V53(ユニトラム 鉄道乗入れ拡張セット)
※□内はベースボード表面からの線路高
※無印の線路は4番ポイント付属の補助線路(S60)

使用線路部品リスト(KATOユニトラック)

略号	部品名	数量
S248	直線線路248mm	5
S186	直線線路186mm	5
S124	直線線路124mm	1
S64	直線線路64mm (電動ポイント4番に付属)	12
S62	直線線路62mm	5
S62F	フィーダー線路62mm	1
S29	端数線路29mm	6
S62B-B	車止め線路B62mm	2
R183-45	曲線線路R183-45°	12
R216-45	曲線線路R216-45°	11
R282-15	曲線線路R282-15°	3

略号	部品名	数量
R315-15	曲線線路R315-15°	4
R348-30	曲線線路R348-30°	2
R381-30	曲線線路R381-30°	2
R481-15	曲線線路R481-15° (電動ポイント4番に付属)	3
EP481-15L	電動ポイント4番(左)	3
EP481-15R	電動ポイント4番(右)	1
ユニトラム	曲線軌道プレート　交差点・左	2
ユニトラム	曲線軌道プレート　交差点・右	2
ユニトラム	曲線道路プレート　交差点・内側	2
ユニトラム	拡張セット　街並	1
ユニトラム	鉄道乗入れ拡張セット	1

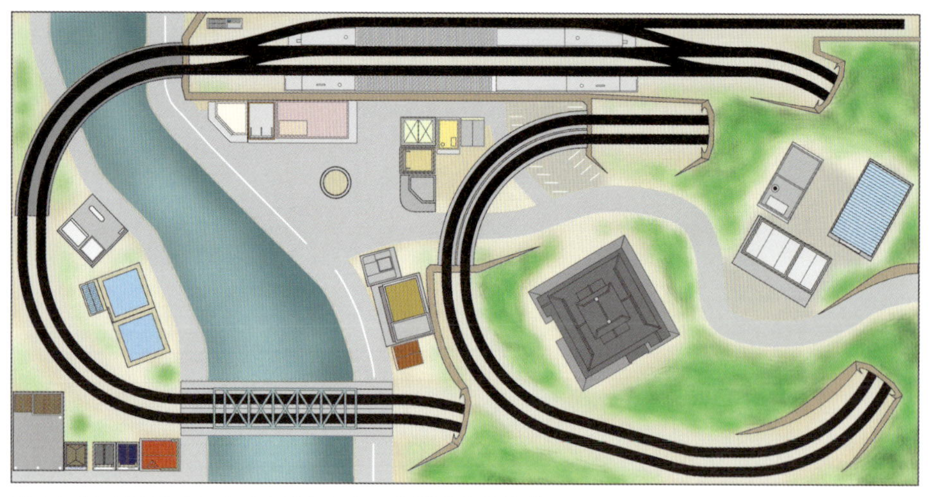

堂々たる天守閣を抱いた犬山城を中心に、特徴的な風物が展開する名古屋鉄道風プラン。川にかかるのは道路と鉄道が同じ橋を共用する併用橋で、かつて犬山市内に実在したものをイメージしている。

小高い丘に聳える天守閣と併用橋の組合せ

名古屋鉄道の路線が走る愛知県犬山市内の風景をモチーフにした私鉄風プラン。木曽川を前にそびえる犬山城や、道路と鉄道が同じ橋を共用する併用橋などで個性的な情景を構成。

大きさ ››› 1800×900ミリ
使用レール ››› TOMIX ファイントラック

- 曲線半径：最小R243
- 使用ポイント：電動ポイントN-PR541-15、電動ポイントN-PL541-15
- 勾配：４％
- 停車場有効長：18m級車両４両編成に対応
- テーマ：名古屋鉄道の路線
- 時代設定：昭和50年代
- 季節設定：初夏
- 想定走行車両：名古屋鉄道の各種車両
- 特記事項：特徴的な鉄道と道路の併用橋など愛知県犬山市内の風物をアレンジ

列車と車が同じ橋を走るって!? 犬山城をバックに併用橋を再現

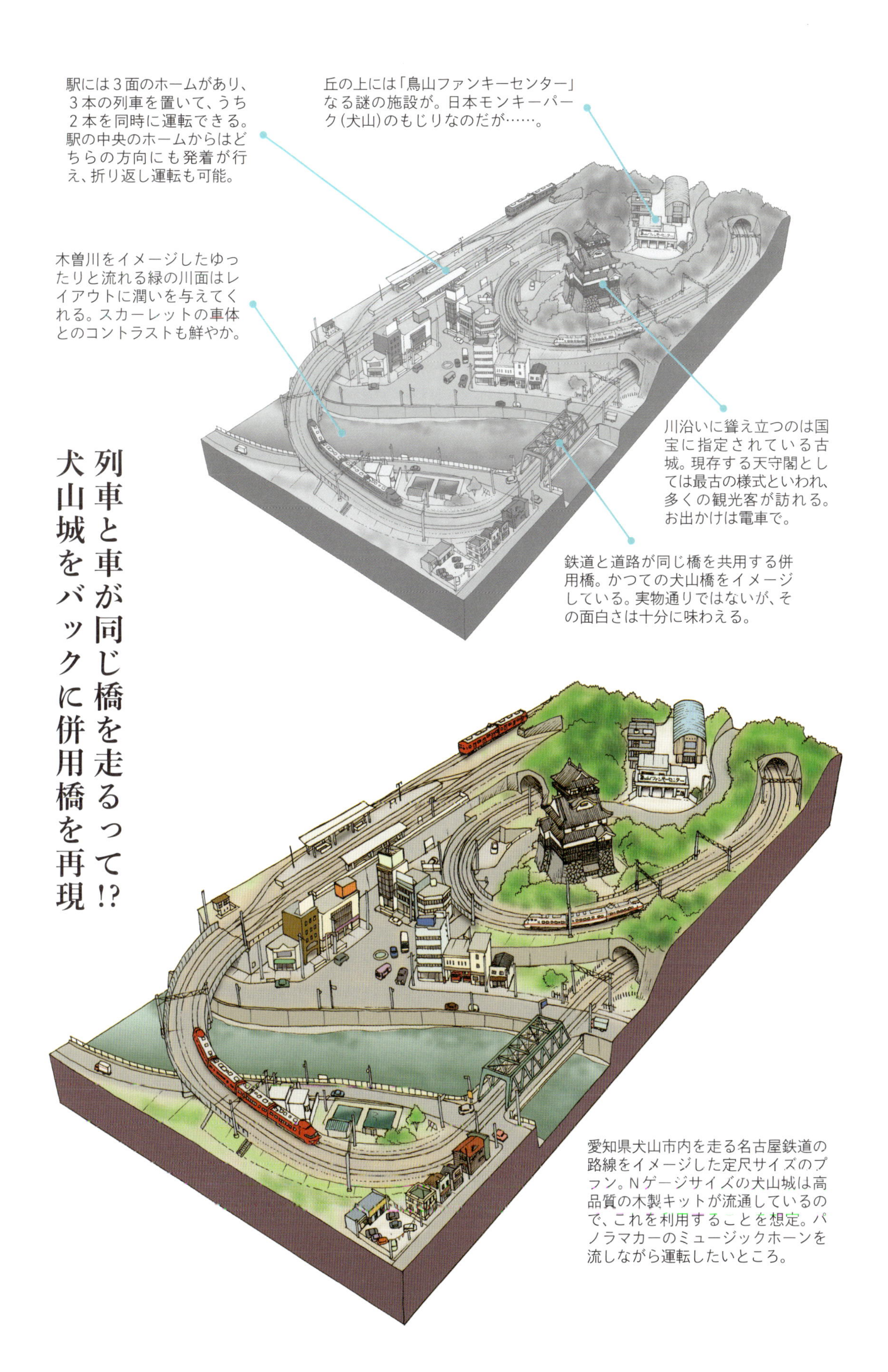

駅には3面のホームがあり、3本の列車を置いて、うち2本を同時に運転できる。駅の中央のホームからはどちらの方向にも発着が行え、折り返し運転も可能。

丘の上には「鳥山ファンキーセンター」なる謎の施設が。日本モンキーパーク（犬山）のもじりなのだが……。

木曽川をイメージしたゆったりと流れる緑の川面はレイアウトに潤いを与えてくれる。スカーレットの車体とのコントラストも鮮やか。

川沿いに聳え立つのは国宝に指定されている古城。現存する天守閣としては最古の様式といわれ、多くの観光客が訪れる。お出かけは電車で。

鉄道と道路が同じ橋を共用する併用橋。かつての犬山橋をイメージしている。実物通りではないが、その面白さは十分に味わえる。

愛知県犬山市内を走る名古屋鉄道の路線をイメージした定尺サイズのプラン。Nゲージサイズの犬山城は高品質の木製キットが流通しているので、これを利用することを想定。パノラマカーのミュージックホーンを流しながら運転したいところ。

度肝をぬかれた「併用橋」

かつて、修学旅行先で鉄橋の上を自動車と電車が一緒に走っているのを見て驚いた経験があります。

場所は愛知県犬山市内の木曽川にかかる犬山橋。堂々6両編成のパノラマカーが、奇妙な音色の警笛（と、そのときは思ったのです）を鳴らしながら、乗用車やトラックの車列を横目にしずしずと渡るのですから目が釘付けになりました。今では鉄道と道路は分離されましたが、この光景に魅せられた方は少なくないようで、動画投稿サイトには往年の走行シーンがいくつもアップロードされています。

あの不思議で迫力あるシーンをNゲージで再現できないか、限られたスペースでも、エッセンスは味わえるのではないかと考えました。

ＴＯＭＩＸからは「ワイドトラムレール」というものが発売されています。主に路面電車向けでカーブは急なのですが、併用橋には直線さえあればよく、これに複線トラス鉄橋の上部構造物を組み合わせれば比較的容易に実現できそうです。幅がもう少しほしいところですが、実物でも電車の通過中は乗用車がなんとか並走できるぐらいの幅しかありませんでした。歩道がトラスの外側に設けられているのも実物同様です。

レイアウトの奥から手前へ幅の広い川が横切る形として、実景のゆったりとしたムードを狙います。ここに鉄橋が何本もかかっていたのではぶち壊しなので、線路配置もその点に配慮し、ひとひねりした複線エンドレスの内側は川を渡らずにカーブさせています。また、奥側で線路が川を渡る部分は鉄橋ではなく連続した高架線の一部として、手前の併用橋をひきたたせるように考えました。

国宝犬山城の威容もぜひ

その併用橋は実際の犬山橋とはいささか異なる外観ですが、ほど近い丘の上にあのお城が建っていれば、誰が見ても犬山と分かります。Nゲージに利用可能な城のプラモデルは結構流通していますが、犬山城に関してはウッディジョーというメーカーからちょうど１５０分の１スケールの木製キットが発売されていますので好都合。筆者はこのメーカーの別のキットを組んだことがありますが、部品の整形に多くの時間を要したかつての木製キットとは違い、レーザーカット加工されたパーツ同士が気持ちよくフィットして楽しく作ることができました。

なお木製キットはプラスチック製のストラクチャーと質感が異なるのは事実ですが、そもそも城は普通の建物とは違いますから問題になりません。

運転面の工夫も盛り込んで

ヤードなどは設けるスペースがありませんでしたが、3本の列車を置いてうち2本を同時運転することができます。駅の中央の線からは折り返し運転も可能です。

側線が少ないので内回り線と外回り線の列車入れ替えのために、本線上にギャップを切って一時的に列車を停めておくようにしました。併用橋付近では道路用の信号との関係で頻繁に列車が停止しますから不自然ではありません。

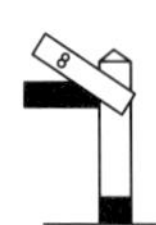

Layout Plan 38 小高い丘に聳える天守閣と併用橋の組合せ

プラン図

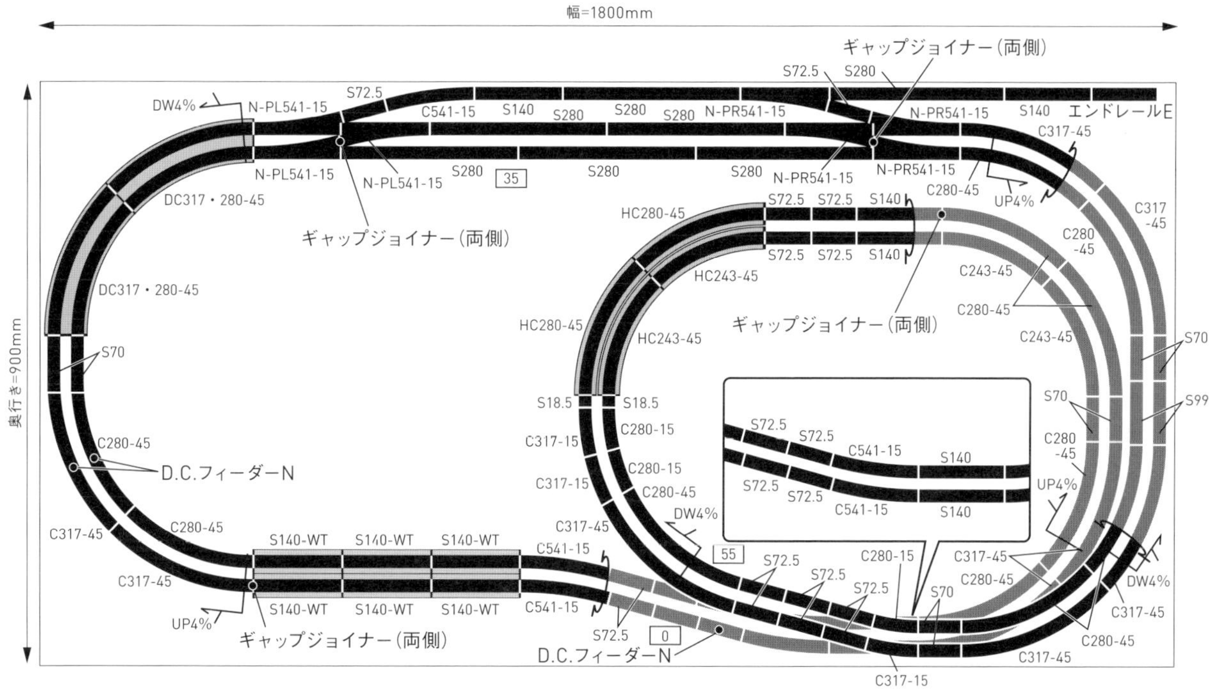

左側2カ所のD.C.フィーダーNのフィーダー線はユニバーサルスイッチを介し2台のパワーパックに接続する。手前のD.C.フィーダーNのフィーダー線はセレクタースイッチを介し2台のうち外側線用のパワーパックに接続。詳細はそれぞれの説明書を参照のこと。

※□内はベースボード表面からの線路高

使用線路部品リスト（TOMIXファイントラック）

略号	部品名	数量
S280	ストレートレールS280 (F)	7
S140	ストレートレールS140 (F)	6
S99	ストレートレールS99 (F)	2
S72.5	ストレートレールS72.5 (F)	18
S70	ストレートレールS70 (F)	8
S18.5	端数レールS18.5 (F)	2
C243-45	カーブレールC243-45 (F)	2
C280-45	カーブレールC280-45 (F)	11
C280-15	カーブレールC280-15 (F)	3
C317-45	カーブレールC317-45 (F)	9
C317-15	カーブレールC317-15 (F)	3

略号	部品名	数量
C541-15	カーブレール541-15 (F)	5
HC243-45	高架橋付レールHC243-45 (F)	2
HC280-45	高架橋付レールHC280-45 (F)	2
DC317·280-45	複線カーブレールDC317・280-45 (F)	2
N-PR541-15	電動ポイントN-PR541-15 (F)	4
N-PL541-15	電動ポイントN-PL541-15 (F)	3
	エンドレールE (F)	1
S140-WT	ワイドトラムレールS140-WT (F)	6
	D.C.フィーダーN	3組
	ギャップジョイナー	8個(4組)

大きさ ▸▸▸ 1800×900ミリ
使用レール ▸▸▸ KATOユニトラック

Layout Plan 39

- 曲線半径：最小R243
- 使用ポイント：ユニトラック4番および2番Y
- 勾配：最急4％
- 停車場有効長：18m級電車4両編成に対応
- テーマ：古都を走る大私鉄
- 時代設定：現代
- 季節設定：秋
- 想定走行車両：関西大私鉄の各車両
- 特記事項：一部にKATO製路面軌道システム「ユニトラム」を使用した併用軌道を設置

関西私鉄のエッセンスをギュッと凝縮

古くからサービス競争にしのぎを削って発達してきた関西私鉄のエッセンスを定尺サイズに凝縮。古都のイメージでまとめたシーナリーの中を、カラフルな電車たちが快走する。

古都に乗り入れる併用軌道や地下鉄乗り入れ区間を盛り込んだ、関西大私鉄風のプラン。シーナリーは古都をイメージし、五重塔が建つ寺院や、町家造りの家屋が並ぶ。

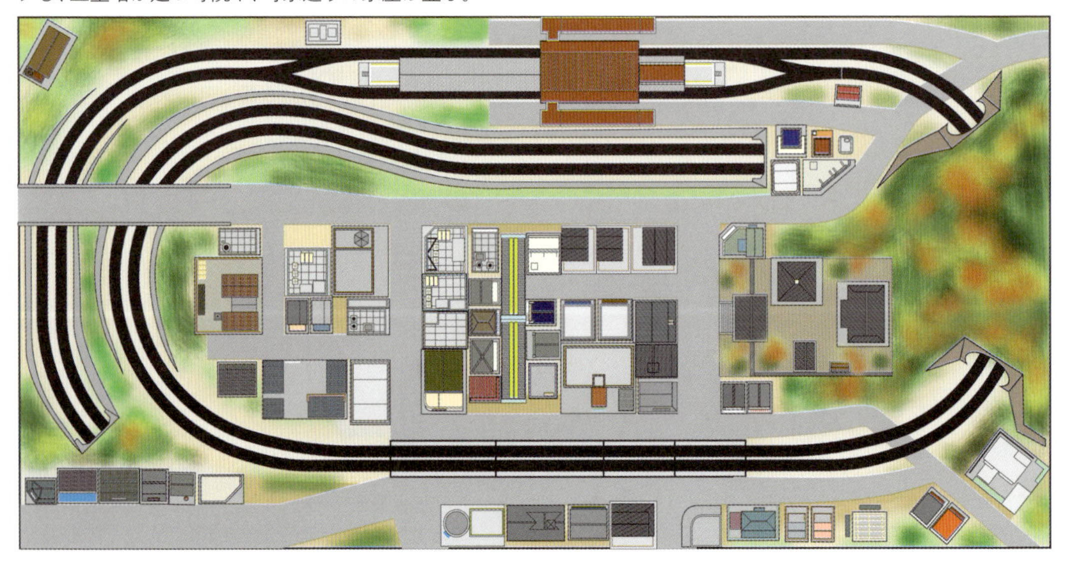

紅葉の山や五重塔を背景に、関西私鉄が誇る名車たちが走る。歴史を感じさせる街並みと、最新の電車とのコントラストも楽しい古都風のレイアウト。BGMはやはり「マイ・フェイバリット・シングス」でしょうか……。

歴史ある古都と併用軌道 ここは京都、それとも浜大津？

地元の人たちに愛されているアーケードの商店街。大きなスーパーマーケットよりも、昔ながらの商店が好まれるのも、古都らしい心意気といえるだろうか。

観光地に近い地上駅の駅舎は、最近建て替えられたばかり。バリアフリー対策や、近年とみに増えた海外からのお客さまに分かりやすい案内表記も万全。

重要文化財を多く擁する歴史ある寺院はこの町のシンボル。紅葉の美しい山をバックに五重塔がたたずむ風景は鉄道会社のポスターにもしばしば登場しているとのこと。

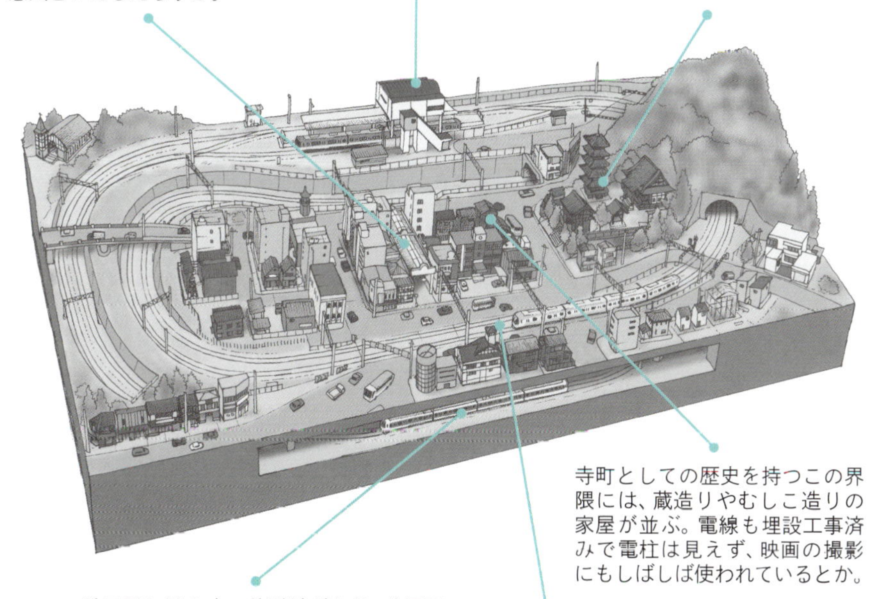

寺町としての歴史を持つこの界隈には、蔵造りやむしこ造りの家屋が並ぶ。電線も埋設工事済みで電柱は見えず、映画の撮影にもしばしば使われているとか。

地下駅には2本の待避線があり、普通列車を急行が追い抜くダイヤも組まれている。地下鉄区間より町の中心地に乗り入れるのは関西私鉄では戦前から行われており、旅客サービス重視の姿勢が徹底していることをうかがわせる。

京阪電鉄大津線をイメージした併用軌道。大通りの中央を4両編成の電車が堂々と走る珍しい光景は、全国からファンが撮影に訪れるほど。

併用軌道に魅せられて

前プランでご紹介した犬山の併用橋に鮮烈な印象を受けたせいか、筆者は併用軌道が大好きなのです。道路の真ん中を堂々と列車が走る光景は、視覚的にも面白いし、日常の中に非日常が入りこんでくる感じが好きなのですね。

旧国鉄やJRでは寡聞にして知りませんが、私鉄では併用軌道の実例は結構ありました。東急、京急、京王、山陽、西鉄などなど……。そして現在も京阪大津線の浜大津駅付近では、全長64メートルの併用軌道区間が現存していて、4両編成の電車が道路上をしずしずと走る様子が見られます。

このイメージに端を発してデザインしたのがこのプラン。肝心の併用軌道部分には、本来は路面電車の走行用システムであるKATO製「ユニトラム」の軌道パーツを使います。道路の表面にレールが埋め込まれた併用軌道の自作はなかなか面倒なので重宝します。複線の間隔が25ミリと狭くなっているのも特徴で、自動車に混じって肩をすぼめるようにして走る感じが出ます。ユニトラックの標準複線間隔は33ミリなので、併用軌道と専用軌道の境界部分を工夫したのが当プランのミソといえるでしょうか。なおユニトラムの曲線半径は180Rと急なので使わず、直線のみとしました。

京都風のデザインに

現存する京阪の併用軌道をイメージしましたので、舞台はミニ京都風の町として、関西私鉄風にまとめてみました。紅葉の山をバックに五重塔のある寺院を設置、門前街には木造の建物を多く並べ、それ以外の建物も少し時代をさかのぼった感じです。その中に現代的あるいは超近代的な建物を混在させるとそれらしいと思うのですがどうでしょう。単に古いだけではなく、洗練されたイメージがあるのです。

街路も古都のイメージに沿い、できるだけ碁盤の目のように整った感じを出したいですね。

あの名曲をかけながら

線路配置はひとひねりした複線のエンドレスに2つの駅を設けたもの。地上駅は島式ホームが1本だけの小さなものですが、両端に渡り線を設け、どちら方向にもスムーズに電車が折り返せるようになっています。地下駅には2本の待避線があり、各駅停車を急行が追い抜くこともできます。

なお東京でも近年、地下鉄と私鉄の乗り入れが盛んになりましたが、地下鉄区間により町の中心地まで乗り入れるのは、サービス重視の関西私鉄が古くから行ってきたお家芸です。

地下駅はレイアウトの手前に位置し、ベースボードの前面から見えるように作り、照明を組み込みましょう。歴史ある関西私鉄らしく、重厚かつ優雅なインテリアを作り込むのも楽しいでしょう。

情緒溢れる古都の風景の中を、色とりどりの電車が走れば楽しさ満点。名曲「マイ・フェイバリット・シングス」でもかければいよいよ雰囲気が盛り上がります。ほら「そうだ 京都、行こう。」のコマーシャルでかかる曲ですよ(あれはJRですが……)。

45

Layout Plan 39 関西私鉄のエッセンスをギュッと凝縮

プラン図

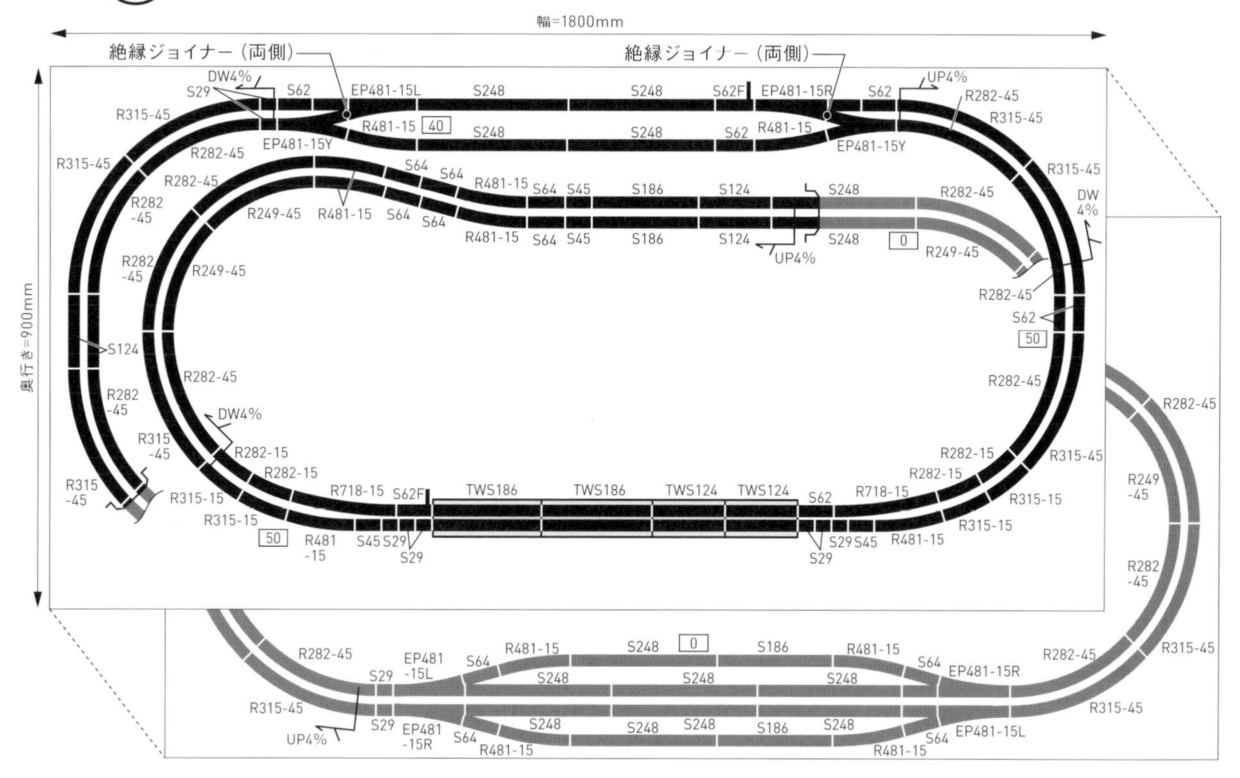

ひとひねりした複線エンドレスに２つの駅を配置。地上駅では双方向への列車の折り返し、地下駅では列車の待避と追い抜きが可能。両者の機能を使い内回り線と外回り線の列車を入れ替える運転もできる。なお２カ所のフィーダー線路（S62F）のフィーダー線はそれぞれ別のパワーパックに接続し、絶縁ジョイナー上を通過する際は双方のスイッチ、ツマミ類の位置を揃えて運転する。

使用線路部品リスト（KATO ユニトラック）

略号	部品名	数量
S248	直線線路248mm	14
S186	直線線路186mm	4
S124	直線線路124mm	4
S64	直線線路64mm （電動ポイント4番に付属）	10
S62	直線線路62mm	6
S62F	フィーダー線路62mm	2
S45	端数線路45.5mm	4
S29	端数線路29mm	10
R249-45	曲線線路R249-45°	4
R282-45	曲線線路R282-45°	14
R282-15	曲線線路R282-15°	4

略号	部品名	数量
R315-45	曲線線路R315-45°	10
R315-15	曲線線路R315-15°	4
R481-15	曲線線路R481-15° （うち6本は電動ポイント4番に付属）	12
R718-15	曲線線路R718-15°	2
EP481-15L	電動ポイント4番（左）	3
EP481-15R	電動ポイント4番（右）	3
EP481-15Y	電動Y字ポイント2番	2
TWS186	ユニトラム直線軌道プレート186mm	2
TWS124	ユニトラム直線軌道プレート124mm	2
	絶縁ジョイナー	4個（2組）

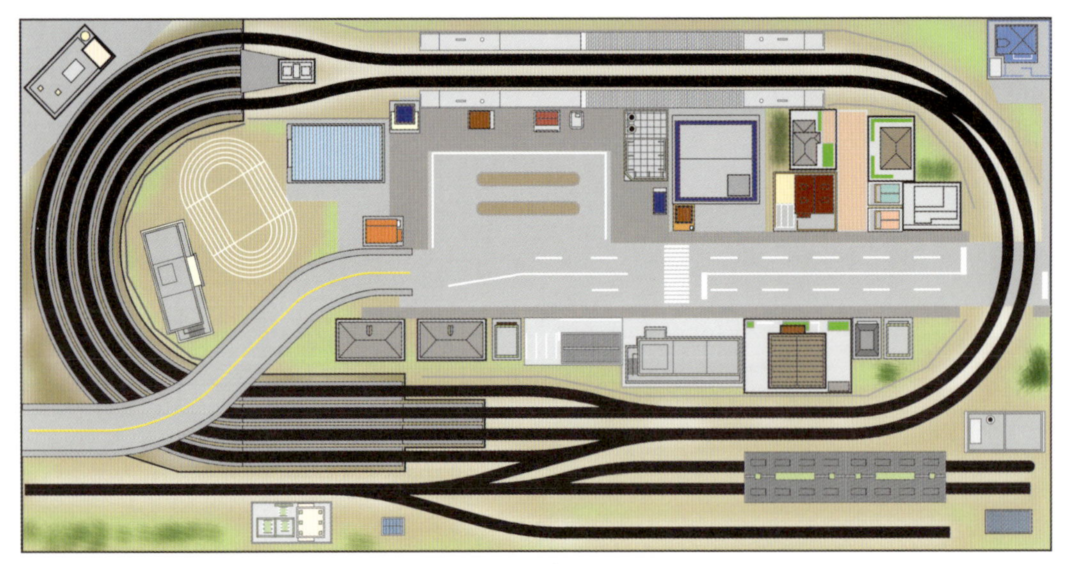

ベッドタウンとして開発された多摩地区をイメージした東京郊外の私鉄風プラン。地上には整然とした街並みと駅、電車庫の建つヤードなどがあり、地下にはターミナル駅を擁する。

地下ターミナルのある立体的な私鉄風プラン

製作難易度
★★★★★

東京の郊外を走る私鉄電車をモチーフにしたプラン。複線エンドレスに地下ターミナルを加え、電車の機動力を生かした本格的運転が楽しめる。純正の勾配橋脚を使って工作を簡素化する工夫も。

大きさ ▸▸▸ 1800×900ミリ
使用レール ▸▸▸ TOMIXファイントラック

- 曲線半径：最小R243
- 使用ポイント：電動ポイントN-PR541-15、
  電動ポイントN-PL541-15、
  電動カーブポイントN-CPR371/280-45、
  電動カーブポイントN-CPL371/280-45
- 勾配：４％相当
- 停車場有効長：20m級車両４両編成に対応
- テーマ：西武鉄道をイメージした郊外電車
- 時代設定：平成初期
- 季節設定：夏
- 想定走行車両：西武鉄道の各種車両
- 特記事項：TOMIX純正の勾配橋脚を利用し地下部分の工作を簡素化

Layout Plan

整然とした街並みが今風でリアル
普段の街並み、普段の列車を実感

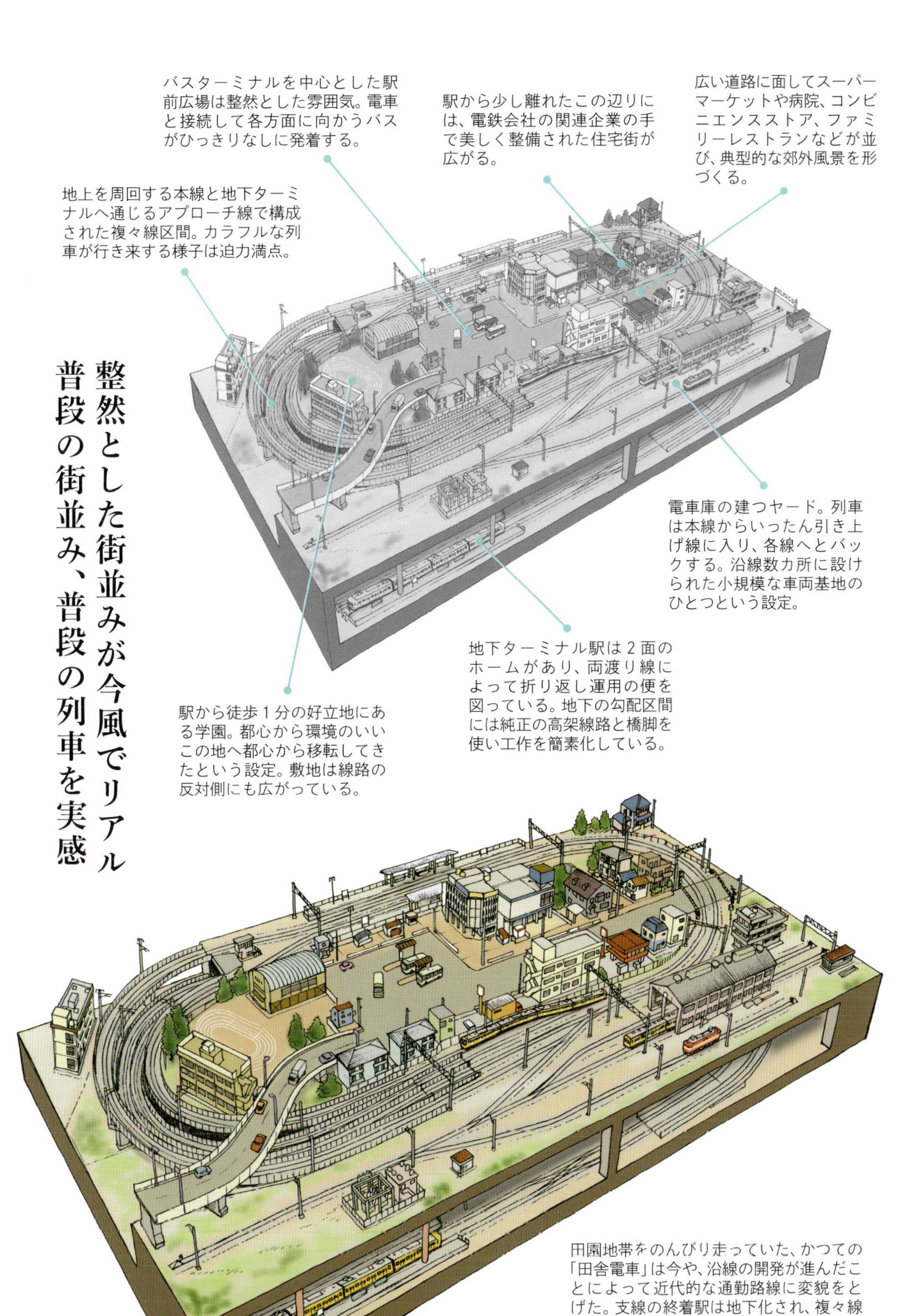

バスターミナルを中心とした駅前広場は整然とした雰囲気。電車と接続して各方面に向かうバスがひっきりなしに発着する。

駅から少し離れたこの辺りには、電鉄会社の関連企業の手で美しく整備された住宅街が広がる。

広い道路に面してスーパーマーケットや病院、コンビニエンスストア、ファミリーレストランなどが並び、典型的な郊外風景を形づくる。

地上を周回する本線と地下ターミナルへ通じるアプローチ線で構成された複々線区間。カラフルな列車が行き来する様子は迫力満点。

電車庫の建つヤード。列車は本線からいったん引き上げ線に入り、各線へとバックする。沿線数カ所に設けられた小規模な車両基地のひとつという設定。

地下ターミナル駅は2面のホームがあり、両渡り線によって折り返し運用の便を図っている。地下の勾配区間には純正の高架線路と橋脚を使い工作を簡素化している。

駅から徒歩1分の好立地にある学園。都心から環境のいいこの地へ都心から移転してきたという設定。敷地は線路の反対側にも広がっている。

田園地帯をのんびり走っていた、かつての「田舎電車」は今や、沿線の開発が進んだことによって近代的な通勤路線に変貌をとげた。支線の終着駅は地下化され、複々線化も進められている。

日常の中の観察を生かして

関西私鉄に続いては、関東の私鉄風プランをお目にかけましょう。武蔵野のベッドタウンをモチーフに、都心方面に向かう電車が行き来する郊外風景が展開します。学校やスーパーマーケット、コンビニエンスストア、病院、アパート、住宅などが整然と並び、普通の人々の普通の生活が営まれています。

このような日常的な風景をモデルに再現する面白さは、日々の生活での観察が生かせること。通勤や通学の途中で見た民家のたたずまいや、商店の看板、道路の舗装の具合など、それまでは気にも留めなかった事柄に興味をひかれて飽きることがない……。という経験は、レイアウトに手を染めた多くの方に共通するものでしょう。

多層階のベースで工作を容易に

レイアウトのベースボードは重層構造として、地下ターミナル駅は地表から110ミリ下がった地下2階に配置します。ここから線路は地表から55ミリ下がった地下1階まで勾配を上ります。線路はここから地上に出て、さらに地表まで勾配を上ります。地下1階レベルの一部は地上に露出し、地上に出てから地表への勾配を上ります。

このように、地表レベル、地下1階レベル、地下2階レベルと3つの水平面を設定することで、高架線路と勾配橋脚の組合せを利用して容易に勾配区間を作れるように考えました。

地下ターミナルにはベースボードの前面開口部から容易にアクセスできます。この部分には地下鉄区間によく見られるスラブ軌道を使います。

面白い運転のためのルール

運転の実際を見てみましょう。地下ターミナル駅を発車して列車は左側通行で、そのまま内回り線を進み、地上駅に到着。そのまま進めば内回り線を周回できます。駅で進行方向を変え、カーブポイントで構成された渡り線から外回り線に入り周回運転することも可能です。外回り線からはヤードに入ることもできます。ヤードを出た列車は駅まで回送運転を行い、同じ手順で外回り、内回りのいずれかの周回運転に移ることができます。信号所からは再び地下へ向い、両渡り線により地下ターミナル駅のどちら側の線にも入線可能です。

このようにかなり自由度の高い運転が可能ですが、なんとなく列車を動かすよりは、なんらかのルールを定めた方が面白い運転ができるでしょう。というとダイヤ運転が頭に浮かびますが、筆者はむしろ、編成ごとの運用表を作るといいのではないかと思います。周回運転や地下駅との往復運転を組み合わせ、車両基地を出てから戻ってくるまでのサイクルを記した表に従って列車を走らせるのです。

実物によく見られるように、1日目の終わりには地下駅のホームに、2日目は地上駅のホームでそれぞれ留め置き、3日目に基地に帰ってくる運用表を作り、3編成を1日ずつズレた形で動かします。もちろん、その途中で列車同士が同じ駅の同じ番線でカチ合ったりしないように考えなければなりません。4日目には検査のため入庫など、休日運用を組み込んでもいいですね。

プラン図

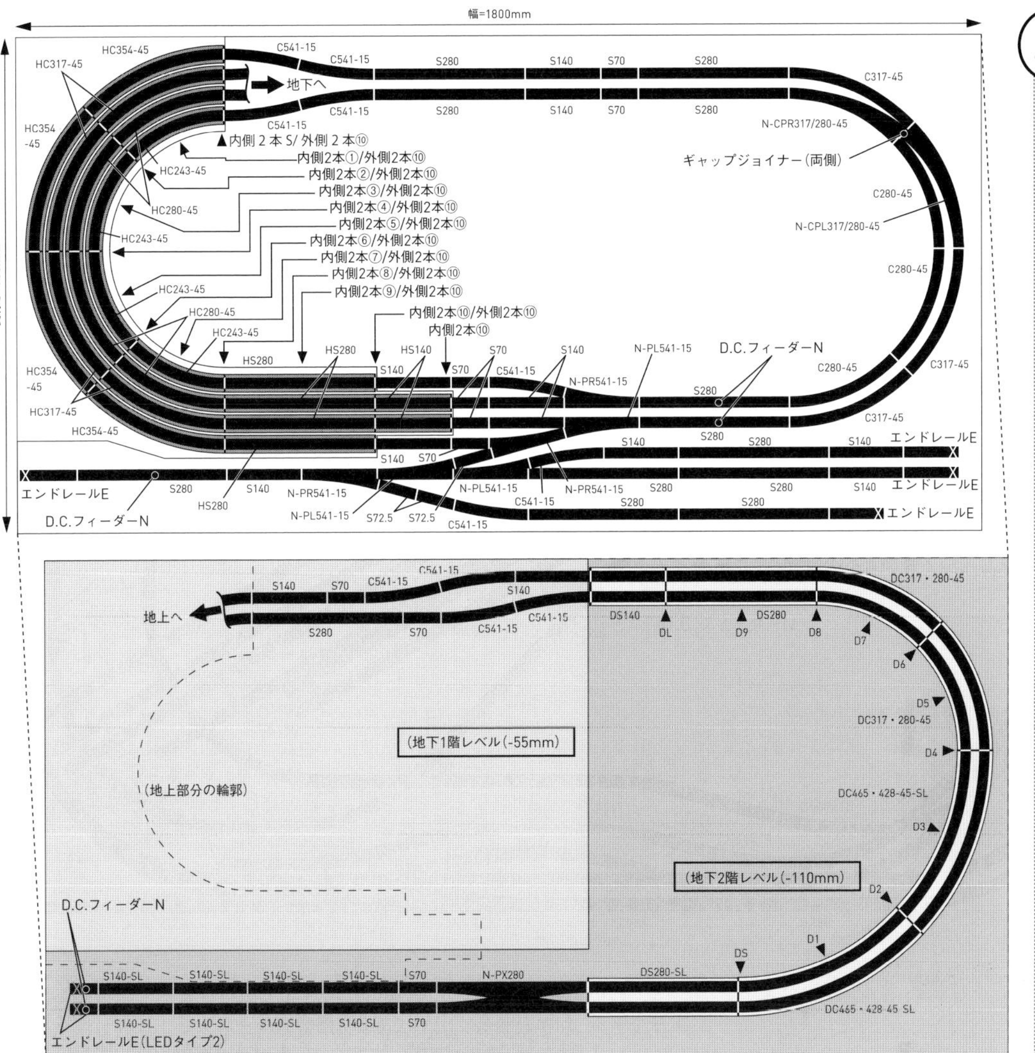

地表、地下１階、地下２階の３つの水平面で構成、高架レールと各種橋脚により勾配区間を製作する。地下駅および地上エンドレス上のD.C.フィーダーNのフィーダー線は、外回り用、内回り用それぞれの２本をまとめた上でユニバーサルスイッチを介し２台のパワーパックに接続。ヤード引き上げ線（地上部分手前）のD.C.フィーダーNのフィーダー線は外回り線用パワーパックに接続する。詳細はそれぞれの説明書を参照のこと。

使用線路部品リスト（TOMIXファイントラック）

略号	部品名	数量
S280	ストレートレールS280 (F)	13
S140	ストレートレールS140 (F)	12
S72.5	ストレートレールS72.5 (F)	3
S70	ストレートレールS70 (F)	10
C280-45	カーブレールC280-45 (F)	3
C317-45	カーブレールC317-45 (F)	3
C541-15	カーブレールC541-15 (F)	11
HS280	高架橋付レールHS280 (F)	4
HS140	高架橋付レールHS140 (F)	2
HC243-45	高架橋付レールHC243-45 (F)	4
HC280-45	高架橋付レールHC280-45 (F)	4
HC317-45	高架橋付レールHC317-45 (F)	4
HC354-45	高架橋付レールHC354-45 (F)	4
DS280	複線レールDS280 (F)	1
DS140	複線レールDS140 (F)	1
DC317·280-45	複線カーブレールDC317・280-45 (F)	2
DS280-SL	複線スラブレールDS280-SL (F)	1
DC465・428-45-SL	複線スラブカーブレールDC465・428-45-SL (F)	2

略号	部品名	数量
S140-SL	スラブレールS140-SL (F)	8
N-PR541-15	電動ポイントN-PR541-15 (F)	3
N-PL541-15	電動ポイントN-PL541-15 (F)	3
N-CPR317/280-45	電動カーブポイント N-CPR317/280-45 (F)	1
N-CPL317/280-45	電動カーブポイント N-CPL317/280-45 (F)	1
N-PX280	電動ポイントN-PX280 (F)	1
	エンドレールF (F)	4
	エンドレールE (LEDタイプ2) (F)	2
◀①〜⑩	PC勾配橋脚（10本1組）	2セット
◀⑩	PC水平橋脚（5本セット）	4セット
◀DS・D1〜D9・DL	複線勾配橋脚セット（10個1組）	1セット
◀S	ステップ	2
	D.C.フィーダーN	5
	ギャップジョイナー	2個（1組）

Layout Plan 41

大きさ ▸▸▸ 1800×900ミリ
使用レール ▸▸▸ KATO ユニトラック

- 曲線半径：最小R183
- 使用ポイント：ユニトラック４番および２番Y
- 勾配：最急４％
- 停車場有効長：25m級連接車に対応
- テーマ：江ノ島電鉄
- 時代設定：現代
- 季節設定：夏
- 想定走行車両：江ノ島電鉄の各車両
- 特記事項：４列車を置き、列車交換しながら運転が可能

タタミ1畳に要素いっぱい充実の江ノ島電鉄を

Ｎゲージの世界でも高い人気を誇る江ノ電こと江ノ島電鉄をテーマに、実景を彷彿とさせる風物をあしらって定尺サイズでまとめたプラン。急カーブを連接車が走る様子も実物さながら。

海沿いを走る江ノ島電鉄をテーマにした定尺プラン。藤沢駅をモデルにしたターミナルビルと、極楽寺あたりを思わせるトンネルの入口が背中合わせに位置している。内部で線路がつながりエンドレスが構成されている。

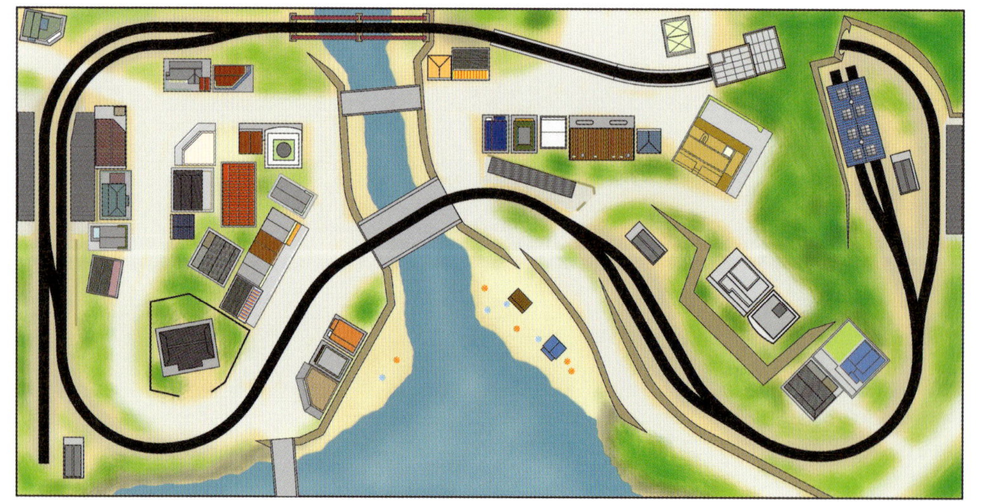

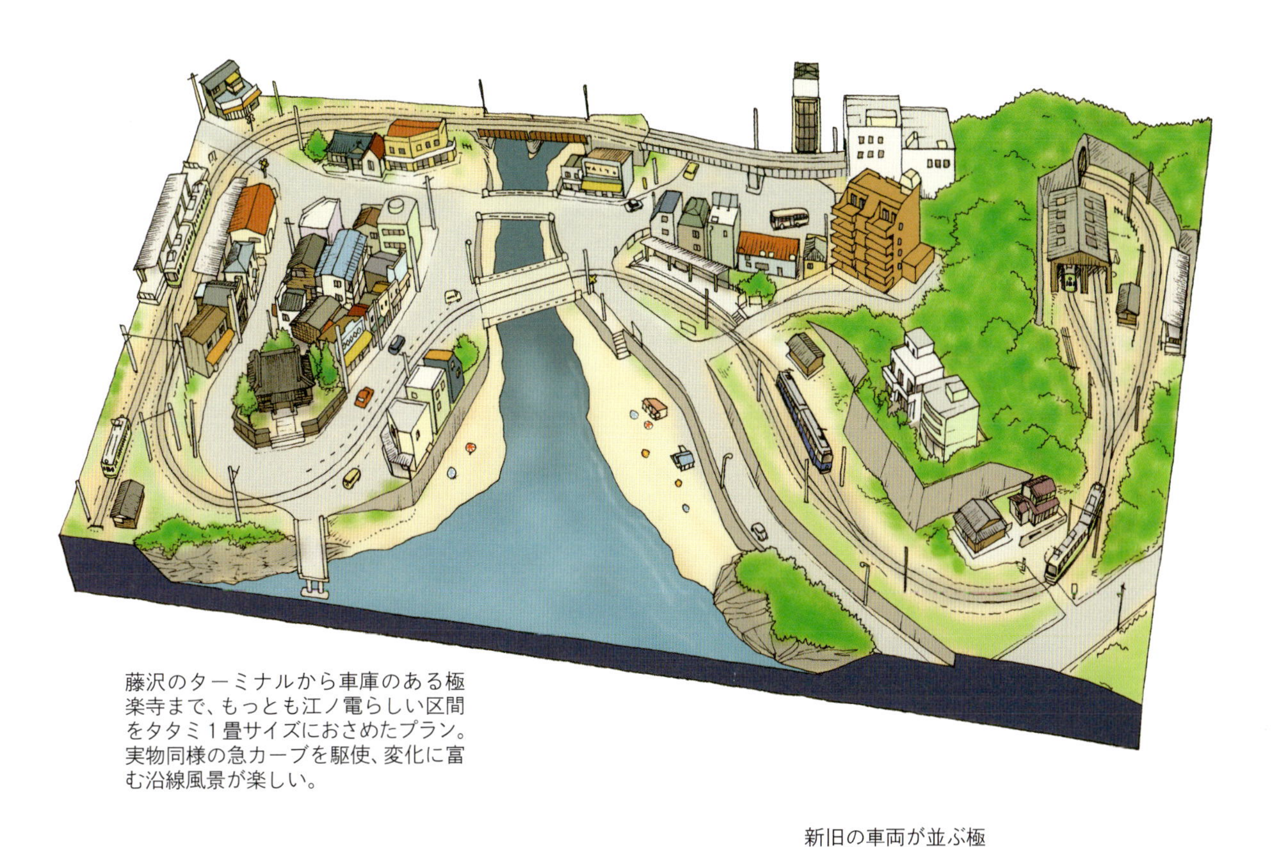

藤沢のターミナルから車庫のある極楽寺まで、もっとも江ノ電らしい区間をタタミ１畳サイズにおさめたプラン。実物同様の急カーブを駆使、変化に富む沿線風景が楽しい。

極楽寺のトンネルが、鎌倉高校前が……江ノ電の名所をギュッと凝縮！

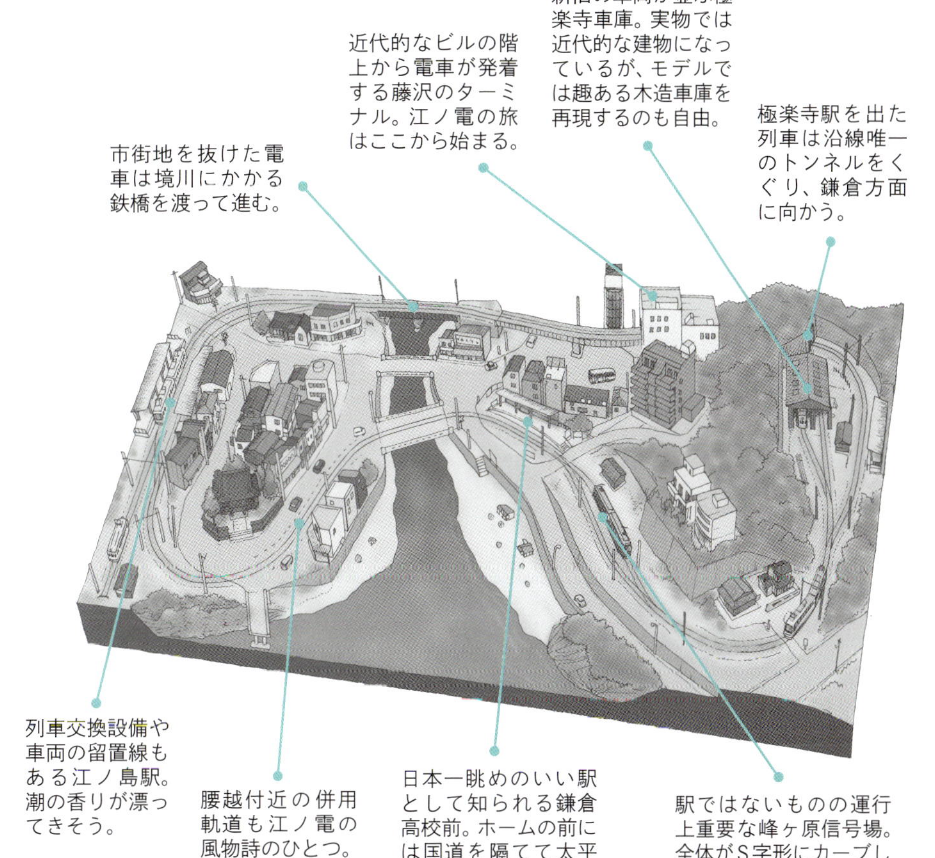

市街地を抜けた電車は境川にかかる鉄橋を渡って進む。

近代的なビルの階上から電車が発着する藤沢のターミナル。江ノ電の旅はここから始まる。

新旧の車両が並ぶ極楽寺車庫。実物では近代的な建物になっているが、モデルでは趣ある木造車庫を再現するのも自由。

極楽寺駅を出た列車は沿線唯一のトンネルをくぐり、鎌倉方面に向かう。

列車交換設備や車両の留置線もある江ノ島駅。潮の香りが漂ってきそう。

腰越付近の併用軌道も江ノ電の風物詩のひとつ。

日本一眺めのいい駅として知られる鎌倉高校前。ホームの前には国道を隔てて太平洋が広がる。

駅ではないものの運行上重要な峰ヶ原信号場。全体がＳ字形にカーブした列車交換施設。

定尺サイズでも「大レイアウト」に

タタミ1畳の大きさに等しい、いわゆる定尺サイズは、Nゲージレイアウトの標準的な大きさとされていますが、その主な理由は、基本的な線路配置であるオーバル（楕円形エンドレス）を敷くのに収まりがいいということでしょう。さらに、小型車両専用レイアウトとして急カーブを使う前提であれば、同じサイズでより複雑な線路配置も可能となります。同じスケールながら「大レイアウト」のムードを味わうこともできるわけです。

人気の江ノ電こと江ノ島電鉄をテーマにしたプランをお目にかけましょう。

江ノ電はレイアウト向き

江ノ電の人気はむろん、沿線に有名観光地を擁した風光明媚なロケーションによるものでしょうが、モデル化の対象としてもたくさんの魅力を持っています。車両が小型で急カーブに強く、駅のホームも短くて済みますし、その車両は模型的に面白い連接車主体で、非常にバラエティに富んでいます。沿線には海岸沿いの区間もあれば鬱蒼とした山中のトンネルもあり、併用軌道や近代的な高架線もあります。さまざまな要素が好ましくまとまって、実物からしてすでによくできた模型のレイアウトのようです。

高い人気を反映して江ノ電の車両はほぼ全種がNゲージで製品化されているのもうなずけます。

特徴的な名所を散りばめる

プランは大きな単線エンドレスに実物を彷彿とさせる風物を散りばめたもの。もちろん取捨選択は必要で、まず全体のモチーフは江ノ電全線のうち藤沢～極楽寺間としました。鎌倉周辺にも魅力的なロケーションは多いのですが、鉄道として興味深い要素、極楽寺車庫や峰ヶ原信号場、腰越付近の併用橋および併用軌道などはこの区間に集結しています。

ちなみに実物の路線をレイアウトに再現する場合、実際の路線図にこだわることは絶対条件ではありません。空間を歪めたり時空を超えたりするのはレイアウトデザインでは日常茶飯事なのです。このレイアウトでは、藤沢駅を思わせるターミナルビルの中へ消えていった線路は、背中合わせの位置にある極楽洞トンネル出口から出てきます。現実ではあり得ませんが、不自然さを感じさせないようにデザインするのも、レイアウトの面白さといえるでしょう。

沿線には藤沢の高架区間、境川橋梁、江ノ島駅、併用軌道と併用橋、鎌倉高校前、峰ヶ原信号場、極楽寺の車庫とトンネルなどを散りばめます。既製品を利用することが前提なので、イラストでもあまり実物に似すぎないように描きましたが、ストラクチャーの改造や自作で、より実景らしさを追求するのも面白いと思います。

江ノ電を堪能する運転を

運転では江ノ島駅と峰ヶ原信号場の待避線を使い、鎌倉方面行きと藤沢方面行きの電車を交互に走らせるのが基本です。江ノ島駅と極楽寺車庫には留置線がありますから、これらを上手に使って列車を入れ替え、多彩な車両の走行を満喫してください。

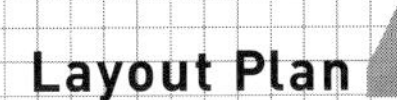

Layout Plan 41 タタミ1畳に要素いっぱい。充実の江ノ島電鉄を

プラン図

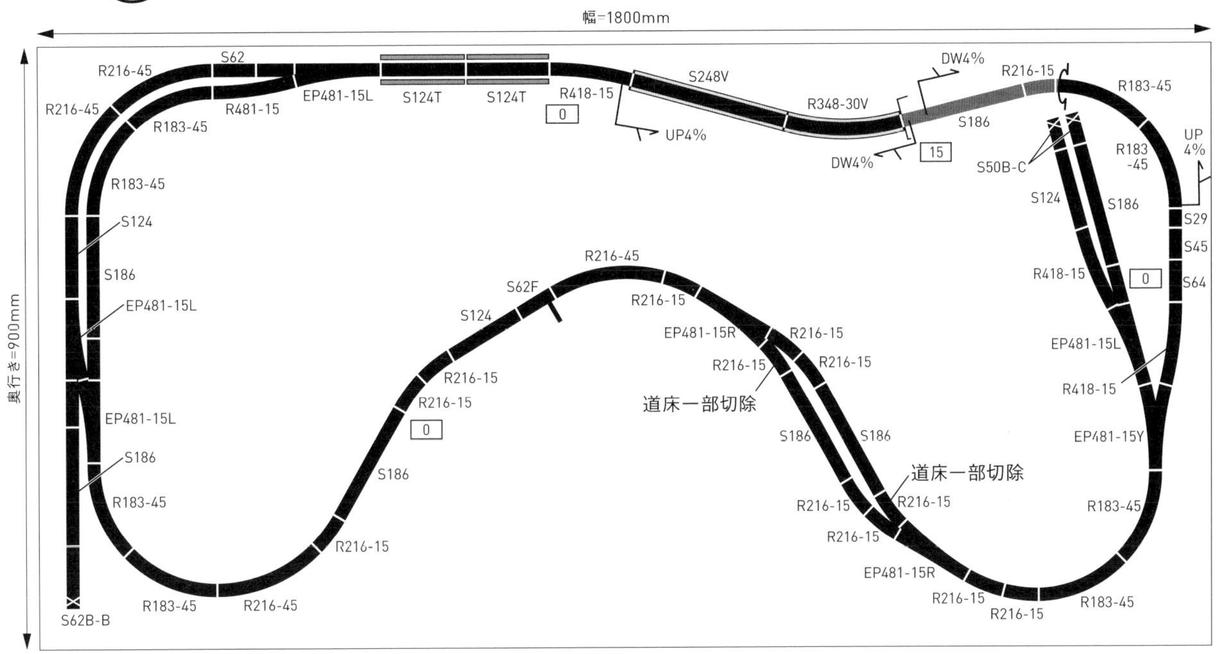

大きな単線エンドレスに2つの列車交換設備を配し、時計回り、反時計回りの列車を交互に運転可能。各ポイントの切り換えによって通電を切り換え、目指す列車を走らせる。

使用線路部品リスト（KATOユニトラック）

略号	部品名	数量
S186	直線線路186mm	7
S124	直線線路124mm	3
S64	直線線路64mm （電動ポイント4番に付属）	1
S62	直線線路62mm	1
S62F	フィーダー線路62mm	1
S45	端数線路45.5mm	1
S29	端数線路29mm	1
S62B-B	車止め線路B62mm	1
S50B-C	車止め線路C50mm	2
R183-45	曲線線路R183-45°	8
R216-45	曲線線路R216-45°	4
R216-15	曲線線路R216-15°	13
R481-15	曲線線路R481-15° （電動ポイント4番に付属）	4
EP481-15L	電動ポイント4番（左）	4
EP481-15R	電動ポイント4番（右）	2
EP481-15Y	電動Y字ポイント2番	1
S248V	単線高架直線線路248mm	1
R348-30V	単線高架曲線線路R348-30°	1
S124T	単線デッキガーダー鉄橋（朱）	2

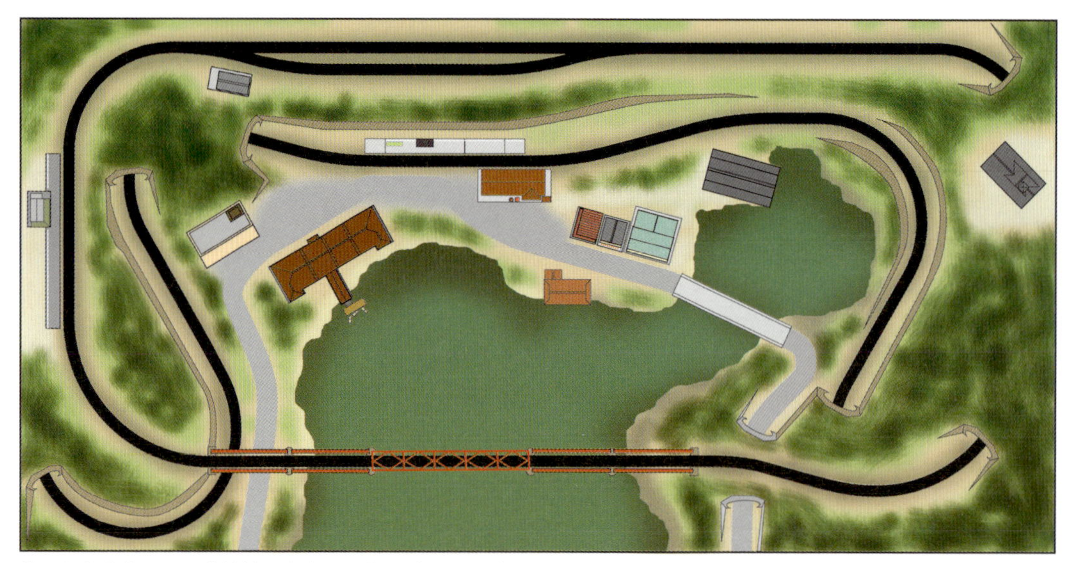

静かな湖を中心に温泉旅館や企業の保養所が並ぶリゾート地を、小型気動車で運行されているローカル鉄道がめぐる。車両やストラクチャーに組み込んだ照明が湖面に映えるようにデザインされている。

夜景の楽しさをクローズアップ

車両やストラクチャーに照明を組み込んで夜景を楽しむことを主眼に据えたプラン。湖畔のリゾート地を走るローカル鉄道をテーマとして、水面に映る光芒を存分に愛でる趣向だ。

大きさ ▸▸▸ 1800×900ミリ
使用レール ▸▸▸ TOMIXファイントラック

- 曲線半径：最小R177
- 使用ポイント：電動ポイントN-PR541-15、電動ポイントN-PL541-15
- 勾配：４％
- 停車場有効長：16m級車両２両編成に対応
- テーマ：湖畔のリゾート地を走るローカル線
- 時代設定：平成初期
- 季節設定：夏
- 想定走行車両：キハ120などの小型気動車
- 特記事項：各種照明を組み込んで夜景を楽しむことを前提にしたデザイン

近くの集落の住民やハイキング客のために設けられた山間の小駅。夜ともなればあたりはシンと静まり返り、星の降る音が聞こえそうなほど。

峠の信号所は当レイアウト唯一の列車交換設備。おりしも上りの最終列車が反対側からやってくる下りの最終列車と交換のため待避中。

湖を一望できる山上の温泉ホテルは、秘湯ブームを受けて大人気だとか。

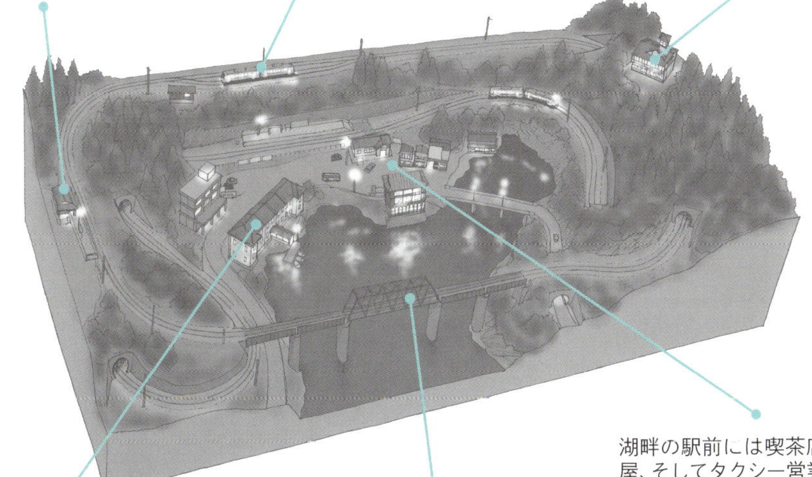

湖畔の駅前には喫茶店と小さな雑貨屋、そしてタクシー営業所があるのみ。戦前から高級避暑地として発達してきた土地らしく、けばけばしい看板もなく、静かなたたずまいを見せている。

ボート乗り場を持つ歴史的木造建築はクラシックホテルか、あるいは会社の保養所だろうか。

湖をひとまたぎする鉄橋を夜、灯りをともした列車が渡るのは幻想的な眺め。撮影地として全国的に有名だとか。

照明を落として夜の鉄道を味わう 水面に反射する灯りが美しい

ここは湖畔のリゾート地。夜の静寂を破って気動車がトンネルを抜けてやってきた。最終列車は乗客もまばらで、駅に降りたつ人もない。ホイッスルが響き発車。室内灯の反射が湖面に揺れたかと思うと、列車は再びトンネルへ。静かに夜がふけていく……。

Ｎゲージ点灯事情

Ｎゲージの世界では、車両やストラクチャーに照明を組み込んで夜景を楽しむことが広く行われています。

模型用として、かつては米粒球とか麦粒球などと呼ばれる小型電球が使われたものでしたが、現在ではＬＥＤ素子の普及で、Ｎゲージでも点灯の楽しみがぐっと広がりました。極小も含めて各種のサイズが用意され、発熱や球切れの心配も少なく、消費電力もわずかなのですから、うれしい限りです。電圧が細かく決まっているので、電源回路に工夫は必要ですが、すぐに使える配線済みのＬＥＤも模型用として発売されています。

ともあれ、ひとつのレイアウトで昼の姿と夜の姿の両方が楽しめるわけですし、それに夜景は、鉄道や模型に興味のない人にもアピールする魅力を備えていますから、万人におすすめできる楽しみ方といえるでしょう。

とはいうものの、照明の組み込みはそれなりに手間を要するのも事実です。列車の走行用とは別の配線が必要になりますし、またストラクチャーの壁が薄くて光を透過してしまったり、思わぬ隙間から光が漏れたりして、対策に追われることもあります。

夜景を楽しむためにカスタマイズ

それだけの手間と苦労をかけるのですから、それに見合った楽しみを得たいものです。さらに考えを進めて、最小限の照明で最大限の効果をあげるようにレイアウトをデザインしたらどうでしょう。夜景に特化してカスタマイズするとはいえ、もちろん普通のレイアウトと同様に、昼間の情景も十分に楽しめます。

都会の夜景は難しいので…

建物が密集した大都会のレイアウトは、照明を組み込むのも大変ですから今回はＮＧ。少ない建物が適度に点在している、地方の風景が適しています。少ない灯りが効果的に美しく見えるよう、水面が灯火を反射する舞台設定として、湖畔のリゾート地を選びました。

ここを走る鉄道は地方ローカル線で、レールバスやキハ１２０あたりの小型気動車を主役にして、曲線半径はＲ１７７とします。これなら定尺サイズでも、かなり複雑なルートの線路配置を収めることができます。湖のほとりの駅から峠の信号所までの高低差は１１０ミリあり、トンネルを出たり入ったりしながら走る列車はその都度、室内灯の光を湖面に反射させ、幻想的ともいえる情景が楽しめるというわけです。

レイアウトの手前側に位置する、湖をひとまたぎする鉄橋は、大きな見せ場で、向い側の湖畔に並ぶ建物の灯りをバックに、雄大なシルエットとなって浮かび上がります。室内灯をあかあかと点した列車が渡るさまはさぞ見応えのあることでしょう。

今回は夜景に焦点をあて、運転面では２本の列車を交互に走らせるシンプルなものにとどめました。しかし、信号場の待避線を延長したり、トンネル内部に隠し側線を設けたりするスペースの余地はありますので、より複雑な運転向けにアレンジすることもご自由です。

Layout Plan 42 夜景の楽しさをクローズアップ

プラン図

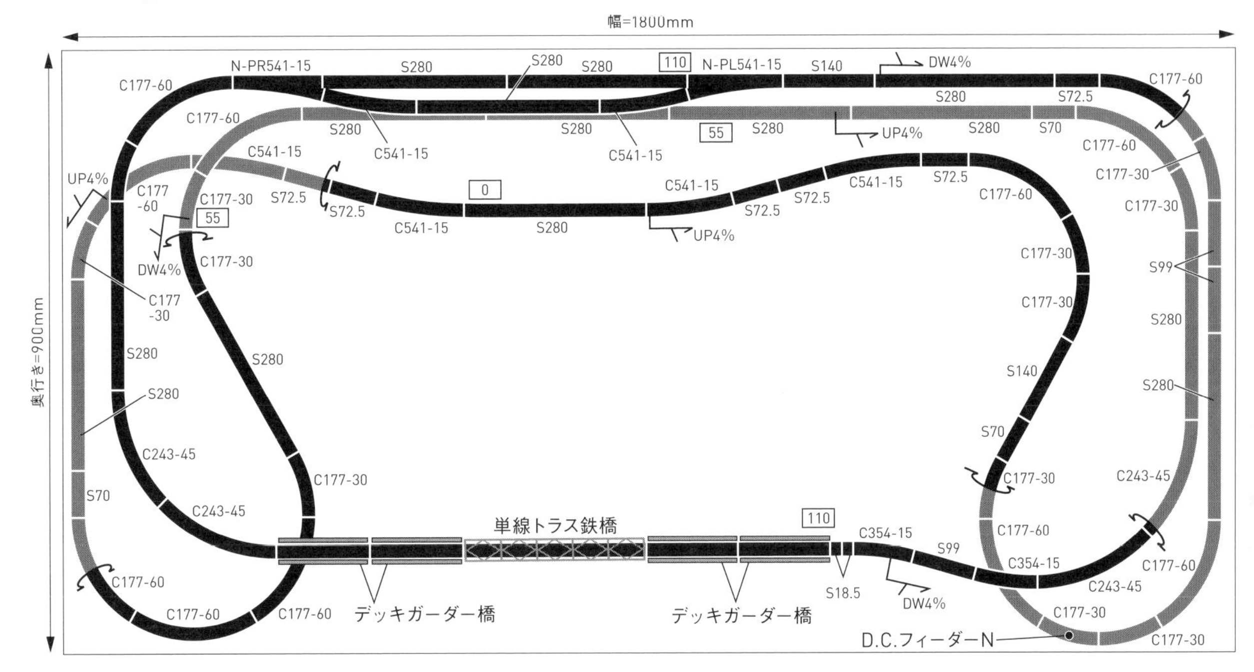

複雑なルートのエンドレスを定尺サイズに収めるために、曲線半径R177の急カーブを多用しているが、16m級車両は問題なく走行可能で、見た目にも不自然さは感じられない。

使用線路部品リスト（TOMIXファイントラック）

略号	部品名	数量
S280	ストレートレールS280 (F)	14
S140	ストレートレールS140 (F)	2
S99	ストレートレールS99 (F)	3
S72.5	ストレートレールS72.5 (F)	6
S70	ストレートレールS70 (F)	3
S18.5	端数レールS18.5 (F)	2
C177-60	ミニカーブレールC177-60 (F)	11
C177-30	ミニカーブレールC177-30 (F)	11
C243-45	カーブレールC243-45 (F)	4
C354-15	カーブレール354-15 (F)	2
C541-15	カーブレール541-15 (F)	6
N-PR541-15	電動ポイントN-PR541-15 (F)	1
N-PL541-15	電動ポイントN-PL541-15 (F)	1
	単線トラス鉄橋 (赤)	1
	デッキガーダー橋 (赤)	4
	D.C.フィーダーN	1

大きさ ▸▸▸ 1800×900ミリ
使用レール ▸▸▸ KATOユニトラック

Layout Plan 43

- 曲線半径：最小R249
- 使用ポイント：ユニトラック４番
- 勾配：最急４％
- 停車場有効長：テンダ蒸気機関車＋セキ７両に対応
- テーマ：北海道の運炭鉄道
- 時代設定：昭和40年代
- 季節設定：冬
- 想定走行車両：D51の牽くセキ列車、気動車
- 特記事項：炭鉱と山麓の駅を往復する運炭列車は常に機関車を先頭に運行可能

北海道の冬景色と炭鉱鉄道

誰もが一度は考える雪景色のレイアウトを具現化するためのプラン。北海道の炭鉱鉄道全盛時代をテーマに、本格的な運転と見応えのあるシーナリーの両立を目指した。

のっぺりとした印象になりがちな雪景色だが、複雑な線路の位置をすっきりと見せてくれるものとしてポジティブにとらえてデザインしたプラン。山麓の駅と山上の炭鉱を結ぶ運炭鉄道がテーマで、大雪が降る真冬にも休むことなく運行される運炭列車の迫力を再現したい。

凍てついた空気を震わせて、運炭列車のブラストが山々にこだまする。エネルギー革命前夜の雪深い冬の北海道の情景を定尺サイズに再現するプラン。

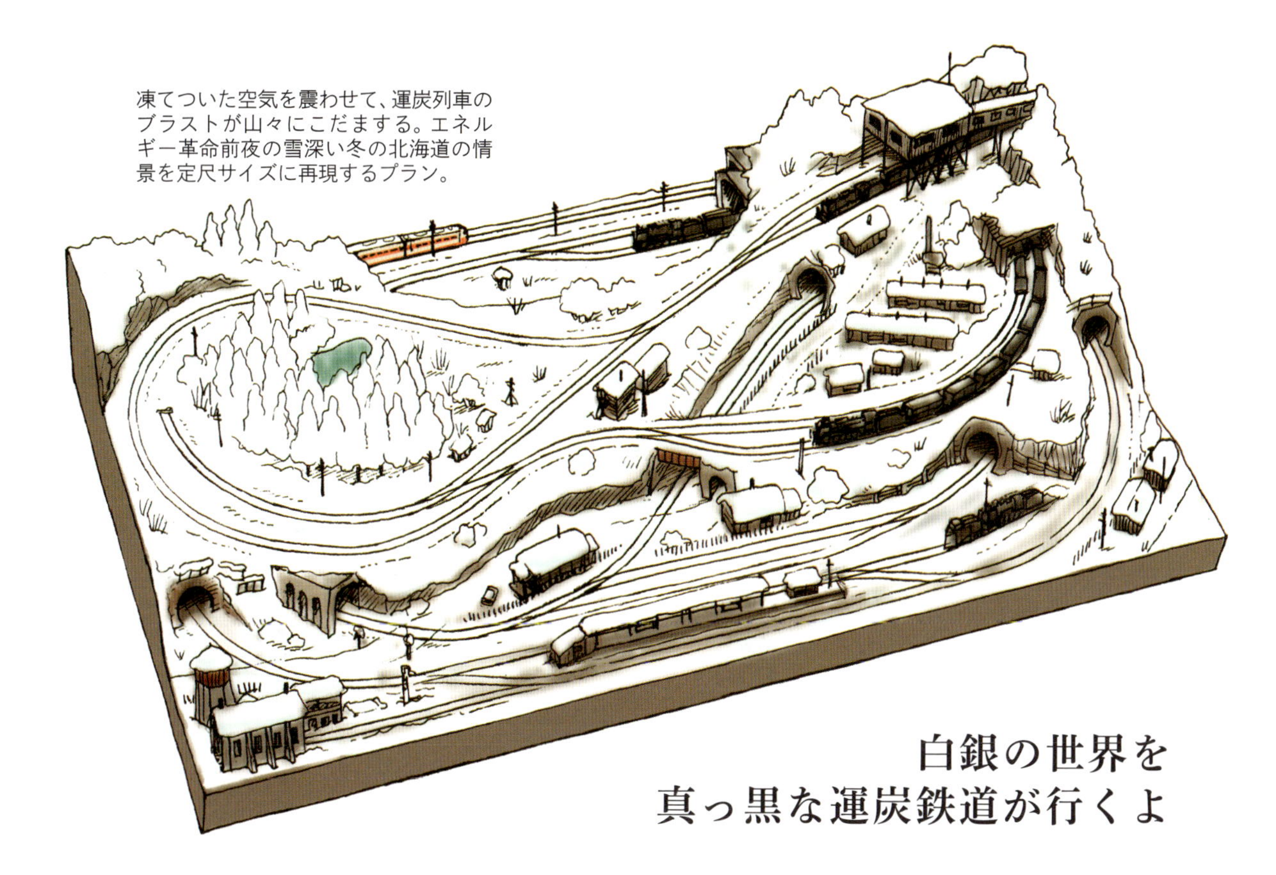

白銀の世界を真っ黒な運炭鉄道が行くよ

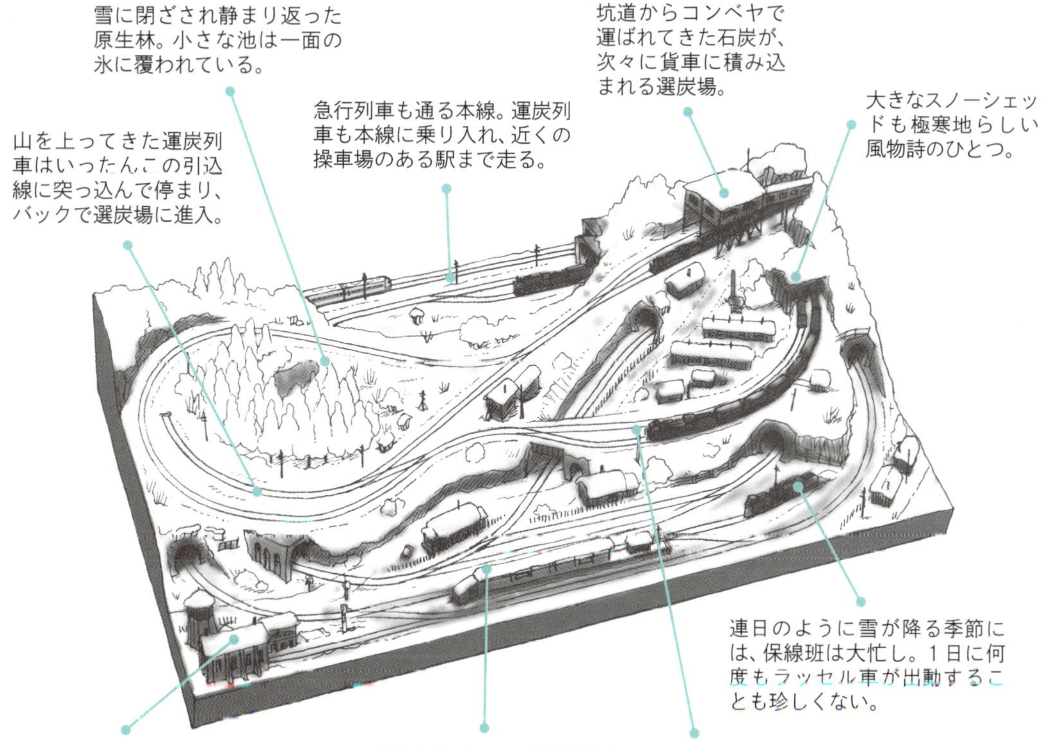

雪に閉ざされ静まり返った原生林。小さな池は一面の氷に覆われている。

坑道からコンベヤで運ばれてきた石炭が、次々に貨車に積み込まれる選炭場。

大きなスノーシェッドも極寒地らしい風物詩のひとつ。

急行列車も通る本線。運炭列車も本線に乗り入れ、近くの操車場のある駅まで走る。

山を上ってきた運炭列車はいったんこの引込線に突っ込んで停まり、バックで選炭場に進入。

連日のように雪が降る季節には、保線班は大忙し。1日に何度もラッセル車が出動することも珍しくない。

機関車1両がやっと収容できる駐泊所。扉付きの木造庫やアメリカ風の給水塔も北海道ならでは。

駅本屋とホームの間は跨線橋や踏切ではなく、地下道で結ばれている。降雪地によく見られる方法。

ひっきりなしに通る運炭列車同士が交換するための信号場。勾配の途中にあるので、必ず山を下る列車を停め、山を上る列車は通過させる。一度停まると再発車できなくなってしまうため。

雪景色のレイアウトを考える

レイアウトに季節感を表現するのは楽しいものです。雪景色のレイアウトは、誰しも一度は考えはするものの、実際に作られることはあまりないようです。一面の銀世界というのは魅力的ですが、見応えのあるレイアウトに仕立てる難しさは想像に難くありません。思うに、雪景色が美しいのは余計なものを覆い隠してくれるためであって、いろいろなものを見せることで楽しみを生み出すレイアウトとは相性が悪いのかもしれません。

しかし、雪景色にゴチャゴチャしたものをすっきりと見せてくれる効果があるのなら、それを生かすことを考えてもいいのでは？　例えば、限られたスペースで複雑な運転をするために線路を詰め込むことは、通常あまり上策とはいえませんが、雪景色を前提とすればさほど違和感は生じないかもしれません。もちろん、レイアウトを雪景色とすることに必然性を与えるために、雪の中でこそ魅力を発揮する題材を選ぶことは重要……。

と、そんな風に考えているうちに、真冬の北海道の炭鉱鉄道を定尺サイズに再現するプランが浮かんできました。

雪深い北海道の炭鉱と鉄道

かつて石炭は国家経済を支える重要なエネルギー源で、各地の炭鉱は年中無休の24時間操業を行っていました。冬には大雪が降る北海道でもそれは変わらず、石炭を積み出し港まで運ぶ運炭鉄道も活況を呈していました。雪と闘いながら重い運炭列車を運行した鉄道員諸氏の苦労が偲ばれますが、それだけに、Nゲージの世界でも、再現したくなる魅力をたたえています。

複雑な線路配置も似合う

線路配置はご覧の通り、かなり複雑なもの。図の右上に位置する炭鉱の石炭積み出し設備と、手前に位置する駅との間は炭鉱の専用線で、北海道型のD51がセキの編成を牽いて往復します。

駅からレイアウト外縁をめぐるエンドレスは、一般の列車も走る本線で、運炭列車はこの線に乗り入れて、積み出し港まで走る想定です。

石炭を積んで駅まで運ぶ列車の動き

実際の運転をみてみましょう。外周エンドレスを時計回りに走る運炭列車は、駅構内の片渡り線と両渡り線を通り炭鉱の専用線に入ります。トンネルを抜け、列車交換用の信号場を過ぎるとスイッチバック入口のポイントがあり、列車は行き止まりの線路に機関車を先頭にして停まります。ポイントを切り換え、炭鉱の積み出し設備へとバックでゆっくりと進入します。

石炭を積み込んだ（という想定の）列車は今度はスイッチバックを使わず、図の左上のカーブを経由してから、元の線路を反対方向に進み駅に向かいます。麓にも駅構内と接続する方向転換用のリバースがあり、運炭列車はいずれの方向にも、常に機関車を先頭にして走らせることができます。またどちら向きの列車も専用線から本線へスムーズに進み、また戻ってくることができます。

雪深い山で日々繰り広げられたドラマを、どなたかNゲージの世界に再現してみませんか？

プラン図

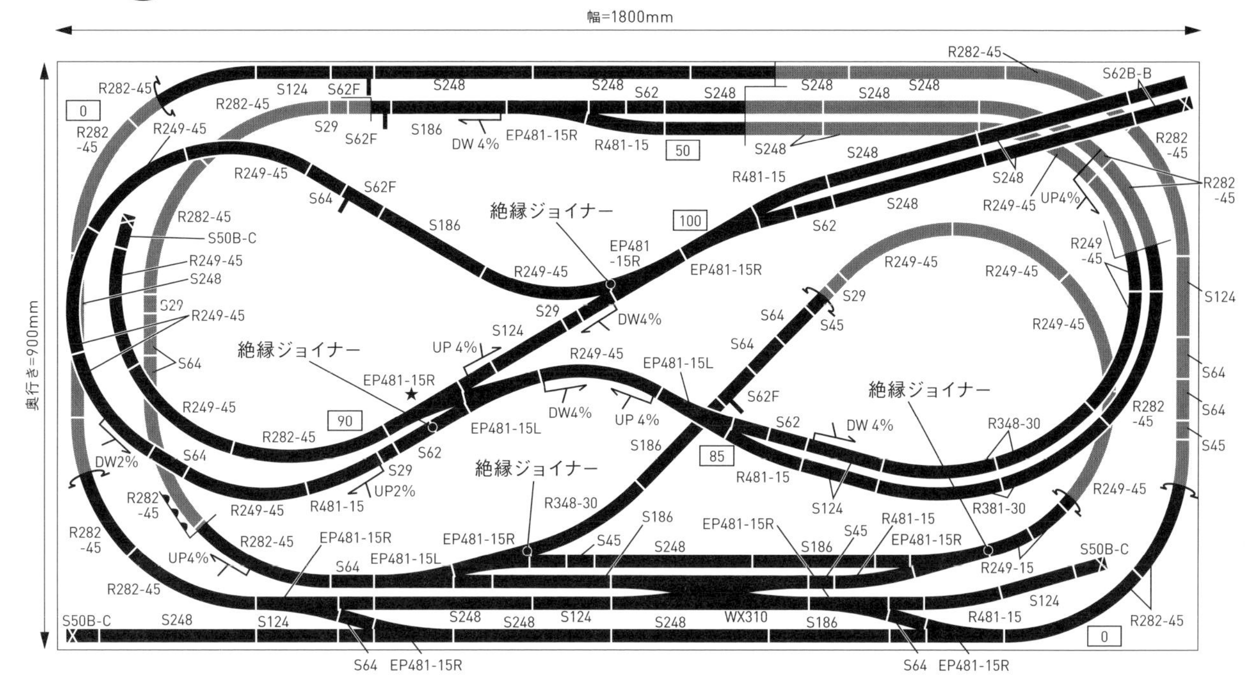

4カ所のフィーダー線路(S62F)のフィーダー線のうち、リバース用の2本と本線用の2本をそれぞれまとめ、前後進スイッチが2組あるパワーパック(KATOハイパーDXなど)に接続する。このレイアウトは製作の難易度も高く、快適な運転のためにはかなりの経験と技術を必要とする。

※□内はベースボード表面からの線路高
※無印の線路は4番ポイント付属の補助線路(S60)
※★印のポイントは直線側・分岐側ともに非選択式に設定

使用線路部品リスト(KATOユニトラック)

略号	部品名	数量
S248	直線線路248mm	18
S186	直線線路186mm	6
S124	直線線路124mm	8
S64	直線線路64mm (電動ポイント4番に付属)	11
S62	直線線路62mm	4
S62F	フィーダー線路62mm	4
S45	端数線路45.5mm	4
S29	端数線路29mm	5
S62B-B	車止め線路B62mm	2
S50B-C	車止め線路C50mm	3
R249-45	曲線線路R249-45°	16

略号	部品名	数量
R249-15	曲線線路R249-15°	2
R282-45	曲線線路R282-45°	16
R348-30	曲線線路R348-30°	3
R381-30	曲線線路R381-30°	2
R481-15	曲線線路R481-15° (電動ポイント4番に付属)	6
EP481-15L	電動ポイント4番(左)	3
EP481-15R	電動ポイント4番(右)	10
WX310	複線両渡りポイント	1
	絶縁ジョイナー	8個 (4組)

大きさ ▸▸▸ 2500×450ミリ
使用レール ▸▸▸ TOMIXファイントラック

- 曲線半径：最小R280
- 使用ポイント：電動ポイントN-PR541-15、
  電動ポイントN-PL541-15、
  電動ポイントN-PX280
- 勾配：４％
- 停車場有効長：16m級車両２両編成に対応
- テーマ：木次線のスイッチバック
- 時代設定：現代
- 季節設定：秋
- 想定走行車両：キハ120などの小型気動車
- 特記事項：自動運転装置の組み込みを想定

紅葉の木次(きすき)線をスイッチバックで行く

奥行きが狭く横長のスペースに作る、いわゆるブックシェルフ形レイアウトプランの一例。スイッチバック方式で山を登っていくことで有名な木次線をテーマに、自動運転も視野に入れデザイン。

列車が前後進を繰返して勾配を上る本線スイッチバックの特徴を生かし、細長いスペースに長い本線を収めたプラン。実際の出雲坂根駅付近の線路配置を極力忠実に再現している。

Layout Plan 44

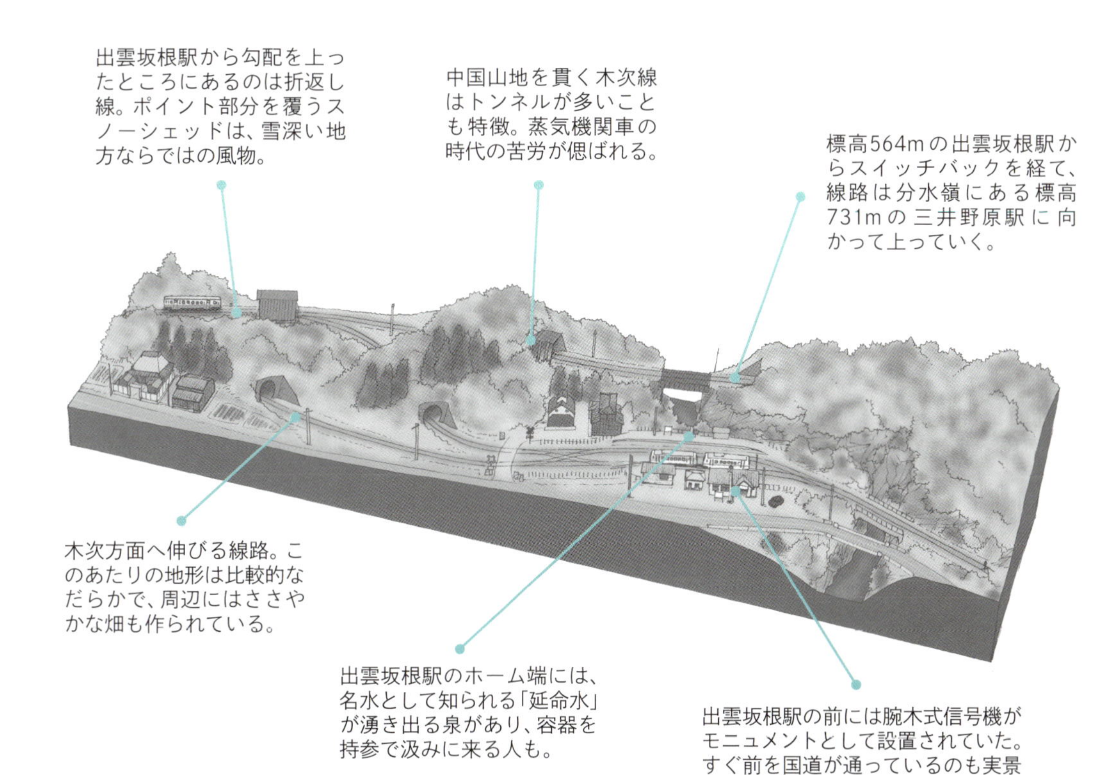

スイッチバックで行ったり来たり
峠を目指して登っていくよ

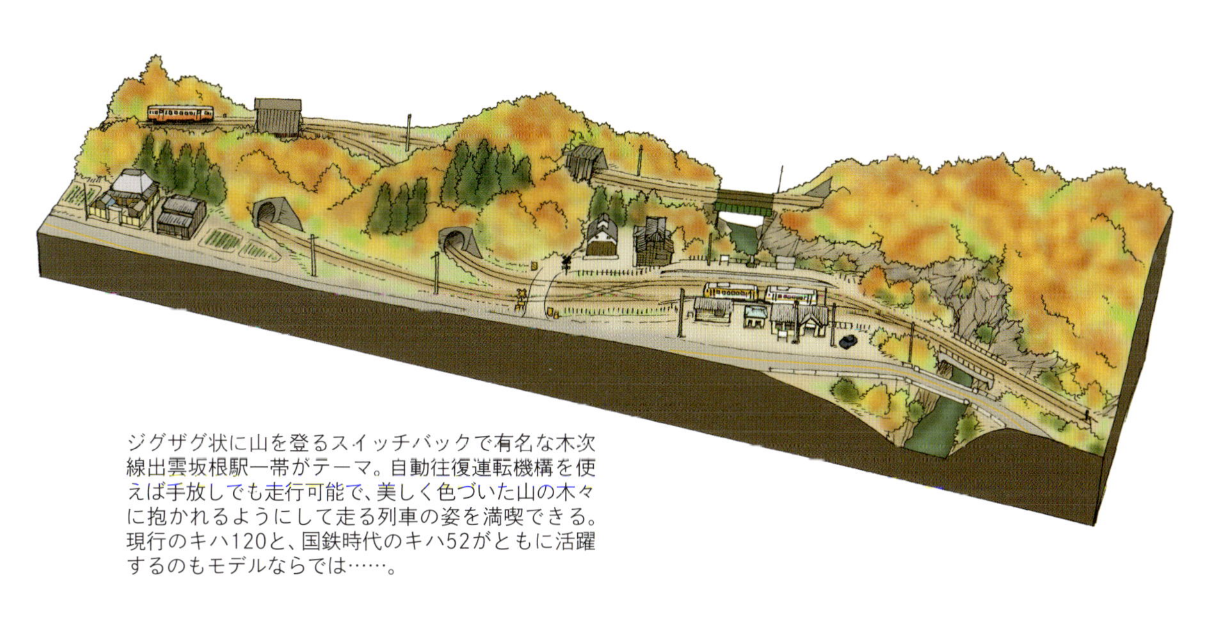

ジグザグ状に山を登るスイッチバックで有名な木次線出雲坂根駅一帯がテーマ。自動往復運転機構を使えば手放しでも走行可能で、美しく色づいた山の木々に抱かれるようにして走る列車の姿を満喫できる。現行のキハ120と、国鉄時代のキハ52がともに活躍するのもモデルならでは……。

レイアウトにエンドレスは不可欠？

たいていのレイアウトにはエンドレスが組み込まれており、この本に収録したプランもほとんどがそうです。山手線などを除くと実物では稀なエンドレスですが、手放しで列車を走らせることができる点で捨て難いもの……。実際、疲れているときに束の間、列車の走る姿を眺めて「癒し」を得るのもレイアウトの効能ですし、リラックスムードで楽めることは大事かもしれません。

しかし、昨今は扱いやすい自動運転機構もあり、これを使えばエンドレスがなくても手放し運転はできます。そもそもエンドレスというのはスペースを食うもので、特に奥行きがないと困ります。細長いスペースなら確保できるが……、という場合などには、こんなレイアウトはいかがでしょうか。

このような細長いレイアウトを海外では「ブックシェルフ・レイアウト」と呼ぶようです。実際に本棚に収めるには難しいとしても、同じ高さの本棚を並べた上などに設置することを考えれば現実味が増しますね。多くの場合、ヤードでの入換え運転などを楽しむことが多いようですが、ここでは本線の列車の運転を楽しむことを主眼としました。

スイッチバックが有名な出雲坂根駅

ＪＲ西日本に属する木次線は、山陽と山陰を結ぶルートの一部を構成する山越えの路線。途中の出雲坂根駅付近では、列車がジグザグ状に山を上っていく「スイッチバック」があることで有名です。

プラン28でもご紹介しましたが、山の多い日本の鉄道にはスイッチバックが数多く存在しました。しかし、ほとんどは勾配の途中に平坦な停車場を作るためのもので、本線自体がスイッチバックしている例はこの木次線の他、箱根登山鉄道など数例があるにすぎません。雄大な山岳風景の中を列車が前進と後進を繰り返して走る様子は面白く、ブックシェルフ・レイアウトにはピッタリの素材だと思います。

左図の左上のトンネルから出て来た列車は山陰方面からやってきたという想定で、下側の出雲坂根駅に到着します。ここから列車は進行方向を変え、両渡り線を渡ってスイッチバック区間に入ります。短いトンネルを抜けるとポイントを通過し車止めの手前で停止、再び進行方向を変えて勾配を上っていきます。トンネル、鉄橋、またトンネルへ。こうして列車は山陽方面へと去っていきます。

スイッチバックを自動運転で

スイッチバックの運転は面白いものですが、リラックスして列車の動きを眺めて楽しみたいという場合は、自動運転機構を導入するのがおすすめです。

ＴＯＭＩＸのＴＣＳ自動運転ユニットという製品を例にとれば、複雑な運転パターンをこなすいくつものモードがあり、その中には「スイッチバック運転モード」も含まれています。もちろんこのレイアウトの自動運転もバッチリです。

ちなみにこの機構を使うためには列車の停止箇所に専用のセンサーを設置する必要があるので、製作時に準備しておくといいでしょう。

エンドレスがなくてもレイアウトは十分に楽しめるのです。

プラン図

細長いスペースにスイッチバック式の本線を収めた、いわゆるブックシェルフ・レイアウト向けプラン。3カ所のD.C.フィーダーNのフィーダー線はまとめて1台のパワーパックに接続する。

※□内はベースボード表面からの線路高

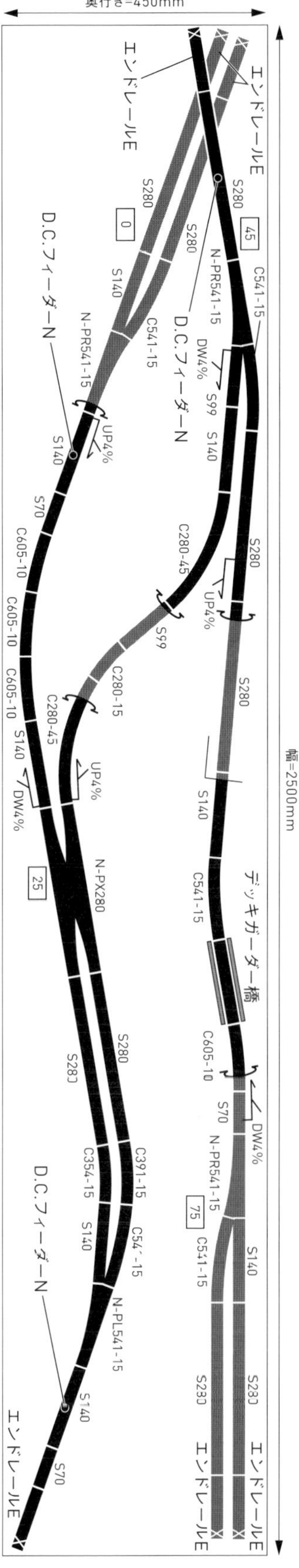

使用線路部品リスト（TOMIXファイントラック）

略号	部品名	数量
S280	ストレートレールS280 (F)	9
S140	ストレートレールS140 (F)	8
S99	ストレートレールS99 (F)	2
S70	ストレートレールS70 (F)	3
C280-45	カーブレールC280-45 (F)	2
C280-15	カーブレールC280-15 (F)	1
C354-15	カーブレールC354-15 (F)	1
C391-15	カーブレールC391-15 (F)	1
C541-15	カーブレールC541-15 (F)	5
C605-10	カーブレールC605-10 (F)	4
N-PR541-15	電動ポイントN-PR541-15 (F)	3
N-PL541-15	電動ポイントN-PL541-15 (F)	1
N-PX280	電動ポイントN-PX280 (F)	1
	エンドレールE (F)	6
	デッキガーダー橋 (赤)	1
	D.C.フィーダーN	3

大きさ ▸▸▸ 3300×1000ミリ
使用レール ▸▸▸ KATOユニトラック

- 曲線半径：最小R282
- 使用ポイント：ユニトラック４番
- 勾配：最急４％
- 停車場有効長：機関車＋20m級客車８両に対応
- テーマ：宮崎県内を走る日豊本線
- 時代設定：昭和40年代
- 季節設定：夏
- 想定走行車両：DF50牽引のブルートレインなど優等列車、気動車列車
- 特記事項：実物通りの編成を不自然でなく運転可能

ブルートレインファンに贈る大型プラン

風光明媚な南九州の風景をモチーフに、ブルートレインをはじめとして実物通りの編成の優等列車を走らせることができる大型プラン。時代に即した考証作業も楽しめる。

６畳間の長手方向の壁際に設置することを想定した横長のベースボードに、宮崎県内を走る日豊本線を彷彿とさせる明るい情景が展開。駅や信号場の側線は実物通りの優等列車の編成を停車させられる長さになっている。

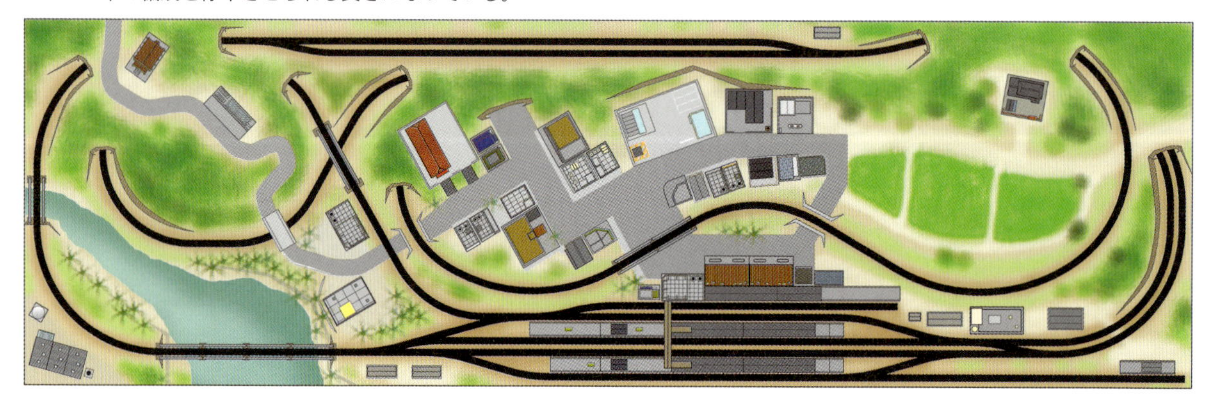

南国の明るい日差しが照りつけ、海風がフェニックスの木々を揺らす、けだるい昼下がり。目も覚めるような青い車体をきらめかせてブルートレインが走る。イラストは非電化時代としたが、電化後として赤い交流電機を走らせてもいい。

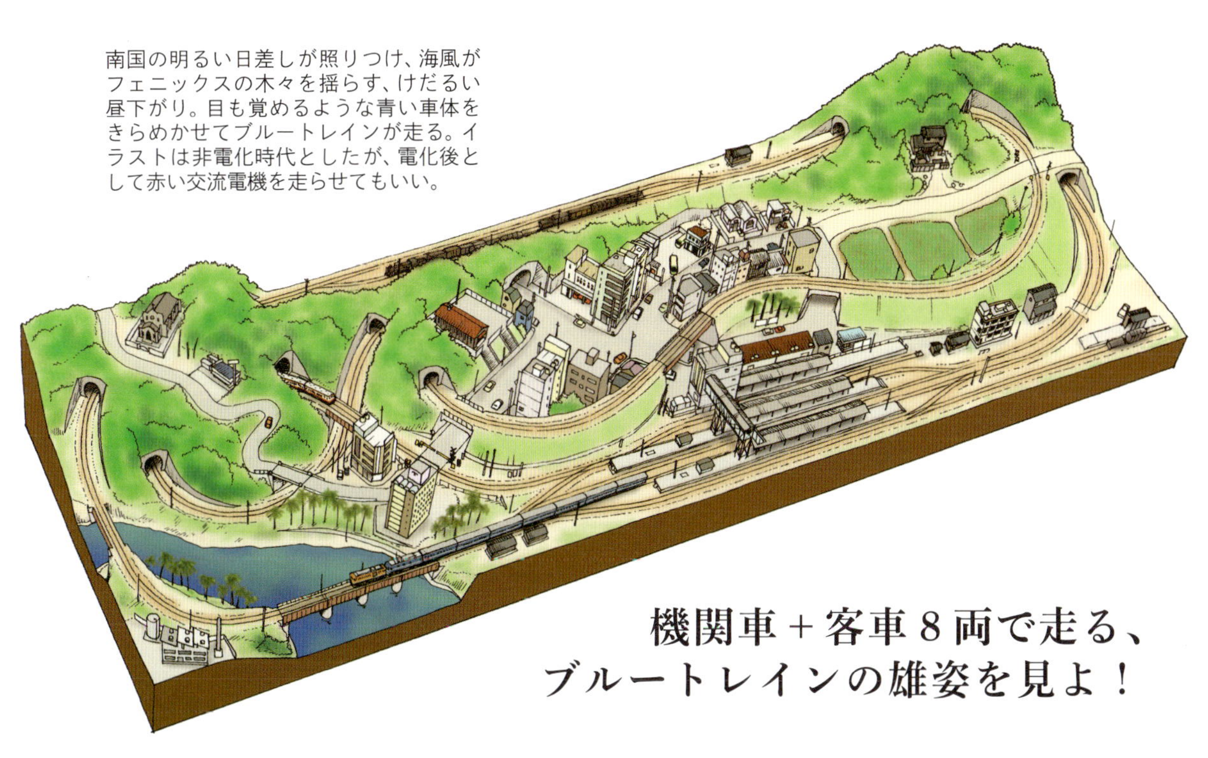

機関車＋客車８両で走る、ブルートレインの雄姿を見よ！

日豊本線はまだ部分的にしか複線化されておらず、単線区間では長い列車を待避させるための信号場が設けられている。

緩やかなカーブが連続する築堤上の区間は列車の編成美が堪能できる場所。SLブームで遠くからカメラをさげてやってくるファンも多い様子。

青い海の印象が強い宮崎県は、実は山地も多く、鉄道も道路も青井岳の峠に向けて急勾配を上っていく。

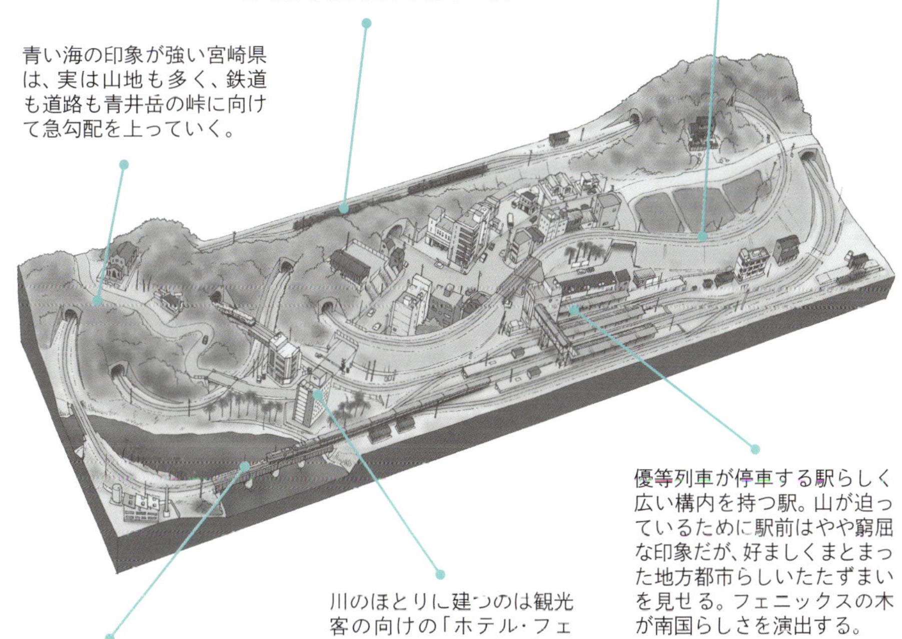

優等列車が停車する駅らしく広い構内を持つ駅。山が迫っているために駅前はやや窮屈な印象だが、好ましくまとまった地方都市らしいたたずまいを見せる。フェニックスの木が南国らしさを演出する。

川のほとりに建つのは観光客の向けの「ホテル・フェニックス」。その名の通り周囲に植えられたフェニックスの木々が南国らしいムードを醸し出している。

撮影の名所として知られた大淀川鉄橋をイメージしたトラス鉄橋上を、DF50牽引の20系ブルートレイン「彗星」が渡る。この列車で宮崎へ行くのはかつて、新婚旅行の定番だったとか。

大型レイアウトで何をする?

この本では、イメージしやすく実現させやすいことを第一に、定尺サイズ以下のレイアウトプランを主に収録しています。Nゲージでは定尺サイズでかなりいろいろなことができますし、筆者自身は、あまり大きなスペースがあっても持て余すだけのような気がするのです。

それでも、もしスペースの余裕があったら何をしたいか考えてみると、そう、列車の編成美を存分に味わえるような舞台をこしらえたいですね。かつてブルトレブームの洗礼を受けた筆者にとっては、ブルートレインを実物通りの編成で再現して、のびのびと走らせることのできるレイアウトがいいなあ……。

しかし、ブルートレインのフル編成は長い！　時代にもよりますが、12両から15両ぐらいはつながっていますから、Nゲージでも1・5メートルから2メートルにもなります。飾るだけでも大変で、これを走らせるレイアウトのプランを考えても絵空事になってしまいそうです。かといって、短縮編成で妥協したのではこの場合、意味がないわけで……。どうしたものでしょう?

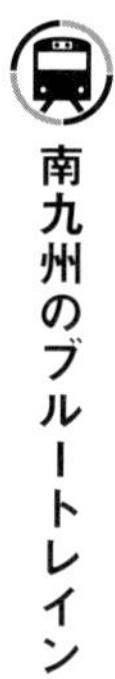

南九州のブルートレイン

そこで考えたのがこの、ブルートレイン全盛期の南九州を舞台にした大型プランです。大型といっても奥行きは1メートルちょうど、幅は6畳間の長手方向の壁際に余裕をもって収まるサイズですから、現実味のまったくない夢物語というわけでもありません。

さて、南九州をテーマに選んだポイントは、模型として収まりのよい長さのブルートレインが走っていたからです。陽の高い時間帯に走るダイヤだったのも好都合。

日豊本線には東京発着の「富士」と大阪発着の「彗星」が設定されていましたが、いずれも大分で編成のおよそ半分を切り離し、身軽になって日向路を走っていました。20系時代には機関車＋8両、24系25形時代には機関車＋7両と、いずれも模型的に好ましい長さの編成だったのです。この長さでちゃんとナロネやオシが組み込まれていたのもうれしいところ。20系の場合は上り方が切妻のナハネフ23になりますが、これはこれで面白いと思います。ちなみに急行「高千穂」も7両編成でした。

機関車＋客車8両の列車全長は約1・2メートルで、これを停められる駅と信号場、隠しヤードを配します。駅は複線区間と単線区間が切り替わる地点として、本線は図の右方で複線、左方で単線になっています。これとは別に、この駅から分岐する支線があり、トンネル内で本線で合流しています。トンネル内には隠しヤードがあって、本線の列車を待避させるほか、支線を往復する列車を停める行き止まり式の側線も設けられています。

本線上の駅と信号場、隠しヤードを使って、2本の列車を交換させながら運転するのが基本的な楽しみ方。支線と本線のスルー運転も可能です。

でもなにより、余裕のあるスペースならではの、ゆったりとした列車の走りっぷりを鑑賞するのが、このレイアウトの醍醐味かもしれませんね。

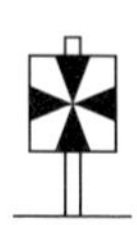

プラン図

2カ所のフィーダー線路(S62F)のフィーダー線を別のパワーパックに接続すれば、支線の往復運転と本線の周回運転と別個に行うことができる。

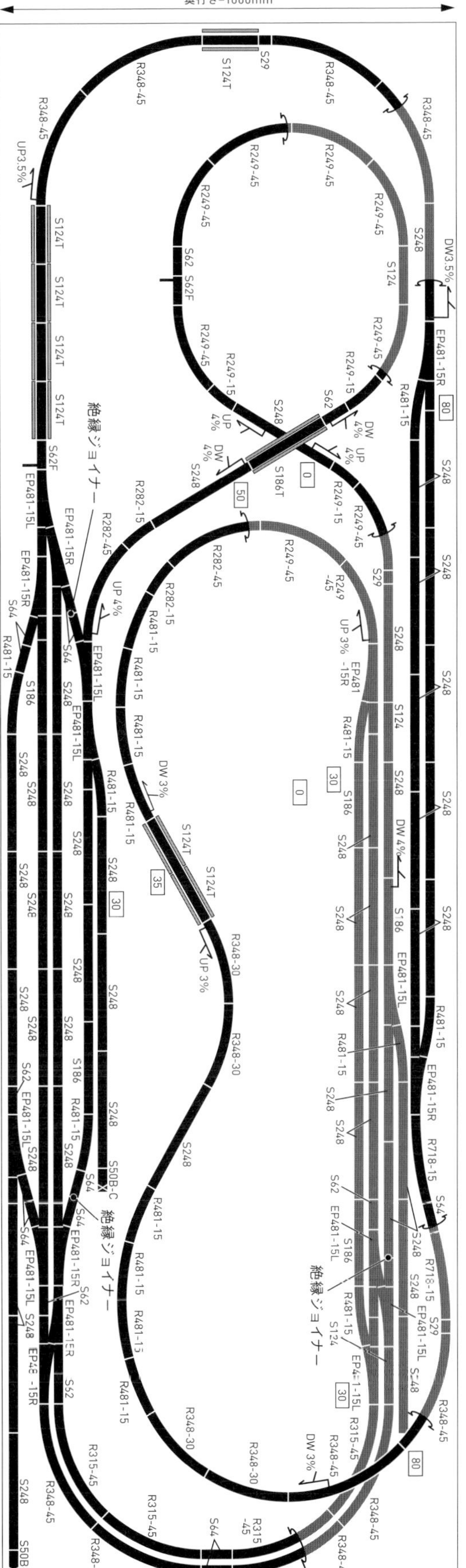

使用線路部品リスト(KATOユニトラック)

略号	部品名	数量
S248	直線線路248mm	48
S186	直線線路186mm	5
S124	直線線路124mm	3
S64	直線線路64mm (電動ポイント4番に付属)	11
S62	直線線路62mm	6
S62F	フィーダー線路62mm	2
S29	端数線路29mm	3
S50B-C	車止め線路C50mm	2
R249-45	曲線線路R249-45°	9
R249-15	曲線線路R249-15°	3
R282-45	曲線線路R282-45°	2
R282-15	曲線線路R282-15°	2
R315-45	曲線線路R315-45°	4
R348-45	曲線線路R348-45°	10
R348-30	曲線線路R348-30°	4
R481-15	曲線線路R481-15° (電動ポイント4番に付属)	16
R718-15	曲線線路R718-15°	2
EP481-15L	電動ポイント4番(左)	9
EP481-15R	電動ポイント4番(右)	8
S186I	単線プレートガーダー鉄橋(朱)	1
S124T	単線デッキガーダー鉄橋(朱)	7
	絶縁ジョイナー	6個 (3組)

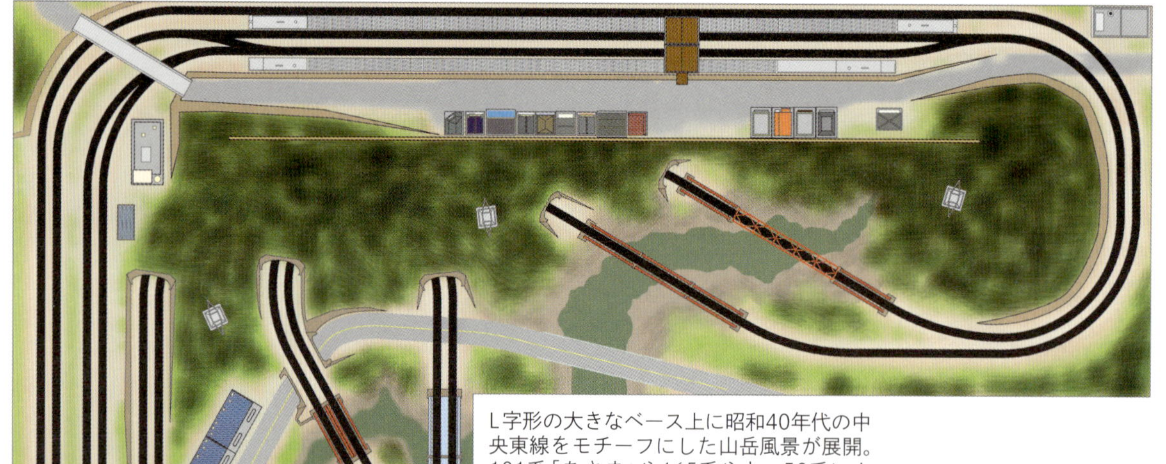

L字形の大きなベース上に昭和40年代の中央東線をモチーフにした山岳風景が展開。181系「あさま」や165系やキハ58系による「アルプス」など往年の優等列車を実物通りの編成で走らせることができる。

L字形ベースに展開する山岳レイアウト

実物の中央東線をモチーフに、往年の優等列車を実物通りの編成で走らせることを目的とした大形プラン。L字形ベースの長手方向中央に背景板を立て、表側と裏側で異なる風景が展開する。

製作難易度
★★★★★

大きさ ▸▸▸ 2700×1800ミリ
使用レール ▸▸▸ TOMIXファイントラック

- 曲線半径：最小R280
- 使用ポイント：電動ポイントN-PR541-15、電動ポイントN-PL541-15、電動カーブポイントN-CPL317/280-45
- 勾配：３％
- 停車場有効長：20m級車両10両編成に対応
- テーマ：中央東線の山岳線区
- 時代設定：昭和40年代
- 季節設定：夏
- 想定走行車両：中央東線で活躍した国鉄形車両
- 特記事項：一部に背景板を立て、表と裏で異なる風景を展開

Layout Plan

険しい山を越えた線路は開けた盆地へ。街道沿いに雑貨店や小工場が並び、周囲には果樹園が広がるのどかな風景。

駅に併設された2線のヤードには、運用の合間に短い休息をとる電車や気動車が停められている。

高い橋脚に支えられた鉄橋上を轟音をたてて181系の特急「あずさ」が行く。往年の中央東線のムード満点のシーン。

駅前にはささやかな商店街が。中には駅弁を作ってホームで販売することを生業とする店も。

緑の山の上にそびえる高圧線の鉄塔は風景の良いアクセント。

長編成列車が停車できる長いホームを持つ駅。一方で小さな駅前広場から出入りする駅舎はホーム真上にあり、山間の狭隘な敷地に作られたことをうかがわせる。

大きなL字形レイアウトで中央東線を再現、背景板で2つの風景を楽しめる欲張りプラン

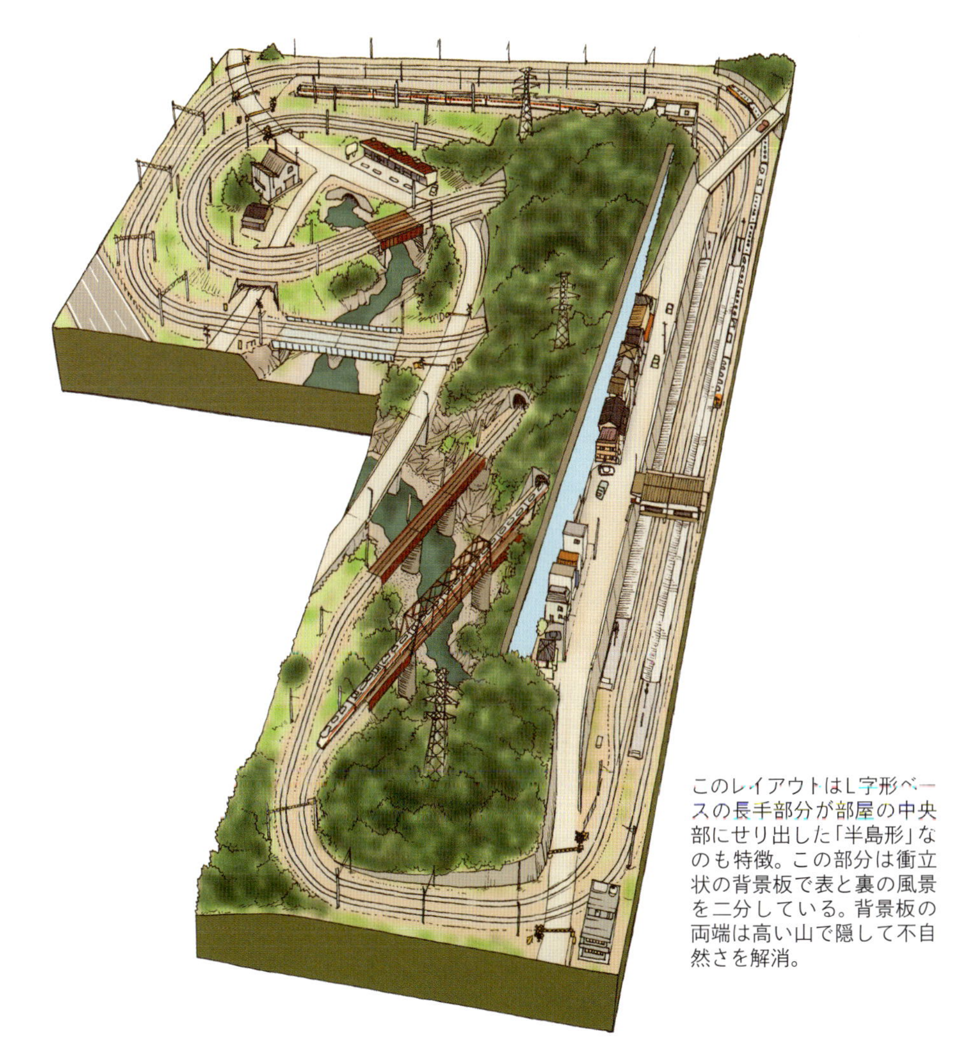

このレイアウトはL字形ベースの長手部分が部屋の中央部にせり出した「半島形」なのも特徴。この部分は衝立状の背景板で表と裏の風景を二分している。背景板の両端は高い山で隠して不自然さを解消。

広い部屋で楽しむL字形のベースボード

レイアウトのために専用の一室を充てることができるのは、かなり恵まれた場合でしょう。しかし、それはそれで、プランを決めるのには相当の苦労があることは、容易に想像できます。

例えば6畳間を使えるとしても、部屋いっぱいにベースボードを組んで、人が居る場所がなくなっては困ります。運転やシーナリーのためのスペースとともに工作用や鑑賞用のスペースも勘案して、レイアウト上のどの部分にも無理なく手が届くように考えなくてはなりません。

そうなると、壁を背にするのなら奥行きを1メートル程度に収める必要があり、前プランのように横長のベースボードとするか、あるいは壁の曲がり角に沿ってL字形やコの字形にするのが現実的です。

6畳間に設置することを想定したL字形プランをご覧にいれましょう。

中央に背景板を入れても不自然にならない工夫

図の上方、Lの短い方の腕を壁際に寄せ、下に伸びた長い部分は部屋の中央にくるようにした、いわゆる半島形レイアウトです。この半島部分には中央に衝立状の背景板を立てて、裏と表で異なる風景を展開するテクニックを用い、列車が走る距離感を演出します。背景の左右がベースボードの端まで達せずに途切れていますが、断面は高い山でカモフラージュしますから不自然さはありません。

実物の編成にこだわって

舞台は昭和44年頃の中央東線としました。アルプスの山々に挑む山男、山女たちを満載した列車が東奔西走していた時代です。

当時の中央東線の優等列車は、新設まもない電車特急「あずさ」3往復が181系の10連(「とき」と共通運用)で運転されていました。あとは10往復以上が設定されていた急行「アルプス」の独壇場で、165系とともにキハ58系も多数充当されていました。

これらは最長12連でしたが、大月や甲府、辰野などで一部の車両を切り離す運用が多く、また多客時以外ははじめから8連で運転される列車もあり、これに荷電2両を加えた面白い編成も見られました。

大きなプランでも取捨選択は重要

当プランでは、これらの列車を緑豊かな風景の中でのびのびと走らせることを主眼に置き、複雑な運転はキッパリ諦めました。駅のホームは最大で12連に対応する長さですが、これは外側線(時計回り)のみ。2両の1等車(後のグリーン車)や軽食堂車を組み込んだ堂々12連の165系「アルプス」を再現できます。この列車を内回り線に入れても、ホーム長も足りず、ヤードにも入れませんから、渡り線も設けていません。内側線(反時計回り)では駅に最大10両編成を停められますが、ヤードに入れる列車の長さは8連まで。181系「あずさ」10連、キハ58系「アルプス」8連の他、115系の普通列車8連あたりを常置し、いずれか1本を運転できます。

スペースが大きくなっても、レイアウト製作に取捨選択は不可欠。こだわりたいテーマ(この場合は長編成列車の走行)を絞り込み、この魅力を最大限に堪能できるように考えたいものです。

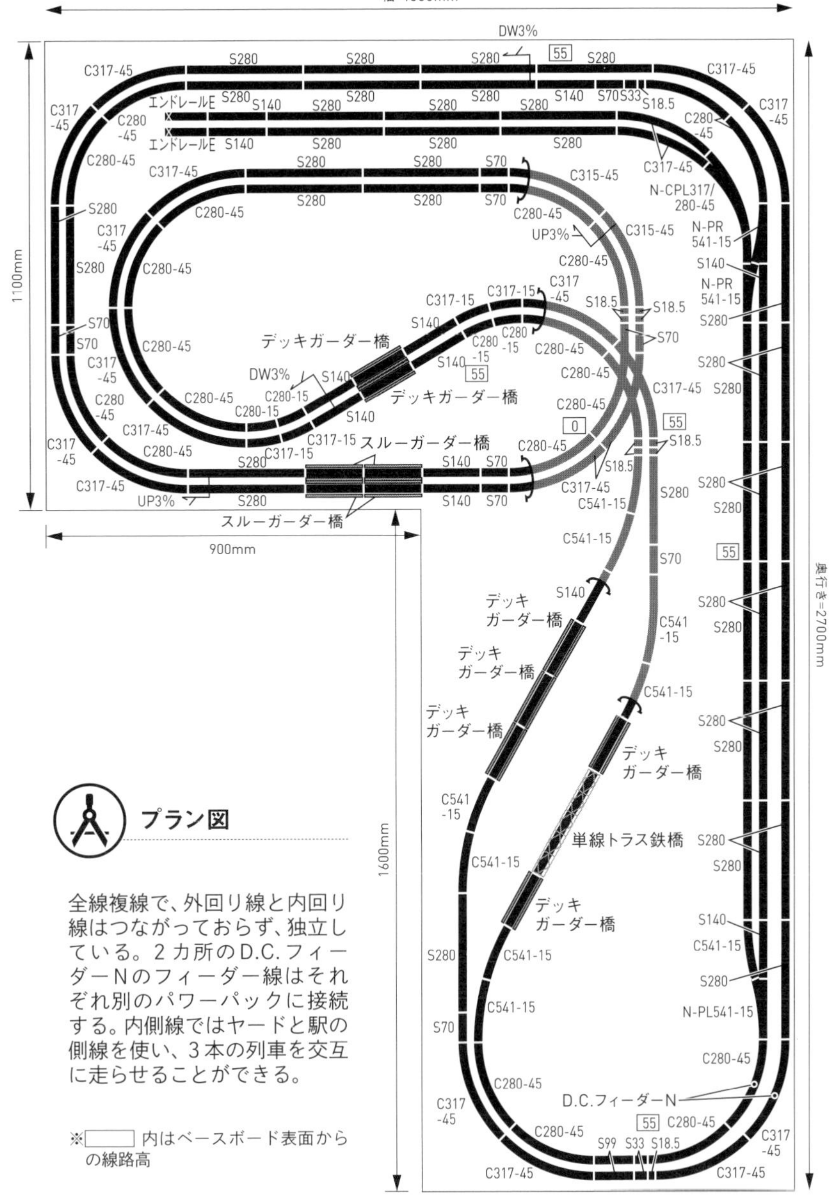

プラン図

全線複線で、外回り線と内回り線はつながっておらず、独立している。2カ所のD.C.フィーダーNのフィーダー線はそれぞれ別のパワーパックに接続する。内側線ではヤードと駅の側線を使い、3本の列車を交互に走らせることができる。

※□内はベースボード表面からの線路高

使用線路部品リスト（TOMIXファイントラック）

略号	部品名	数量
S280	ストレートレールS280 (F)	40
S140	ストレートレールS140 (F)	12
S99	ストレートレールS99 (F)	2
S70	ストレートレールS70 (F)	11
S33	端数レールS33 (F)	3
S18.5	端数レールS18.5 (F)	10
C280-45	カーブレールC280-45 (F)	20
C280-15	カーブレールC280-15 (F)	4
C317-45	カーブレールC317-45 (F)	22
C317-15	カーブレールC317-15 (F)	4

略号	部品名	数量
C541-15	カーブレールC541-15 (F)	9
N-PR541-15	電動ポイントN-PR541-15 (F)	2
N-PL541-15	電動ポイントN-PL541-15 (F)	1
N-CPL317/280-45	電動カーブポイント N-CPL317/280-45 (F)	1
	エンドレールE (F)	2
	単線トラス鉄橋 (F)	1
	デッキガーダー橋 (F) (赤)	7
	スルーガーダー橋 (F) (青)	4
	D.C.フィーダーN	2

大きさ ▸▸▸ 1900×1800ミリ
使用レール ▸▸▸ KATOユニトラック

Layout Plan 47

現代貨物列車を楽しむ

現在も貨物列車が高頻度で走る東京外環線をイメージした大型プラン。通勤電車の合間を縫うようにして、近代的なコンテナ列車や石油輸送列車が疾駆する。

- 曲線半径：最小R282
- 使用ポイント：ユニトラック４番
- 勾配：４％
- 停車場有効長：20m級車両６両編成に対応
- テーマ：武蔵野線をイメージした貨物路線
- 時代設定：現代
- 季節設定：春
- 想定走行車両：コンテナ列車、石油輸送列車、通勤電車
- 特記事項：ベースボード中央部にメンテナンス用ピットを設置

製作難易度
★★★★☆

タタミ約２畳分に相当する大きさの、ほぼ正方形のスペースで、現代の高速貨物列車を存分に走らせるためのプラン。中央の開口部は工作やメンテナンスのためのものだが、シーナリーの処理上も重要な役割を果たす。

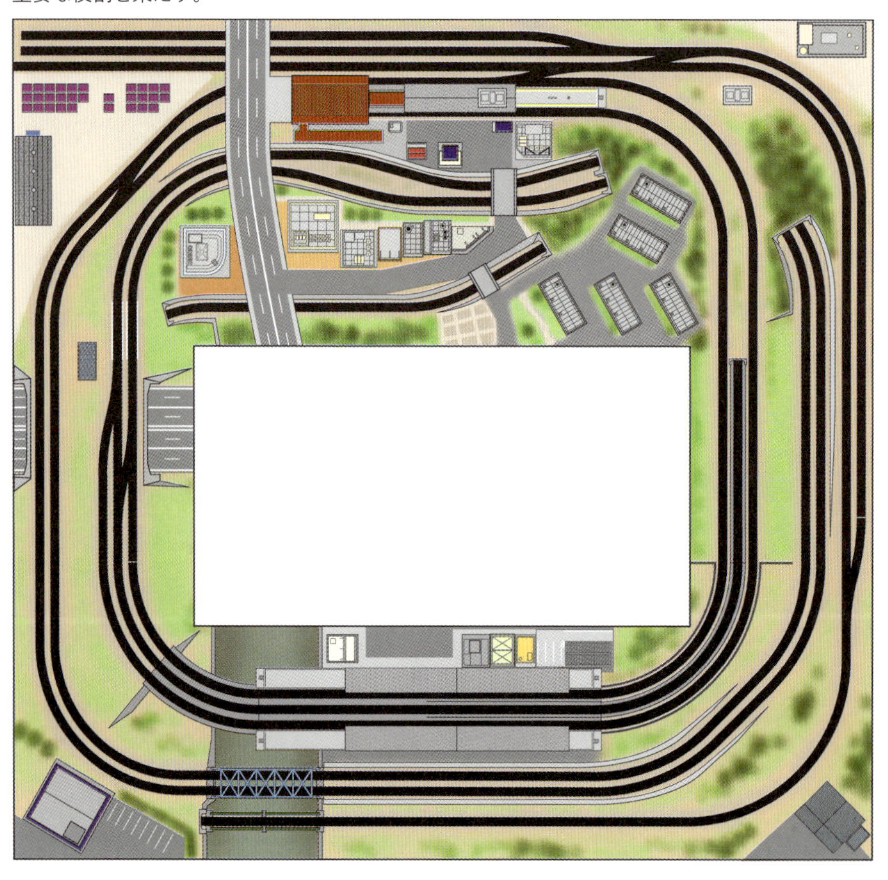

正方形をぐるっと回る大きなプラン 真ん中から顔を出してメンテする本格派

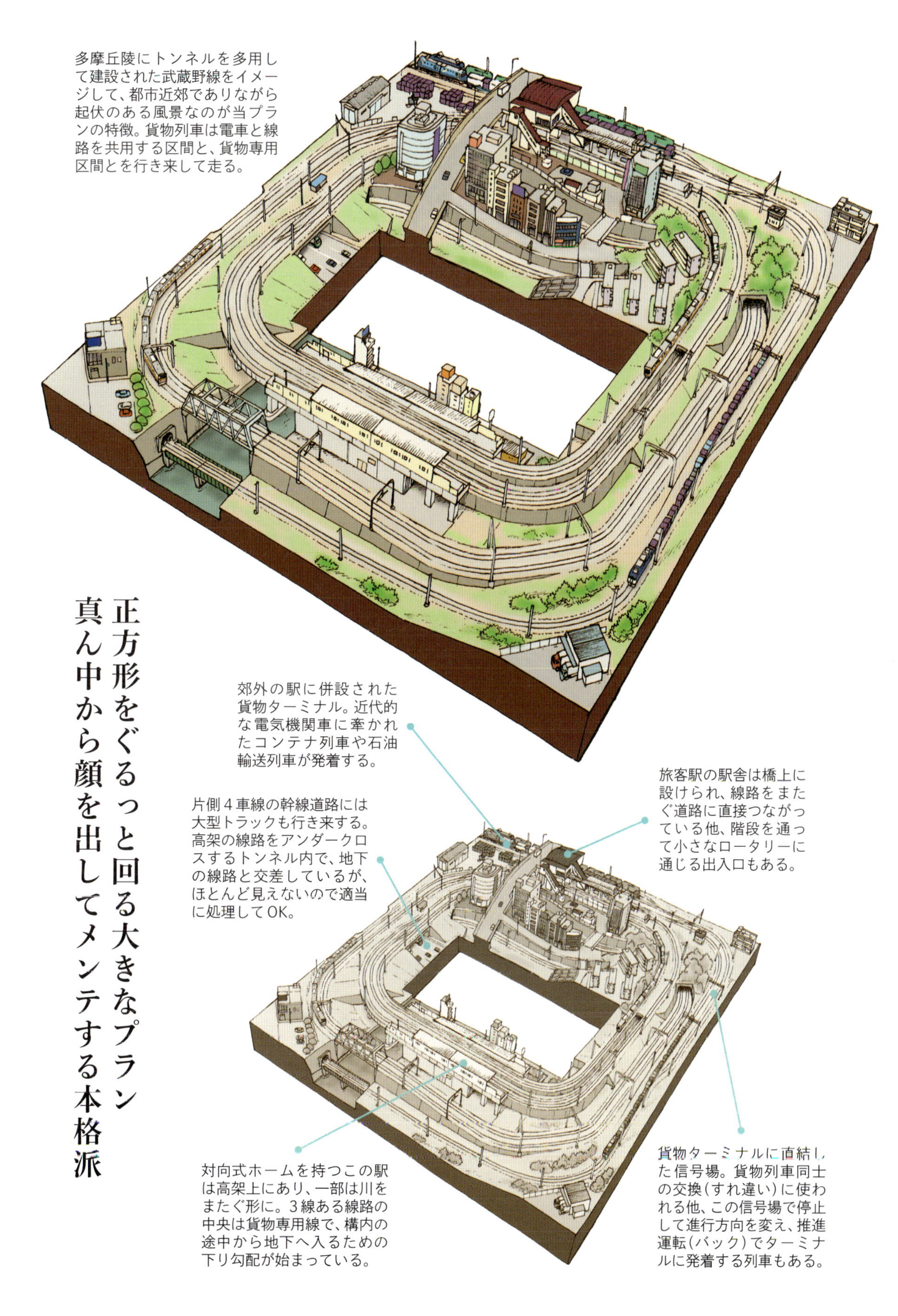

現代の貨物列車の魅力を

現在、貨物列車はごく一部を除いて都心に乗り入れることはなく、東京を大きく取り囲む形で建設された武蔵野線（東京外環状線）を経由して、郊外数カ所に設けられた貨物ターミナルに発着します。

この線ではコンテナ貨車やタンク車を連ねた貨物列車がかなりの頻度で走っており、西船橋〜府中本町間では、同じ線路を共用する電車と貨物列車が日中でも交互にやってくるほど。通勤電車と近代的な高速貨物列車の共演には、独特の魅力があります。府中本町から南では貨物列車は専用線に入り、長大トンネルを通って鶴見方面に向かう他、新小平からは中央線の立川方面へ、住宅街の地下を通る連絡線路が分岐するなど、ミステリアスな面白さも合わせ持っています。

タタミ約2畳分のスペースで、現代の貨物列車を存分に楽しむプランを考えてみました。

複雑なルートをたどる貨物列車

武蔵野線では時計回りが下り列車、反時計回りが上り列車とされています。このプランでもそれにならいます。

電車と貨物列車が走る本線は複線で、2カ所に駅があり、それぞれで単線の貨物専用線が分岐しています。貨物列車は上り、下りのいずれの場合も、片方の駅から専用線に入って電車とは違うルートを通って走り、もう片方の駅で再び電車線と合流します。

実際の運転を見てみましょう。図の左上にあるヤードは貨物列車が発着するターミナルです。下り（時計回り）の場合は出発後、貨物専用線を進み、2つのトンネルを経由した後、電車線に合流してしばらく走り、再び貨物専用線に入ります。そのまま運転を続けることもできますし、図の右側に位置する信号場で停止させ、バックでターミナルに入線させることもできます。

上り（反時計回り）の貨物列車は、ターミナルからバックで発車し信号場に停止、進行方向を変えて電車線に合流、渡り線を渡って上り線に入って進み、再び貨物線に入り、そのままターミナルに入れることもできますし、再び電車線と合流して運転を続けることもできます。

貨物列車が電車線を走っている間は、選択式ポイントの働きにより、上り電車、下り電車のいずれかを図の下側に位置する駅のホームに停めておくことができます。貨物列車が複雑なルートをたどる途中、貨物列車同士の離合、電車との離合、待避などさまざまなシーンが生まれます。

ちなみに貨物専用線をあえて単線としたのは、運転の面白さが増すと考えたためです。新小平から分岐する中央線との連絡線路は単線で、そのイメージもいくらか入っています。

大型レイアウトで重要な開口部

レイアウト中央部には大きめの開口部を設けます。製作中の工作や完成後のメンテナンスのために大変重要なものです。また風景の処理上も大きな役割を果たします。このスペースをシーナリーで埋め尽くそうとすると、単に面積が増えるだけでなく、川や道路の処理が格段に難しくなり、不自然な風景になるリスクが大きくなることでしょう。

プラン図

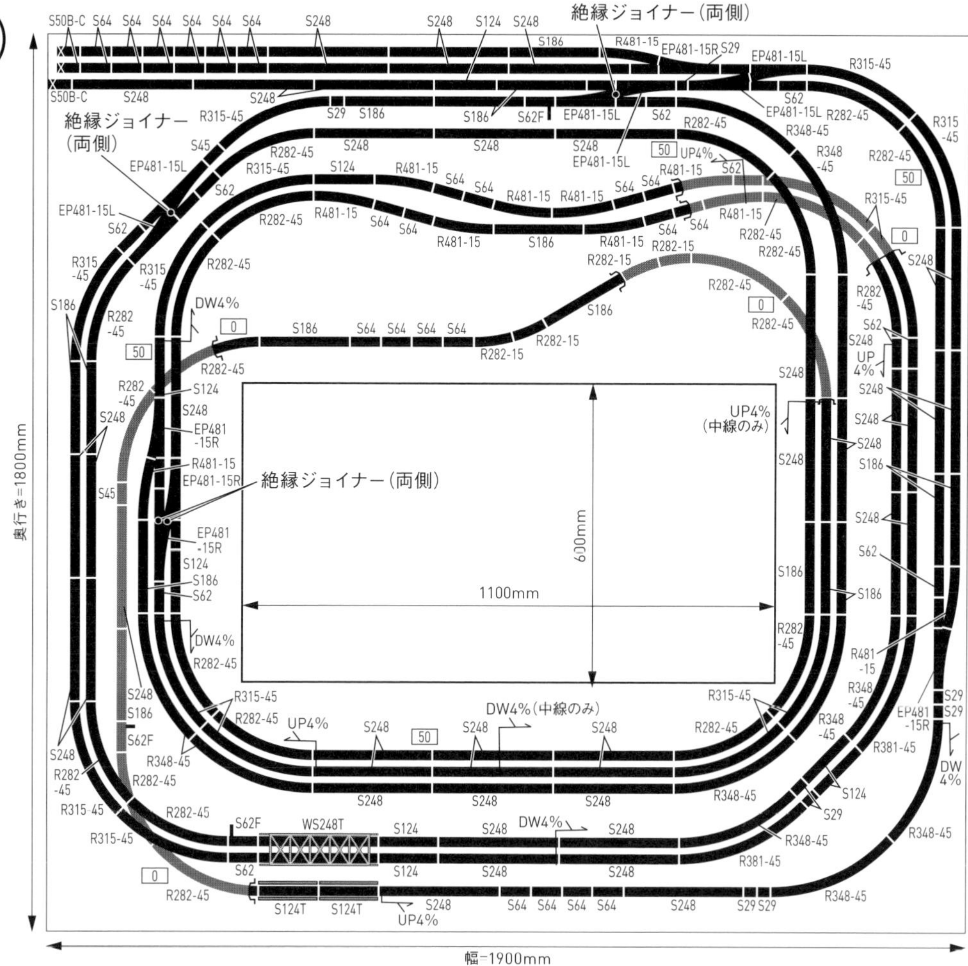

複線の電車線から単線の貨物専用線が分岐し、また合流するかなり凝った線路配置。３カ所のフィーダー線路(S62F)のフィーダー線はそれぞれ別のパワーパックに接続し、絶縁ジョイナー上を通過する際は双方のスイッチ、ツマミ類の位置を揃えて運転する。ポイントの切り換え方により、図の下側の駅に電車を留置しておける。なおここではすべて通常の線路製品を使っているが、一部を高架線路に置き換えてもいい。

※□内ベースボード表面からの線路高
※無印の線路は４番ポイント付属の補助線路(S60)

使用線路部品リスト(KATO ユニトラック)

略号	部品名	数量
S248	直線線路248mm	45
S186	直線線路186mm	16
S124	直線線路124mm	8
S64	直線線路64mm (電動ポイント４番に付属)	28
S62	直線線路62mm	10
S62F	フィーダー線路62mm	3
S50B-C	車止め線路C 50mm	3
S45	端数線路45.5mm	2
S29	端数線路29mm	8
R282-45	曲線線路R282-45°	22

略号	部品名	数量
R282-15	曲線線路R282-15°	4
R315-45	曲線線路R315-45°	14
R348-45	曲線線路R348-45°	10
R381-45	曲線線路R381-45°	2
R481-15	曲線線路R481-15° (電動ポイント４番に付属)	11
EP481-15L	電動ポイント4番 (左)	6
EP481-15R	電動ポイント4番 (右)	5
WS248T	複線トラス鉄橋 (ライトブルー)	1
S124T	単線デッキガーダー鉄橋 (緑)	2
	絶縁ジョイナー	8個(4組)

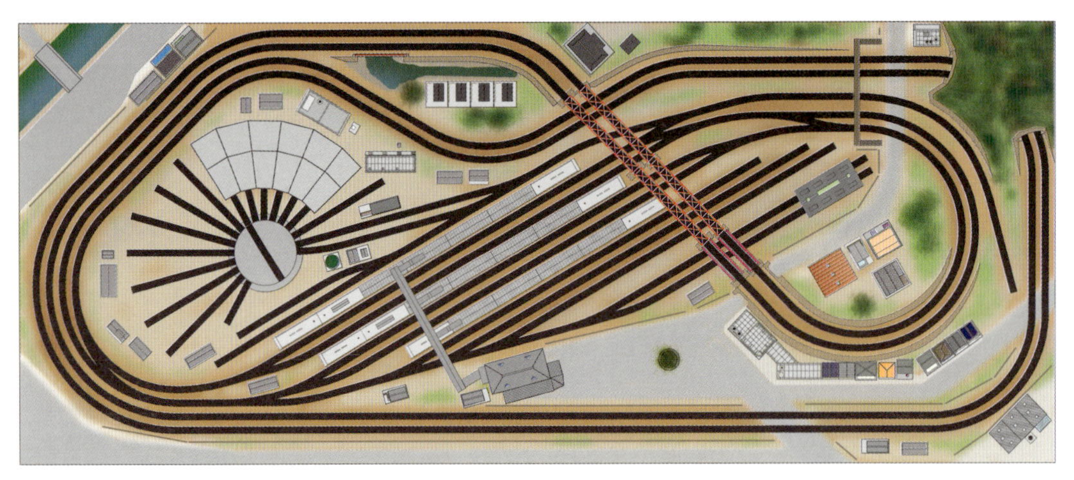

大きな駅と機関区を中心に、鉄道員とその家族が多く住む町が展開。ターンテーブルを中心にした扇形庫や、何本ものホームを結ぶ長い跨線橋が雰囲気を盛り上げる。

かつての鉄道城下町を再現

鉄道黄金時代の非電化幹線をテーマにした大型レイアウト向けプラン。鉄道そのものが町の主要産業になっている「鉄道城下町」のムードを再現したシーナリーの中を、長編成列車が快走する。

製作難易度
★★★★★

大きさ ››› 2900×1200ミリ
使用レール ››› TOMIXファイントラック

- 曲線半径：最小R280
- 使用ポイント：電動ポイントN-PR541-15、電動ポイントN-PL541-15、電動カーブポイントN-CPR317/280-45、電動カーブポイントN-CPL317/280-45
- 勾配：４％
- 停車場有効長：20m級車両８両編成に対応
- テーマ：電化直前の幹線
- 時代設定：昭和30年代
- 季節設定：春
- 想定走行車両：蒸気機関車およびディーゼル機関車牽引の客車列車、気動車
- 特記事項：全線複線で２列車同時運転が可能

Layout Plan 48

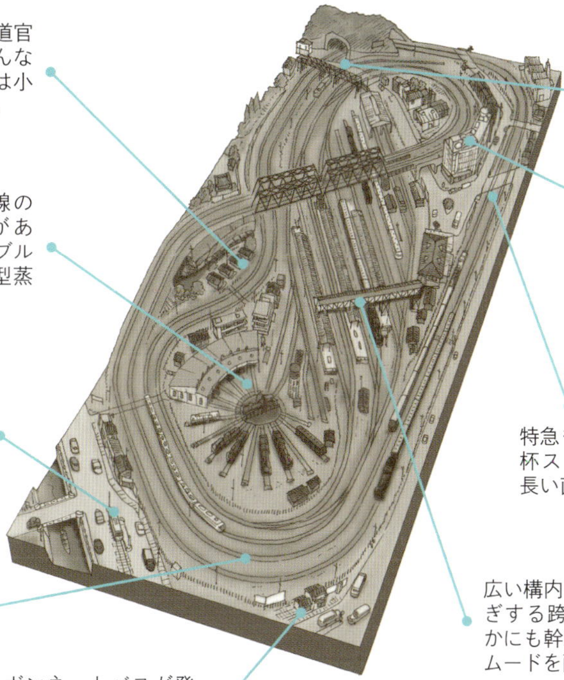

機関区に併設された鉄道官舎。住んでいるのはみんな機関士一家。お父さんは小さな踏切を渡って出勤。

この踏切はいわゆる「開かずの踏切」だが、地元の人たちは慣れたもので、急ぐときはさっさと跨線橋を渡ってしまう。

この町には幹線の機関車交換駅があり、ターンテーブルの周囲には大型蒸機がズラリ。

この町唯一のデパート。もちろん鉄道で働く人たちとその家族がお得意さま。

町外れにある市電の終着点。ここからは道幅も狭くなり、建物もまばらに。

特急も普通も、目一杯スピードを出す長い直線区間。

4本の線路が大きくカーブするこのあたりを、さまざまな列車が行き来する様は壮観。

広い構内をひとまたぎする跨線橋が、いかにも幹線駅らしいムードを醸し出す。

ボンネットバスが発着するターミナル。駅前を経由して、周辺の町や村へ向かう。

大きな駅と扇形庫でびっしり 鉄道城下町を味わい尽くす

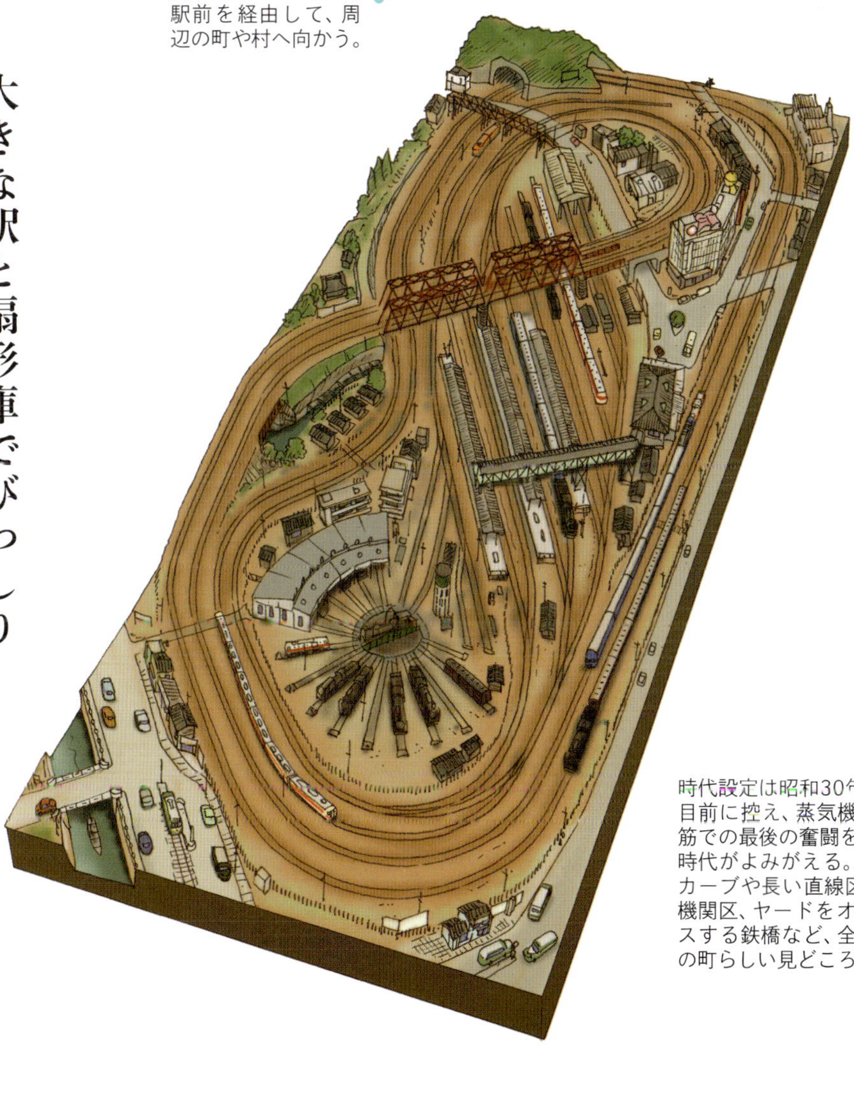

時代設定は昭和30年代。電化を目前に控え、蒸気機関車が幹線筋での最後の奮闘を見せていた時代がよみがえる。複々線の大カーブや長い直線区間、大きな機関区、ヤードをオーバークロスする鉄橋など、全盛期の鉄道の町らしい見どころが満載。

ご近所全員が鉄道員

　企業城下町という言葉があります。ある企業の工場などを中心に成り立っている町のことで、住民のほとんどはその従業員と家族、その人たちを相手にする商店主などで占められています。同様に、鉄道城下町も、かつては各地に存在しました。現在、鉄道博物館がある大宮はその一例といえ、東北本線と高崎線の分岐点であり、大きな鉄道工場や操車場があった関係で、鉄道関係者が多く住んでいました。

鉄道城下町を作る

　大型レイアウトを作るとしたら、鉄道城下町は魅力的なテーマのひとつです。時代は蒸気機関車が健在だった頃がいいですね。蒸気機関車は電気機関車や電車のように長い距離の運用はできず、長距離列車は頻繁に機関車を交換したため、沿線の要所要所には機関区が設けられていました。

　そして、蒸気機関車の整備や維持には多くの人手が必要でした。機関士や機関助士ばかりでなく、庫内手、検査掛（国鉄では係ではなく掛という字を使っていました）、燃料掛などなど、大勢の職員とその家族が機関区の周囲に住み、鉄道城下町ができあがっていたのです。

疾走する長編成列車の迫力を

　線路配置の基本となるのは、複線エンドレスを折り畳んだ本線です。横長のスペースを生かして2メートル以上の直線区間や、複々線状になった大カーブ、ヤードをオーバークロスする長い鉄橋を設け、高速で行き来する長編成列車の迫力を味わうことができます。プラットホームも機関車＋客車7両を停められる長さがあります。

　特定の路線をモチーフにしているわけではありませんが、強いていえば電化直前の常磐線のイメージでしょうか。急増する輸送を大車輪でさばいている、そういう活気を出したいですね。すでに電化工事が進んでいるという想定で架線柱をたて、試運転列車という想定で、時折、電車や電機牽引列車を走らせても面白いでしょう。

ターンテーブルは見た目の変化として

　ターンテーブルと扇形庫のある大きな機関区は、このレイアウトのシンボル的存在ですが、今回は連結・解放作業をともなう機関車の交換は想定していません。

　視覚的な面白さだけでも十分な価値があると思いますが、出区した機関車を長編成列車の合間に単独で走らせるのも面白いと思います。かつては機関区から近隣の駅や操車場に単機回送されて仕業につく運用も日常的にありましたから、不自然ではありません。

この町に住む人々の暮しを想像して

　スペースの多くを線路に割いているので、シーナリーにあてられるのは比較的わずかな面積です。鉄道関係の設備の他には、こじんまりしたデパート、商店街、映画館などが街路に沿って並んでいる程度ですが、駅や機関区で働く人たちの暮しぶりを想像しながら町づくりをしてください。

　汽笛やたなびく煙、連結器の音が24時間やむことのない鉄道城下町の活気を、Nゲージの世界に蘇らせましょう。

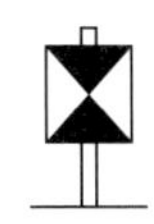

プラン図

右図の左上方に位置する２カ所のD.C.フィーダーNのフィーダー線は、ひとつにまとめて、右下方のD.C.フィーダーNのフィーダー線とともにユニバーサルスイッチを介して、２台のパワーパックに接続する。複線の本線で２列車同時運転ができ、スイッチの切り換えにより外回り線と内回り線のスルー運転も可能。

使用線路部品リスト（TOMIXファイントラック）

略号	部品名	数量
S280	ストレートレールS280 (F)	58
S140	ストレートレールS140 (F)	37
S99	ストレートレールS99 (F)	12
S72.5	ストレートレールS72.5 (F)	12
S70	ストレートレールS70 (F)	11
S33	端数レールS33 (F)	2
S18.5	端数レールS18.5 (F)	6
C280-45	カーブレールC280-45 (F)	13
C317-45	カーブレールC317-45 (F)	15
C317-15	カーブレールC317-15 (F)	5
C354-45	カーブレールC354-45 (F)	5
C354-15	カーブレールC354-15 (F)	5
C391-45	カーブレールC391-45 (F)	4
C541-15	カーブレールC541-15 (F)	14
N-PR541-15	電動ポイントN-PR541-15 (F)	6
N-PL541-15	電動ポイントN-PL541-15 (F)	10
N-CPR317/280-45	電動カーブポイント N-CPR317/280-45 (F)	1
N-CPL317/280-45	電動カーブポイント N-CPL317/280-45 (F)	1
	エンドレールE (F)	17
	単線トラス鉄橋 (赤)	4
	デッキガーダー橋 (赤)	2
	電動ターンテーブル (F)	1
	レールブロック・エンドブロック (F) (ターンテーブル用)	1
	D.C.フィーダーN	3
	ギャップジョイナー	4個(2組)

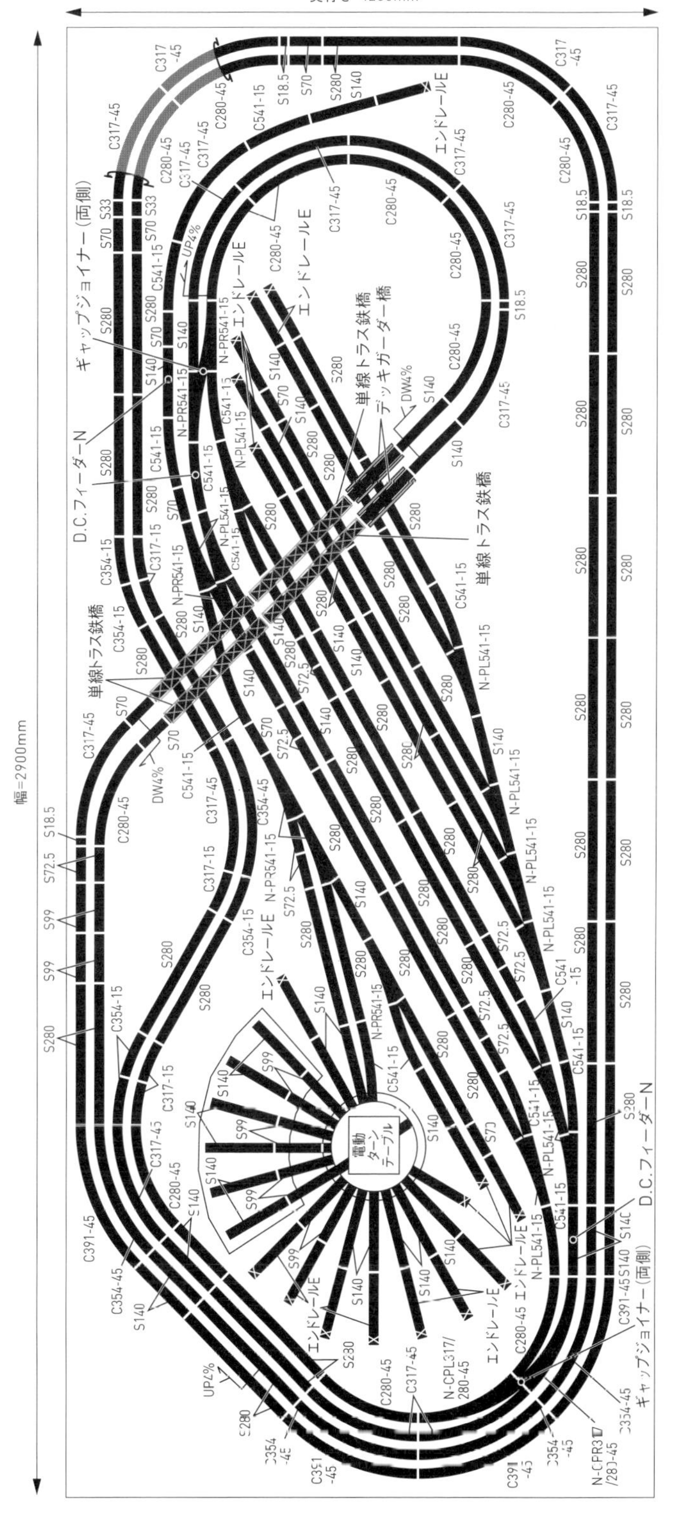

Layout Plan 49

ワールド・レイル・ミュージアム

世界各国の名列車が走る、昔ながらの大レイアウトのイメージを投影した大型プラン。近年、相次いで登場している優れた外国型Nゲージモデルをおおいに楽しめる。

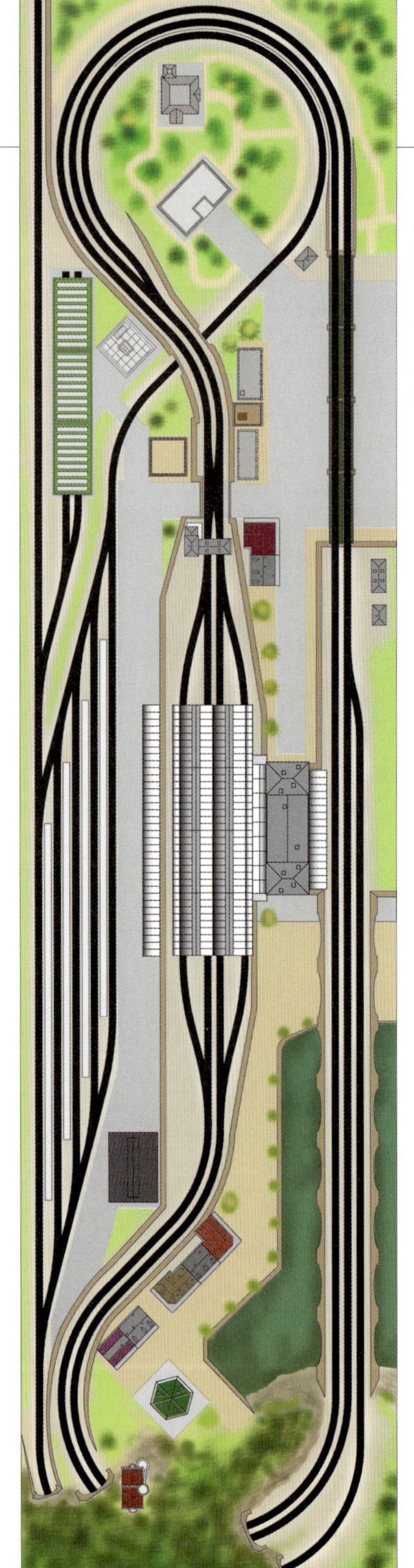

世界各国の歴史的名車両を動態保存しているテーマパークという想定の、国際色豊かなレイアウトプラン。中央の駅と奥のヤードで来場者が列車に乗り降りする。

大きさ ▸▸▸ 4100×1000ミリ
使用レール ▸▸▸ KATOユニトラック

- 曲線半径：最小R315
- 使用ポイント：ユニトラック６番（一部４番）
- 勾配：３％
- 停車場有効長：25m級車両７両編成に対応
- テーマ：各国の名車両を動態保存する屋外博物館
- 時代設定：現代
- 季節設定：春
- 想定走行車両：世界各国の歴史的車両
- 特記事項：シーナリーはヨーロッパ調をベースに無国籍風に

世界の鉄道車両を大レイアウトに！

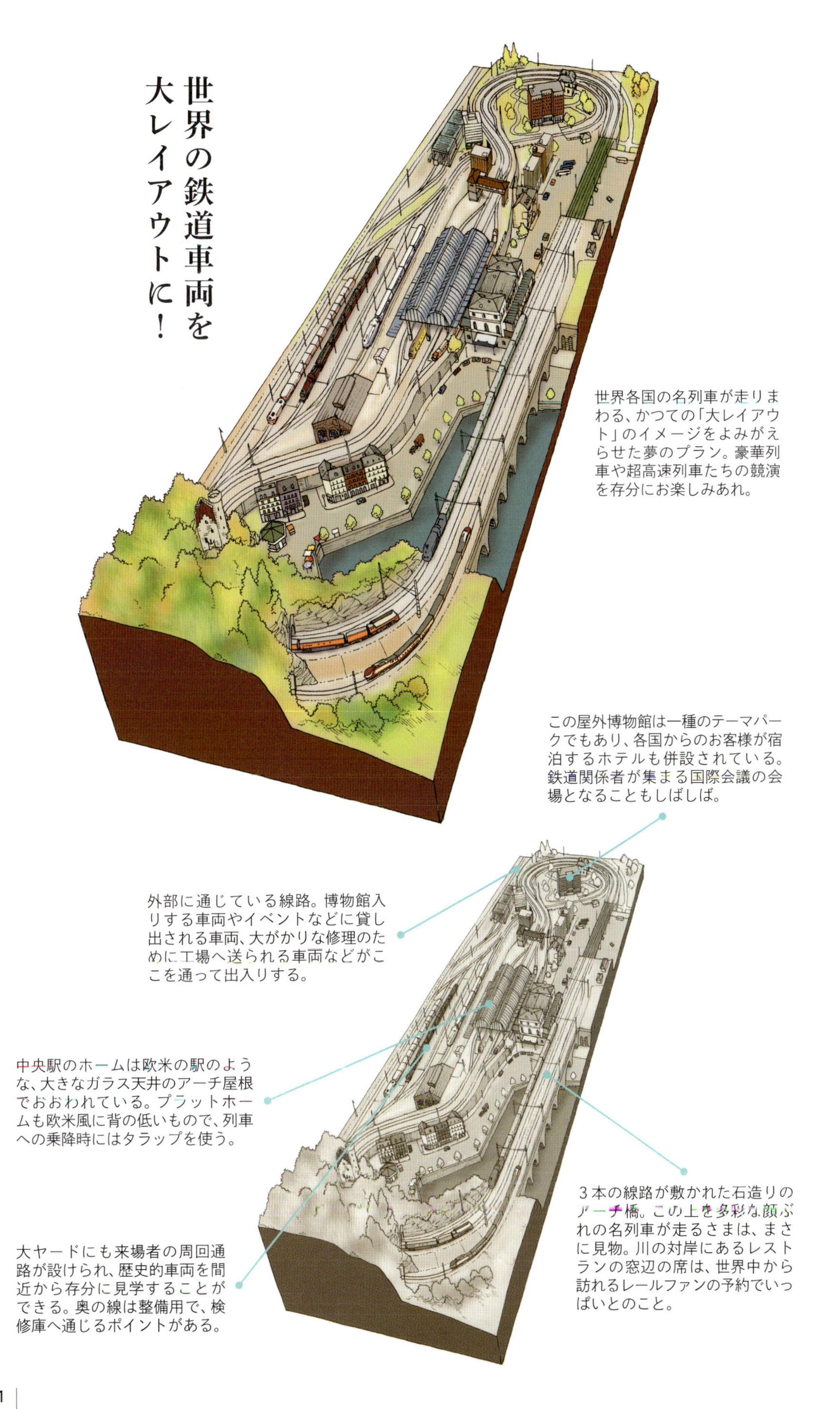

世界各国の名列車が走りまわる、かつての「大レイアウト」のイメージをよみがえらせた夢のプラン。豪華列車や超高速列車たちの競演を存分にお楽しみあれ。

この屋外博物館は一種のテーマパークでもあり、各国からのお客様が宿泊するホテルも併設されている。鉄道関係者が集まる国際会議の会場となることもしばしば。

外部に通じている線路。博物館入りする車両やイベントなどに貸し出される車両、大がかりな修理のために工場へ送られる車両などがここを通って出入りする。

中央駅のホームは欧米の駅のような、大きなガラス天井のアーチ屋根でおおわれている。プラットホームも欧米風に背の低いもので、列車への乗降時にはタラップを使う。

３本の線路が敷かれた石造りのアーチ橋。この上を多彩な顔ぶれの名列車が走るさまは、まさに見物。川の対岸にあるレストランの窓辺の席は、世界中から訪れるレールファンの予約でいっぱいとのこと。

大ヤードにも来場者の周回通路が設けられ、歴史的車両を間近から存分に見学することができる。奥の線は整備用で、検修庫へ通じるポイントがある。

外国型車両を走らせていた時代

まだNゲージが生まれる前、HOゲージやOゲージの鉄道模型が隆盛だった頃のレイアウトには、日本の車両に混ざって外国型の車両がずいぶん走っていました。日本型の製品がまだ充実していなかったためで、メーカーは外貨を稼ぐために輸出用のモデルを数多く作っていましたから、それらの車両が日本のレイアウトを走ることも多かったのだと考えられます。

しかたなく外国型を走らせていた場合が多かったにせよ、あの頃のレイアウトには独特の楽しさがあったのも確かです。時代が下ると、今度はドイツのメルクリン製品をはじめとする外国製HOゲージモデルが日本に輸入されるようになり、鉄道模型界はいよいよ国際色豊かになっていきます。専門誌には時折、カラフルな世界各国の車両が走り回る大型レイアウトが登場し、私たちの目を楽しませてくれました。

質の高い日本製Nゲージモデル

Nゲージ鉄道模型のルーツはドイツにありますが、何といっても日本の関水金属（KATO）を筆頭とする日本のメーカーによって、素晴らしい発展を遂げました。

海外製品がどちらかといえば小さいことだけを売り物にした、いささかオモチャっぽい作りだった頃から、日本のNゲージモデルは大人の鑑賞に耐えうる外観と、卓越した走行性能を誇っていました。日本の住宅事情にも合致し、価格やシステム化の面でも優れていたNゲージは、この国で大きく花開いたのでした。

結果として、現代のNゲージファンは、外国型に頼る必要もなく、日本の鉄道を存分にモデルの世界で楽しむことができるようになったのです。

大レイアウトの夢を追う

しかし、もし「大レイアウト」を作る機会に恵まれたとしたら、かつて専門誌で見たように、各国の車両を競演させたいと思うのは筆者だけでしょうか。

海外のNゲージモデルも最近になって急速に進歩を遂げて、歴史的車両の優れた製品が続々と発売されています。これらの車両が時空を超えて一堂に会す、夢のレイアウトを考えてみました。

各国の名車両を動態保存

夢物語とはいえ、それなりの設定があった方が楽しいもの。ここでは古今東西の名車両を動態保存している屋外博物館という設定にしました。イギリスの鉄道博物館には日本の0系新幹線の車両が展示されているそうですし、日本には外国の風景をそっくり再現したテーマパークもありますから、まったく現実味に欠けるわけでもないでしょう。

走らせる車両はまさにお好み次第。スペインやロシアの広軌も、欧米で普及し、日本の新幹線も採用している国際標準軌も、日本の在来線や南アフリカで採用されている狭軌も、あらゆる車両を軌間9ミリの線路で走らせることができるのはNゲージの醍醐味です。風景は国際色豊かな車両が走るのに似つかわしいように、ヨーロッパともアメリカともつかない感じにしてみました。

実物にこだわるのももちろん楽しいですが、こんな鉄道模型の王国もまた、ひとつの行き方だと思うのです。

プラン図

全線複線の本線エンドレスに、ヤードにつながる単線の支線がつながっている。3カ所のフィーダー線路(S62F)のフィーダー線は、それぞれ別のパワーパックに接続する。絶縁ジョイナー上および両渡り線(WX310)の曲線側を列車が通過する際は、パワーパックのツマミ類の位置を揃えて運転する。ただし、本線から支線を経由し再び本線に戻ってきた列車は進行方向が変わるので、前後進スイッチの位置に注意が必要。

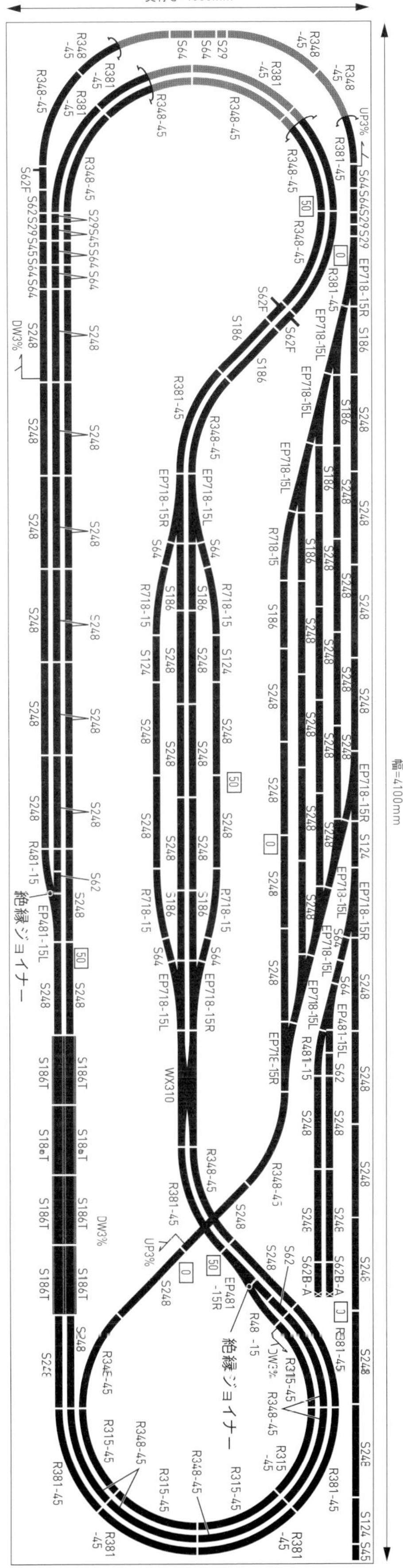

使用線路部品リスト(KATOユニトラック)

略号	部品名	数量
S248	直線線路248mm	66
S186	直線線路186mm	11
S124	直線線路124mm	4
S64	直線線路64mm (電動ポイント4番に付属)	16
S62	直線線路62mm	4
S62F	フィーダー線路62mm	3
S62B-A	車止め線路A 62mm	2
S45	端数線路45.5mm	4
S29	端数線路29mm	6
R315-45	曲線線路R315-45°	5
R348-45	曲線線路R348-45°	18
R381-45	曲線線路R381-45°	12
R481-15	曲線線路R481-15° (電動ポイント4番に付属)	3
R718-15	曲線線路R718-15°	5
EP481-15L	電動ポイント4番(左)	2
EP481-15R	電動ポイント4番(右)	1
EP718-15L	電動ポイント6番(左)	8
EP718-15R	電動ポイント6番(右)	6
WX310	複線両渡りポイント	1
S186T	単線プレートガーダー橋	8
	絶縁ジョイナー	4個(2組)

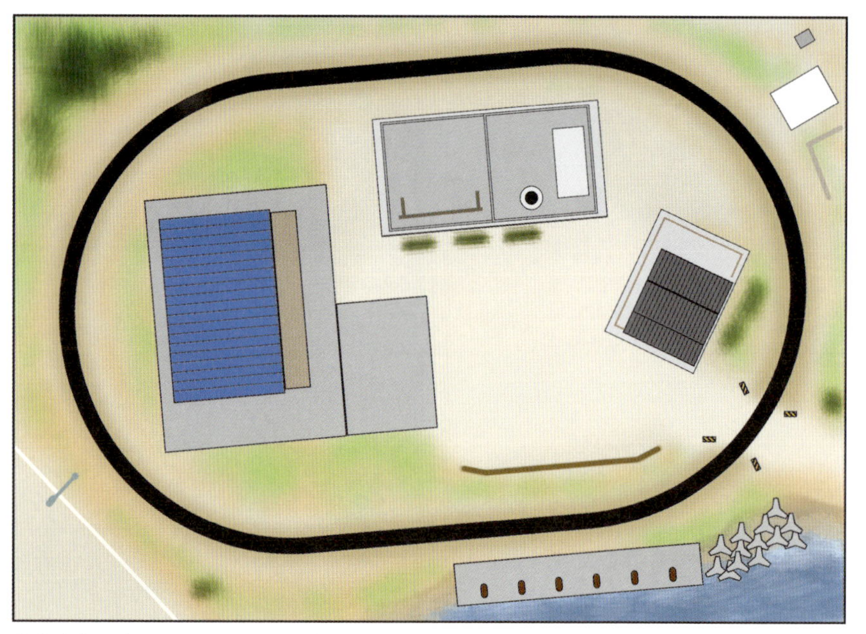

東北地方の海沿いの町にある駅構内のはずれをイメージした極小プラン。ストラクチャーは貨物駅の事務所と魚市場、食堂のみ。時代や場所の特徴を盛り込んだディテールを楽しむのが目的。

実物より輝く瞬間のために

画材店で売られているB３サイズの木製パネル上に、濃密な風景を作りこむためのプラン。線路配置はシンプルでも、場所、季節、時刻、状況など、緻密に考えたシチュエーションを与えることで大きな楽しみが得られる。

大きさ ▸▸▸ 515×364ミリ
使用レール ▸▸▸ TOMIXファイントラック

- 曲線半径：R140
- 使用ポイント：ナシ
- 勾配：ナシ
- 停車場有効長：ナシ
- テーマ：漁港のある地方駅のはずれ
- 時代設定：昭和40年代
- 季節設定：秋
- 想定走行車両：貨車移動機とボギー冷蔵貨車
- 特記事項：市販のB３パネルをベースボードに利用可

Layout Plan

極小プランに念入りなシーナリー。想像力こそ、レイアウトの原動力だ！

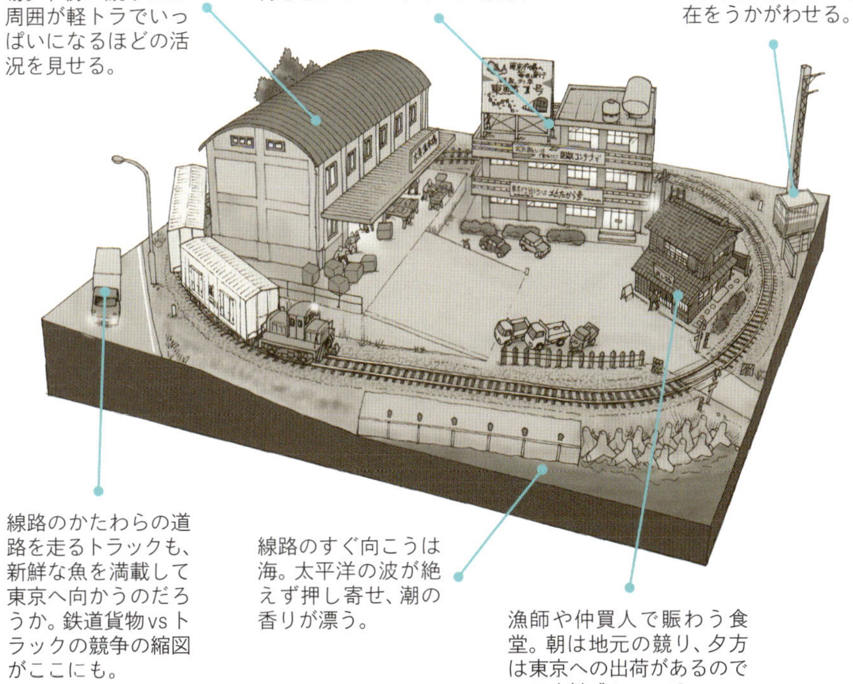

港から運ばれて来た魚貝が商われる市場。早朝の競りには周囲が軽トラでいっぱいになるほどの活況を見せる。

鉄道で各地に送られる海産物を扱う貨物駅の建物は、小さな町に不釣り合いなほど立派な構え。最近ではトラックとの競争が激しく、看板や垂れ幕で列車の便利さをアピールするのに懸命。

さりげなく置かれたコンテナとポツンと立つ頑丈そうな架線柱。この向こうにある広大な操車場の存在をうかがわせる。

線路のかたわらの道路を走るトラックも、新鮮な魚を満載して東京へ向かうのだろうか。鉄道貨物vsトラックの競争の縮図がここにも。

線路のすぐ向こうは海。太平洋の波が絶えず押し寄せ、潮の香りが漂う。

漁師や仲買人で賑わう食堂。朝は地元の競り、夕方は東京への出荷があるので一日中繁盛している。

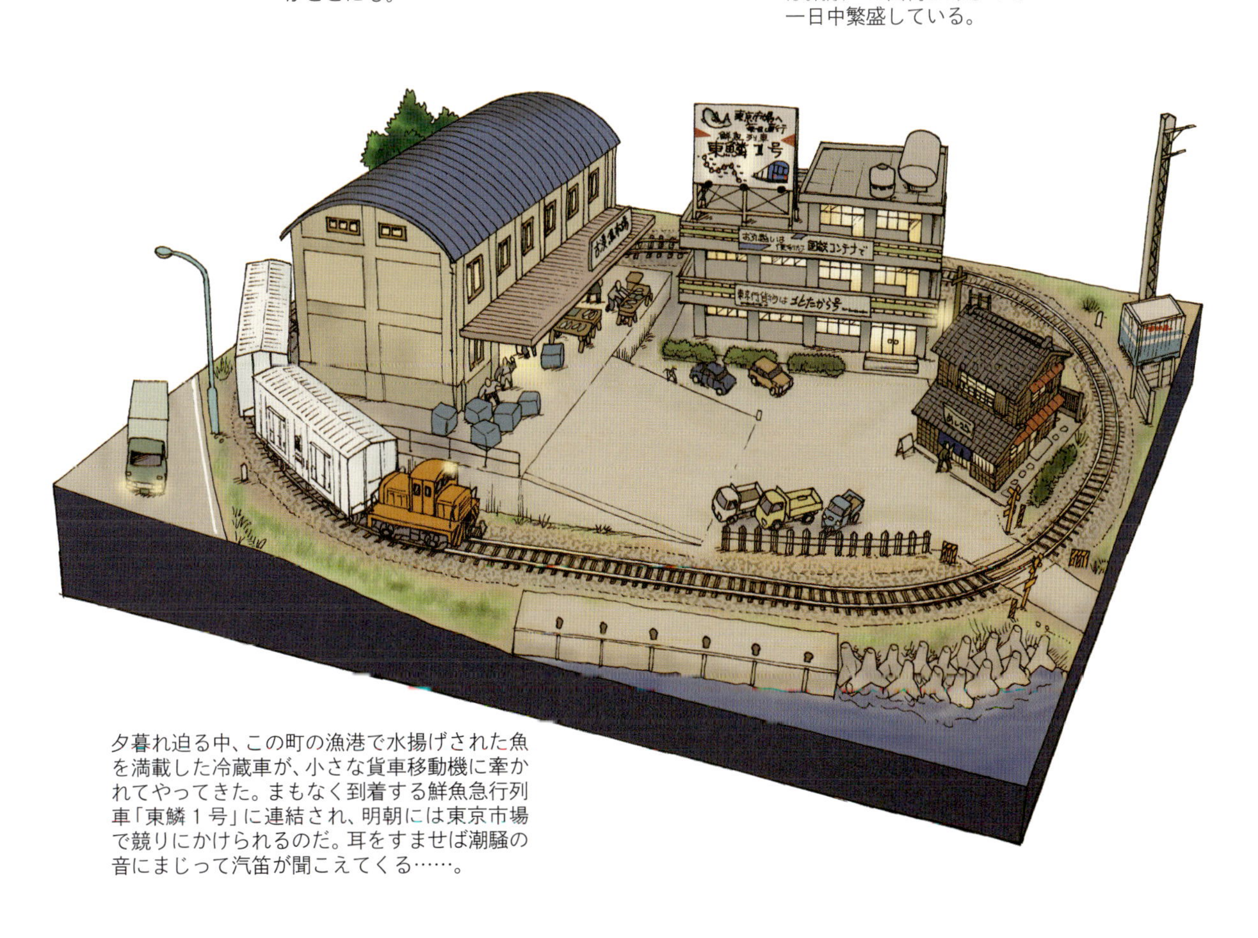

夕暮れ迫る中、この町の漁港で水揚げされた魚を満載した冷蔵車が、小さな貨車移動機に牽かれてやってきた。まもなく到着する鮮魚急行列車「東鱗１号」に連結され、明朝には東京市場で競りにかけられるのだ。耳をすませば潮騒の音にまじって汽笛が聞こえてくる……。

制約があるからこそ面白い

本書の最後を飾るプランはあえて、ご覧のようなシンプル極まりないものにしました。小さなレイアウトでも、本質的な楽しさは大レイアウトとなんら変わらないことを是非、知っていただきたいためです。

鉄道模型は「小さい」という大きな制約を背負っています。実物の持つ迫力とか、重量感などを表現するのにも、また、細かいディテールを再現するのにも、きわめて不利な条件です。その鉄道模型に、こんなにも心惹かれる人が大勢いるのは何故でしょう？

筆者の考えでは「実物よりも輝く瞬間があるから」だと思います。「ちっぽけ」で「吹けば飛ぶような」模型が、実物と見まごうような、あるいは実物以上の魅力を発揮する瞬間がある。そして、その落差は大きいほど面白い。ですから、大きなレイアウトが作れなくても嘆く必要はありません。こんな小さなレイアウトなのに、得られる楽しみは無限大。その落差こそが醍醐味なのです。

東北のとある小さな町をイメージ

ご覧に入れるプランでは、極小スペースから可能な限りの楽しさを引き出すためのヒントを詰め込んでみました。

舞台は太平洋に面した東北地方の小さな町、その片隅にある魚市場の専用線です。走るのは小さな貨車移動機が牽引する2両のレサ5000形冷蔵車。東北沿岸で獲れた新鮮な魚を東京へ運ぶ急行貨物列車専用のスター的車両です。まもなく鮮魚急行「東鱗1号」に連結され、時速85キロで東京へ向かいます。

設定はイリュージョンを生み出す

この設定はすなわち、小さなレイアウトをひとめぐりしている線路が遠く東京へとつながっているという、ある種のイリュージョンを生み出します。秒刻みのダイヤで疾走する急行貨物列車と接続する緊張感も生まれます。ドラマを与えることで、レイアウトは俄然生き生きとしてきます。

もちろん頭の中だけで考えるのではなく、そのドラマに沿った役割を持った事物をレイアウト上に散りばめていきましょう。

太平洋（手前にちらりと見えます）を泳いでいた魚が、水揚げされて氷とともに箱詰めされ（大きな魚市場の建物があります）、貨車に積まれて駅の操車場（貨物駅の建物、架線柱、コンテナがその存在を物語ります）へ向かいます。駅の建物には件の「東鱗1号」を宣伝する大看板や「お引っ越しは国鉄コンテナで」などという垂れ幕も見えます。トラックとの競争が激化し、国鉄も宣伝に躍起になっていますが、そのライバルである道路とトラックもレイアウトの左に見えます。このトラックも魚を満載して東京へ向かうのでしょう。

濃密なドラマこそ美味しい

そんな細々とした設定など、見る人にはわからないだろうとおっしゃる？

でも作り手であるあなたの頭の中に濃密なドラマがあれば、レイアウト作りは格段に楽しくなるのです。そして、語るべきものがあることは、レイアウトの出来映えを大きく向上させてくれるはず。そもそもレイアウトプランの役割も、そこにあるように思うのです。

プラン図

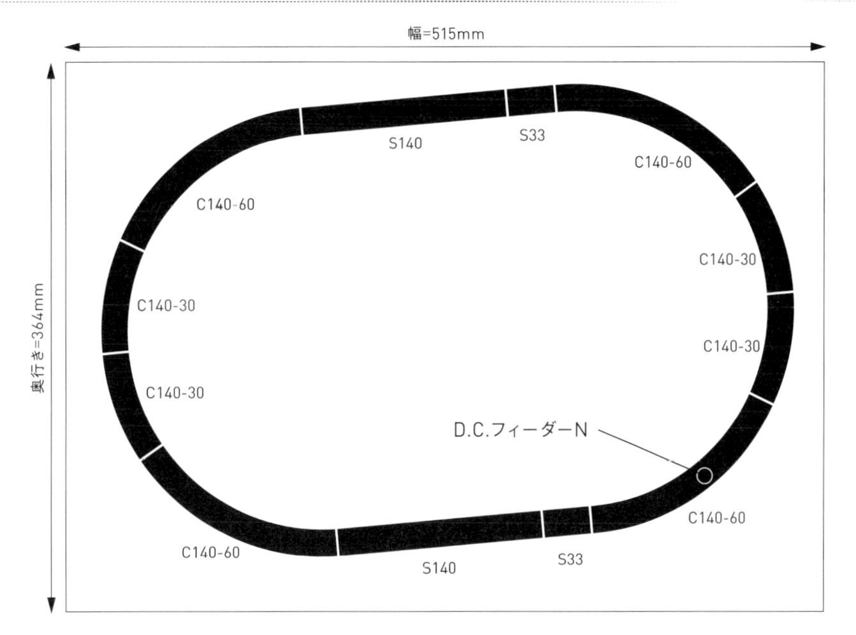

B３判パネルの上に、ミニカーブレールを利用したオーバル（楕円形エンドレス）を斜めに配置。拍子抜けするほどのシンプルな線路配置だが、それだけにゴールとなる濃密な完成形態との落差が大きな楽しみを生む。

使用線路部品リスト（TOMIXファイントラック）

略号	部品名	数量
S140	ストレートレールS140 (F)	2
S33	端数レールS33 (F)	2
C140-60	ミニカーブレールC140-60 (F)	4

略号	部品名	数量
C140-30	ミニカーブレールC140-30 (F)	4
	D.C.フィーダーN	1

いかがでしたか？
お好みのレイアウトプランは見つかったでしょうか。
この本を手に想像力を羽ばたかせて、
やがてあなただけの素晴らしいレイアウトが出来上がることを願っています。
それではまたお目にかかりましょう！

Profile

池田邦彦［Ikeda Kunihiko］

1965年東京生まれ。STUDIO S'PIKE主宰。漫画家、イラストレーター、鉄道ライター。鉄道雑誌を中心に取材記事やイラストを描いていたが、2008年講談社主催の漫画新人賞「第54回ちばてつや賞」の大賞受賞を機に、漫画家として活躍中。漫画作品としては『カレチ』『グランドステーション』（以上講談社）、『シャーロッキアン!』（双葉社）、『でんしゃ通り一丁目』（日本文芸社）など。鉄道趣味の著作としては『机の上の小さな鉄道レイアウト作り』、『Nゲージレイアウト作りに挑戦! KATOユニトラックではじめる鉄道模型』（技術評論社）、『新版―イラストでよみがえる国鉄黄金時代の名列車たち』（ネコ・パブリッシング）など。
鉄道に関する豊富な知識と冷静な観察眼にイラストの才が加わり、的確で分かりやすい表現に定評がある。

［カバー・本文デザイン］
石田 崇（ライラック）

［本文DTP］
鈴木勇考・星山誼彰（ライラック）

［本文イラスト］
池田邦彦

Nゲージ
レイアウトプラン集50

2016年8月25日　初版　第1刷発行
2023年8月19日　初版　第4刷発行

［著者］　池田邦彦
［発行者］　片岡　巌
［発行所］　株式会社技術評論社
東京都新宿区市谷左内町21-13
電話　03-3513-6150：販売促進部
03-3267-2272：書籍編集部
［印刷／製本］図書印刷株式会社

ISBN978-4-7741-8303-9　C2076
Printed in Japan